KÖNIGREICH
SCHWEDEN

REGAI

DIE OSTSEE

ROSTOCK

STRALSUND

DIE OSTSEE
und
DIE WESTSEE

Oetinger

Kirsten Boie
Eine Welt aus Büchern

Kirsten Boie, 1950 in Hamburg geboren, promovierte Literaturwissenschaftlerin, war einige Jahre als Lehrerin tätig, bevor 1985 ihr erstes Kinderbuch erschien. Heute ist sie eine der renommiertesten und vielseitigsten deutschen Kinder- und Jugendbuchautorinnen, vielfach ausgezeichnet und bereits mehrfach für den international bedeutenden Hans-Christian-Andersen-Preis nominiert. 2007 wurde sie für ihr Gesamtwerk mit dem Sonderpreis des Deutschen Jugendliteraturpreises geehrt. Sie hat viele beliebte Kinderbuchfiguren für alle Altersgruppen kreiert und engagiert sich sehr für die Leseförderung. Nicht nur *Paule ist ein Glücksgriff* – so der Titel ihres Debütromans – sondern auch »Kirsten Boie ist ein Glücksfall für die deutsche Kinderbuch-Literatur« (NDR).

Barbara Scholz, geboren 1969 in Herford, studierte Grafik-Design und arbeitet in einer Ateliergemeinschaft in Münster als Kinderbuch-Illustratorin für verschiedene Verlage. Sie hat bereits zahlreiche Kinderbücher veröffentlicht und unter anderem Kirsten Boies Abenteuergeschichte *Der kleine Ritter Trenk* farbig illustriert. »Ein wundervolles Buch … Nicht zuletzt die wunderschönen Zeichnungen von Barbara Scholz machen *Der kleine Ritter Trenk* zu einem ganz besonderen Lesevergnügen für Klein und Groß« heißt es dazu bei literature.de.

Kirsten Boie

Seeräubermoses

Mit Bildern von Barbara Scholz

Verlag Friedrich Oetinger · Hamburg

Wie es mit unserem Seeräubermädchen weitergeht,
lest ihr in *Leinen los, Seeräubermoses.*

Unterrichtsmaterial zum Thema
gibt es auf *www.vgo-schule.de*

Mehr von Kirsten Boie bei Oetinger (Auswahl)

Der kleine Ritter Trenk
Wir Kinder aus dem Möwenweg
Und dann ist wirklich Weihnachten

© 2009 Verlag Friedrich Oetinger GmbH,
Poppenbütteler Chausee 53, 22397 Hamburg
Alle Rechte vorbehalten
Einband und Illustrationen von Barbara Scholz
Reproduktion: Domino GmbH, Lübeck
Druck und Bindung: SIA Livonia Print,
Ventspils iela 50, LV-1002, Riga, Lettland
Printed 2017
ISBN 978-3-7891-3180-6

www.oetinger.de
www.kirsten-boie.de

Diese Personen kommen in der Geschichte vor. Hier kannst du nachschlagen, wenn du dich mal nicht mehr erinnerst.

Käptn Klaas, Seeräuberhauptmann und Kapitän der »Wüsten Walli«, über den wir am Schluss etwas Erstaunliches erfahren

Nadel-Mattes, Seeräuber und Segelmacher auf der »Wüsten Walli«

Bruder Marten der Smutje, Seeräuber und Schiffskoch auf der »Wüsten Walli«

Haken-Fiete, Seeräuber und Steuermann auf der »Wüsten Walli« und leider nicht besonders schlau

Moses, ein Findelkind, das zuerst ein Seeräuberkind und Schiffs-junge wird und später etwas ganz anderes

Euter-Klaas, Schiffsziege auf der »Wüsten Walli«

Olle Holzbein, der größte Feind und Erzrivale von Käptn Klaas, Kapitän der »Süßen Suse« und ein sehr gefährlicher Seeräuber-hauptmann

Hinnerk mit dem Hut, ein merkwürdiger kleiner Seeräuber und Matrose auf der »Süßen Suse«

Dohlenhannes, Schiffsjunge auf der »Süßen Suse«

Schnackfass, eine sprechende Dohle, die Hannes gehört und ohne die alles ganz anders gekommen wäre

Kalle Guckaus, ein Strandräuber, aber ein netter

Der Herr König und

Die Frau Königin, die viele Jahre lang sehr traurig waren

Der Oberhofzeremonienmeister, der aber nicht sehr wichtig ist

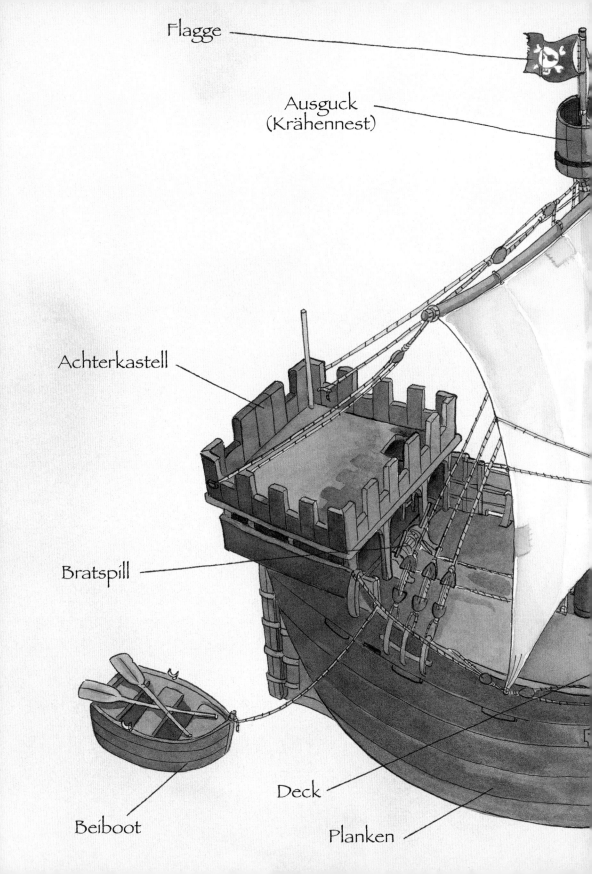

Flagge

Ausguck
(Krähennest)

Achterkastell

Bratspill

Beiboot

Deck

Planken

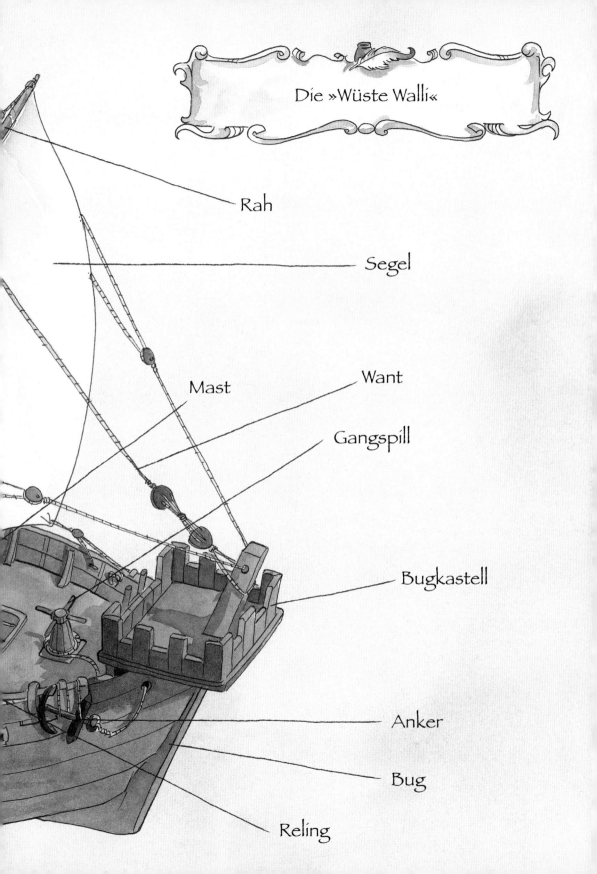

Die »Wüste Walli«

Rah

Segel

Mast

Want

Gangspill

Bugkastell

Anker

Bug

Reling

Achtung!
Hinweis für alle, die zufällig
keine Seeräuber sind!

Diese Seeräuber mussten damals leider für alles ihre eigenen Wörter haben, und wenn du vielleicht kein Seeräuber bist – was ja sein
kann! –, dann könnte es passieren, dass du mal eins davon nicht so
gut kennst. Darum sind hinten im Buch alle Seeräuberwörter und
Seeräubersachen noch mal extra aufgeschrieben und gemalt. Und
andere schwierige Wörter und Sachen auch. Nur vorsichtshalber.
Und jetzt: Viel Spaß!
Und das heißt in der Seeräubersprache:
Mast- und Schotbruch! Guten Wind und allzeit eine Handbreit
Wasser unter dem Kiel!

1. Teil,
in dem erzählt wird,
wie Moses ein Seeräuberkind wird

1. Kapitel,

in dem ein wilder Sturm tost und wir die Kerle von der »Wüsten Walli« kennenlernen

Es war eine wilde, stürmische Gewitternacht, als Moses zu den Seeräubern kam.

Die Blitze zuckten nur so am Horizont und dazu rollte der Donner über den Himmel mit einem Krachen wie ein rumpeliges Fass: Und alle Landratten, die schon seekrank werden, sobald sie nur die Deckplanken eines Schiffs unter ihren Füßen spüren, sollten jetzt vielleicht lieber nicht weiterlesen und sich stattdessen mit einer Wärmflasche und einer schönen Tasse Kakao gemütlich in ihr kuscheliges Bett legen. Denn in dieser Geschichte wird es noch öfter wild und gefährlich zugehen und der Sturm wird heulen und die See wird toben und die Seeräuber werden ihre Säbel schwingen, und vielleicht müssen einem überhaupt besser Seebeine gewachsen sein, wenn man die Geschichte von Moses vom Anfang bis zu ihrem glücklichen Ende hören will.

Ja, also wie gesagt, es war eine wilde, stürmische Gewitternacht, und auf der Seeräuberkogge »Wüste Walli« waren alle Kerle damit beschäftigt, das Schiff sturmklar zu machen.

»Alle Mann in die Rahen!«, rief der Kapitän (und was Rahen sind, kannst du dir vielleicht auf dem Bild ansehen oder hinten nachlesen, sonst müsste ich zu viel erklären), »Segel reffen!«

Da zischte die Mannschaft die Trossen hoch und reffte die Segel und brasste die Rahen, damit der Sturm die »Wüste Walli« nicht allzu sehr hin und her schleudern konnte; nur dagegen, dass der Blitz vielleicht in den Mast einschlug, konnten die Männer natürlich trotzdem nichts tun.

Und weil sie schon viele Gewitter auf See erlebt hatten und weil sie darum lauter sturmerprobte Kerle waren allesamt, banden sie sich zum Schluss jeder mit einem richtig sicheren Seemannsknoten, der Palstek heißt, noch einen Tampen um ihre Bäuche und das andere Ende befestigten sie am Mast oder irgendwo in den Klüsen, damit der Sturm sie nicht womöglich mit einer Bö vom Schiff pusten und das Meer sie nicht mit einer riesigen Welle vom Deck spülen konnte. Denn schwimmen konnten sie alle nicht und darum wäre so ein Bad ja vielleicht nicht so schön gewesen und hätte böse ausgehen können.

»So, jetzt hat man also getan, was man tun konnte«, sagte Haken-Fiete so zufrieden, als säße er zu Hause auf seinem gemütlichen Sofa. (Aber ein anderes Zuhause als die »Wüste Walli« hatte er nicht und ein Sofa schon gar nicht.) Dann sah er gespannt einem riesigen Kaventsmann entgegen, das war eine Welle, die gerade hoch wie ein Turm mit ziemlicher Geschwindigkeit und einem Kamm aus Gischt direkt auf den Bugspriet der »Walli« zugerollt kam. »Jetzt könnte man vielleicht ein kleines Trinkerchen brauchen.« Ein kleines Trinkerchen mochten die Seeräuber nämlich lieber als alles andere, das kann ich dir versichern, und ob sie es nun in einer schmuddeligen Hafenspelunke tranken oder im wildesten Sturm auf hoher See, das war ihnen eigentlich ziemlich gleichgültig.

Aber ihr Trinkerchen kriegten sie diesmal trotzdem nicht. Weil der Kaventsmann jetzt nämlich die »Walli« erreicht hatte und das Deck überspülte und alles durcheinanderwarf, was nicht niet- und nagelfest war, und das war einiges, auch die Männer. Denn wenn die auch natürlich *see*fest waren, *niet- und nagelfest* waren sie nicht, und darum purzelten sie also jetzt ziemlich hin und her. Aber zum Glück hatten sie ja alle ihren Tampen um den Bauch, da konnte nichts Schlimmeres passieren.

»Na, da ist man wenigstens endlich mal wieder richtig sauber geworden«, sagte Bruder Marten der Smutje zufrieden, als die Welle sich durch die Speigatten am Heck und an Backbord und Steuerbord vom Schiff gemacht hatte und es an Deck wieder beinahe ruhig war. »Du auch, Haken-Fiete, du hattest es nötig. Dich hätte ja vorher nicht mal deine eigene Mama wiedererkannt, bevor der Ozean mal den ganzen Dreck von deiner Seeräubernase gewaschen hat.«

Da hob Haken-Fiete seine Hakenhand und stieß ein fürchterliches Wutgeheul aus, denn wütend wurde er schnell und beleidigt sowieso, und darum musste der Käptn sich jetzt auch einmischen und brüllen und fragen, ob es denn nicht verdammich noch mal schon schlimm genug wäre, dass sie hier mitten auf dem Ozean im fürchterlichsten Gewitter steckten, und ob sie sich da auch noch gegenseitig die Köpfe einschlagen müssten.

Da senkte Haken-Fiete beschämt den

Kopf und ließ auch seine Hakenhand sinken. Und übrigens hatte Bruder Marten der Smutje sowieso geschwindelt, als er gesagt hatte, dass er Fiete jetzt wiedererkennen konnte; denn die Gewitternacht war so finster und der Himmel so voller wilder Wolken, dass kein einziger Stern auf ihr Seeräuberschiff herunterschien und der Mond schon gar nicht, und außerdem prasselte der Regen wie ein dichter Vorhang auf das Deck. Darum konnte man in dieser Nacht nicht einmal die Hand vor Augen sehen, außer wenn gerade wieder ein Blitz den Himmel zerriss, und darum konnte Marten Smutje vorne auf dem Bugkastell natürlich überhaupt nicht erkennen, wie schwarz oder weiß Fietes Gesicht hinten am Achterkastell war. Aber ein bisschen Spaß musste schließlich sein, auch im Gewitter, und Leute, die immer gleich wütend werden wie Fiete, ärgert man natürlich besonders gerne, das weißt du ja.

Erst als der Morgen graute und sich endlich die ersten Sonnenstrahlen zwischen den Wolken hervortrauten, ließ der Sturm langsam nach und der Regen wurde zu einem ganz feinen Nieseln; und

am Horizont sahen die Männer statt der wilden Blitze plötzlich einen Regenbogen.

»Ha!«, schrie Haken-Fiete. »Beim Klabautermann! Ein Schatz!«

Du kennst ja sicher auch den Aberglauben, dass da, wo ein Regenbogen die Erde berührt, ein Schatz vergraben ist; aber Nadel-Mattes der Segelmacher sagte ganz richtig, man hätte ja wohl noch nie davon gehört, dass man Schätze auch dort finden könnte, wo ein Regenbogen das *Meer* berührt, und Haken-Fiete wäre ja wohl dumm im Kopf.

Fiete wollte gerade wieder wütend werden (du weißt ja, das wurde er schnell und beleidigt außerdem), als der Mann oben im Ausguck, den man Krähennest nennt, plötzlich schrill und laut auf zwei Fingern pfiff.

»Käptn Klaas!«, brüllte er. »Schiffswrack an Steuerbord querab!«

Da flitzten all die wilden Seeräuber nach rechts (denn das ist auf einem Schiff die Seite, die Steuerbord heißt) und hängten sich über die Reling. Und was sie da sahen, zerriss ihnen wahrhaftig fast das Herz.

»Beim Klabautermann!«, sagte Haken-Fiete düster. »Da ist wohl nichts mehr zu machen.« Und er sah auf einmal ganz verzweifelt aus.

»Nee, da ist gewisslich nichts mehr zu machen«, sagte Bruder Marten der Smutje. »Die alte Schaluppe da geht unter mit Mann und Maus, da könnt ihr auf ab.«

Und das war leider die traurige Wahrheit. Denn in einem ziemlichen Strudel verschwand gerade so ungefähr eine halbe Seemeile entfernt das hölzerne Heck eines Schiffes im Meer, und dabei gab es ein fürchterliches gurgelndes Geräusch, bevor die Wellen endgültig über dem Wrack zusammenschlugen; und an die Menschen, die vielleicht noch an Bord waren und die der Strudel nun auf Nimmerwiedersehen mit in die Tiefe riss, mag ich gar nicht denken.

»Zu spät!«, sagte Nadel-Mattes und spuckte kummervoll einen

Pflaumenkern in die Richtung, in der das Meer jetzt schon wieder glatt und friedlich in der Morgensonne glänzte, als hätte es nicht gerade einen Kahn verschluckt. »Oh Elend, Elend! Warum sind wir nicht früher gekommen, als noch was zu retten war?«

»Ja, warum sind wir nicht früher gekommen, als noch was zu retten war, verdammich?«, fragte Haken-Fiete, und fast sah er aus, als ob er gleich weinen wollte, der finstere Kerl. »Da geht sie hin mit Mann und Maus.«

Aber wenn du jetzt denkst, dass die Männer so klagten, weil sie es nicht mehr geschafft hatten, die Besatzung der Schaluppe vor den Fluten zu retten, dann hast du wohl noch nicht ganz verstanden, was für Gesellen diese Seeräuber waren.

»Vielleicht hatte sie Gold und Geschmeide an Bord!«, sagte Nadel-Mattes und schnäuzte sich in einen Zipfel seines schmutzigen Hemdes. »Dahin, dahin!«

»Oder vielleicht hatte sie Silber und Dukaten an Bord!«, sagte Bruder Marten der Smutje.

»Dahin, dahin!«, sagte Haken-Fiete, dem selten etwas Eigenes einfiel.

»Oder kostbare Gewürze!«, rief Nadel-Mattes wieder.

»Seide!«, schrie Bruder Marten der Smutje.

»Gepökelten Schweinebauch!«, stöhnte Haken-Fiete.

»Verdammich, verdammich!«, sagte jetzt auch Käptn Klaas, und dann starrten sie alle düster aufs Meer, das ihnen nun vielleicht gerade eine fette Beute geraubt hatte. Was aus den Menschen an Bord geworden war, war ihnen allen ganz gleichgültig, das hast du jetzt wohl begriffen.

»Ja, dahin, dahin!«, sagte Nadel-Mattes und schob die nächste Dörrpflaume in seine Backentasche, denn er hatte eigentlich kunstspucken wollen. Aber dann hellte sich sein Gesicht auf. »Könnte aber vielleicht auch sein, dass das da Olle Holzbein sein Kahn war, Käptn, und das wäre natürlich ein Segen.«

»Olle Holzbein sein Kahn?«, sagte der Käptn (und du hast natürlich gemerkt, dass das kein richtiges Deutsch ist; aber du musst ja bedenken, dass diese Seeräuber ziemlich raue Gesellen waren und eine Schule hatten sie nie von innen gesehen, da wollen wir ihnen mal verzeihen). »Tja, wenn das da eben Olle Holzbein sein Kahn war, dann hat dieses Unwetter der Welt wahrlich einen großen Segen beschert. Gottes Mühlen mahlen langsam, aber gründlich, wie das Sprichwort so sagt. Denn ohne Olle Holzbein ist die Welt besser dran, so wahr ich euer Käptn bin.«

»Ohne Olle Holzbein ist die Welt besser dran, beim Klabautermann!«, sagte Haken-Fiete, und so schnell er immer wütend wurde, so schnell wurde er auch immer wieder vergnügt. »Darauf müssen wir einen heben, was, Käptn? Ist noch ein Trinkerchen im Fass, Bruder Marten?«

Und während wir die Seeräuber in Ruhe ihr Trinkerchen nehmen lassen, will ich dir mal schnell erklären, wer dieser Olle Holzbein überhaupt war, damit du verstehst, warum die dummen Kerle seinen Untergang feierten.

Dieser Olle nämlich war Käptn Klaas' größter Feind und Erzrivale, ein Seeräuberhauptmann genau wie er; und oft, wenn die »Wüste Walli« in den letzten Jahren ausgezogen war, um ein stattliches Handelsschiff zu kapern und ordentlich Gold und Dukaten und Gewürze und ich weiß nicht was noch abzuschleppen, war ihr Olle Holzbein mit seiner »Süßen Suse« zuvorgekommen und von der Beute war dann nicht einmal eine schäbige Silbermünze oder meinetwegen auch ein Fässchen Pfeffer übrig geblieben. Darum kann man vielleicht verstehen, dass den Männern auf der »Walli« eine Welt ohne Olle Holzbein wie eine bessere Welt erschien und dass sie das Ende der »Süßen Suse« ordentlich feierten. Nach der schrecklichen Nacht mit dem Tampen um den Bauch war ihnen sowieso ziemlich nach Feiern zumute, das kann man ja verstehen.

Und darum hätten sie auch beinahe das merkwürdige Dingsbums übersehen, das in der Flaute, die auf den Sturm gefolgt war, schon eine ganze Zeit auf den Wellen an Backbord neben ihnen hertrieb. Dann hätte es diese Geschichte überhaupt nicht gegeben, und das alles nur, weil diese Seeräuber immer einen bechern mussten.

17

2. Kapitel,

in dem die Kerle merkwürdiges Treibgut auffischen

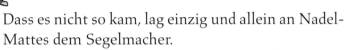

Dass es nicht so kam, lag einzig und allein an Nadel-Mattes dem Segelmacher.

Der nahm nämlich nicht ganz so viele Trinkerchen wie seine Seeräuberkollegen, und vielleicht deshalb oder vielleicht aus einem anderen Grund war er auch der Vernünftigste an Bord.

Während die anderen nun also alle grölend ihre hölzernen Becher schwangen und sie gegeneinanderdonnerten, dass es schepperte, schlenderte Nadel-Mattes an die Reling, um endlich ordentlich gegen den Wind zu spucken; das war seine Leidenschaft und darin machte ihm niemand so leicht etwas vor.

Und wie er nun also den Pflaumenkern mit der Zunge in seinem Mund hin und her rollte und dabei zufrieden seinen Blick über das Wasser schweifen ließ – denn ein weiteres Mal hatte der Klabautermann ja die »Wüste Walli« verschont und nicht in ein feuchtes Grab geholt –, wie er nun also so zufrieden seinen Blick über das Wasser schweifen ließ, da sah er an Backbord plötzlich etwas auf den Wellen treiben, und du ahnst vielleicht schon, was das war.

Aber Nadel-Mattes ahnte das nicht und darum brüllte er mit seiner lautesten Stimme: »Treibgut an Backbord querab, Käptn! Treibgut an Backbord querab!« Und »querab« heißt übrigens nichts anderes als »an der Seite« oder »daneben«, diese Seeleute müssen ja immer für alles ihre eigenen Ausdrücke haben.

Da tranken die Seeräuber blitzschnell ihre Becher leer und kamen zu Mattes an die Reling geflitzt, denn wenn Treibgut gesichtet worden war, musste man sich beeilen, das wussten sie.

»Och, Nadel-Mattes, das ist ja man bloß Lüttschiet!«, sagte Haken-Fiete enttäuscht, und vielleicht muss ich dir das auch schon wieder übersetzen. »Das ist ja nur Kleinkram!«, hatte Haken-Fiete gesagt, der war als Erster bei Mattes angekommen. Vielleicht hatte er ja gehofft, dass er da auf den Wellen doch noch eine Schatztruhe entdecken würde oder was weiß ich. Es hätte doch sein können, dass die »Süße Suse« zwar untergegangen war mit Mann und Maus, aber ein bisschen von ihrer Beute trieb vielleicht immer noch auf dem Meer, und nun konnte die »Wüste Walli« sich also daranmachen, diese Beute aufzufischen, so hatte Fiete sich das wohl gedacht.

»Ja, Lüttschiet hin oder her, hol mal den Enterhaken«, sagte der Käptn. »Lüttvieh macht auch Mist, wie das Sprichwort so sagt, und darum wollen wir nun mal gleich gucken, was das Meer uns da ausgespuckt hat.«

Inzwischen war das merkwürdige Dingsbums an Backbord immer näher an die Bordwand herangetrieben, und endlich war nun auch ganz deutlich zu erkennen, was es war: nichts anderes als eine hölzerne Waschbalje nämlich, so ein Zuber aus hölzernen Dauben mit einem metallenen Fassreif um die Mitte herum, in dem die Männer an Bord ihre Wäsche waschen konnten, sollten sie das auf ihrer langen Fahrt vielleicht einmal vorhaben, oder zur Not auch sich selbst. Aber vor Wasser im Gesicht hatten diese rauen Kerle ziemliche Angst, muss ich dir sagen, was ja eigentlich merkwürdig ist, wenn man bedenkt, dass sie doch ihr ganzes Leben auf dem Wasser zubrachten. So oft wie du wuschen die Seeräuber sich jedenfalls nicht, und nach, sagen wir mal, so acht oder zehn oder sogar zwölf Wochen ohne Seife müffelten sie alle ziemlich, das kannst du glauben. Aber es machte ihnen nichts aus, diesen Schmutzfinken, denn sie waren daran gewöhnt. Jedenfalls sahen ihre finsteren Gesichter Wasser meistens nur dann, wenn wie in dieser Nacht ein Kaventsmann über das Deck rollte und über ihnen zusammenschlug, so unglaublich das auch vielleicht klingt.

»Das ist ja man bloß eine Waschbalje«, sagte Bruder Marten der Smutje darum auch sehr enttäuscht; denn wenn es irgendetwas gab, das die Seeräuber auf der »Wüsten Walli« ganz bestimmt nicht gebrauchen konnten, dann war das eine Waschbalje, das verstehst du nun wohl. »Na, da hätte Olle Holzbein uns auch was Besseres hinterlassen können, das ist gewisslich wahr.«

»Hinterlistig bis zur Minute seines Todes!«, sagte Käptn Klaas. »Olle Holzbein ist so hinterlistig gestorben, wie er gelebt hat, der Schurke!«, und damit warf er selbst den Enterhaken nach der Waschbalje aus, denn darin hatte er Übung. Und verkommen lassen wollte er sie nicht, auch wenn sie ja eine große Enttäuschung war.

Die Balje, musst du dir vorstellen, schaukelte währenddessen auf den Wellen wie ein kleines Boot, und in ihrem Inneren konnten die Männer von oben von der Reling aus sogar noch ein Bündel Stoff erkennen, das war ein bisschen zerkrumpelt und hatte wohl gerade gewaschen werden sollen, dachten sie, bevor das Unwetter die Balje über Bord gerissen und allen Bemühungen um Reinlichkeit ein Ende bereitet hatte. Aber wer konnte denn sagen, ob unter dem Stoff nicht vielleicht doch noch ein Schatz verborgen lag, wenigstens ein ganz winziger Schatz? Ein paar klitzekleine Goldstücke vielleicht, die ein Matrose von der »Süßen Suse« da versteckt hatte, oder zur Not auch nur ein niedliches Fässchen Pfeffer. Jedenfalls hatte Käptn Klaas nicht vor, sich die Beute entgehen zu lassen, wie klein sie auch war.

»Denn wenn die abgegluckerte Schaluppe Olles ›Süße Suse‹ war, wer weiß, ob da in der Balje nicht der Blutrote Blutrubin des Verderbens liegt!«, sagte er, und da wurde es ganz still an Bord und als hätte ein kalter Hauch über das Deck hin geweht, und dann flüsterten die Seeräuber alle: »Der Blutrote Blutrubin des Verderbens! Der Blutrote Blutrubin des Verderbens!«, und daran merkt man ja schon, dass das etwas ganz Besonderes sein musste und etwas Gruseliges außerdem, aber was genau dieser Blutrote Blutrubin nun war, muss leider noch ein bisschen warten.

Denn als die Balje schließlich tropfend auf den Deckplanken stand, sahen die Seeräuber gleich, dass mit dem nicht zu rechnen war. »Tja, das war es denn nun!«, sagte Käptn Klaas. »Würde mich gar nicht wundern, wenn Olle Holzbein diesen Schiet noch fix extra über Bord geschmissen hat, um uns zu ärgern, als er gemerkt hat, dass ihn gleich der Klabautermann holt. Ich glaube, wir haben hier ein bannig feines Nachthemd für einen von euch!«, und er starrte voller Abscheu in den Zuber, denn das Tuch darin sah wirklich aus wie ein feines spitzenbesetztes und zierlich besticktes Damennachthemd. »Wer hätte gedacht, dass Olle Holzbein nachts in seiner Koje in so einem Rüschenkram schläft!«

»Igitt, igitt, beim Klabautermann!«, schrie Haken-Fiete, der sich ja von allen immer am schnellsten aufregte. »Weiberkram, verdammich!« Und er machte erschrocken einen so großen Schritt zurück, dass er fast gestolpert wäre. Denn Weiberkram war für die finsteren Kerle auf der »Wüsten Walli« fast das Allerschlimmste, und da siehst du mal, wie sehr das ewige Trinkerchen ihre Gehirne schon ganz muddelig gemacht hatte.

»Über meinen Bauch passt so ein feiner Damenfummel jedenfalls nicht, danket dem Herrn!«, sagte Bruder Marten der Smutje zufrieden, und das war die heilige Wahrheit. Sein Seeräuberbauch war so stattlich wie sonst keiner an Bord, was ja nicht weiter verwunderlich ist. Denn ein Smutje ist schließlich nichts anderes als ein Schiffskoch, falls du das nicht gewusst haben solltest, und darum musste Bruder Marten auch niemals hungern. »Wenn ich den Fummel da anzieh, zerplatzt die feine Seide wie eine pralle Schweineblase, das ist gewisslich wahr.« Und damit gab er der Balje einen kleinen Schubs mit dem Fuß, dass sie auf den geschrubbten Planken fast bis an die Reling schlidderte.

Aber Nadel-Mattes wollte zumindest noch mal nachgucken, ob sich nicht doch irgendwas Nützliches unter dem Rüschenschiet verbarg. Darum beugte er sich mit seinem alten Rücken ächzend über die Balje und unter dem Johlen seiner Kameraden griff er entschlossen zu.

»Hohoho, so ein Spitzennachthemd steht dir bestimmt bannig fein, Mattes, verdammich!«, rief Haken-Fiete und schlug sich mit seiner guten Hand auf die Schenkel vor Lachen. »Beim Klabautermann und allen seinen Nixen, was für ein schmucker Schrecken der Meere!«

Aber dann wäre er fast in Ohnmacht gefallen und alle anderen Seeräuber auf der »Walli« mit ihm. Denn aus der Balje unter dem Rüschenstoff hervor ertönte plötzlich ein Schrei, der war so kräftig und so laut, dass sogar der Käptn vor Schreck seinen Enterhaken fallen ließ.

Und damit, das hast du dir ja sicher schon gedacht, fängt unsere Geschichte erst so richtig an.

3. Kapitel,

in dem die Seeräuber ein Findelkind finden und es auf den Namen Moses taufen

»Beim Klabautermann!«, sagte Nadel-Mattes, und mit einem kräftigen Ruck zog er das Nachthemd mutig aus der Balje und ließ es nachlässig auf die Deckplanken fallen, und dabei konnte jeder sehen, dass es gar kein Nachthemd war, sondern einfach nur ein feines weißes Tuch, das war über und über zierlich bestickt und mit Spitzen und Litzen und Rüschen besetzt. Na, da war es vielleicht ja nicht mehr ganz so peinlich. »Da drin liegt ein kleiner Säugling, Käptn Klaas! Olle Holzbein hat uns ein Kind untergeschoben!«

»In der Hölle schmoren soll er!«, schrie der Käptn und nun beugte auch er sich ganz, ganz vorsichtig über die Balje, um sich das Kind genauer anzusehen. »Hab ich nicht gesagt, der ist krötig und mall bis zur Minute seines Todes? Ein Balg! Was sollen wir denn mit Olle Holzbein seinem Balg anfangen?« (Und du merkst, es war wieder kein ganz richtiges Deutsch.)

»Ins Wasser schmeißen, Käptn«, sagte Haken-Fiete, nachdem er einen kurzen Blick auf das schreiende Bündel geworfen hatte. »Ist ja sonst zu nix gut, der Schiet.«

Aber da sahen Nadel-Mattes und Bruder Marten der Smutje und auch Käptn Klaas ihn doch voller Abscheu an. Denn raue Kerle mochten sie ja sein allesamt und ein gekaperter und versenkter Kahn lastete nicht auf ihrem Gewissen, aber dass sie nun ein unschuldiges Kind so einfach mir nichts, dir nichts über Bord geschmissen hätten, so weit ging ihre Schlechtigkeit dann doch nicht.

23

»Bist du noch ganz bei Trost, Fiete mit der Hakenhand?«, sagte Bruder Marten der Smutje. »Damit Gott der Herr uns beim Jüngsten Gericht straft mit Feuer und Schwefel und wir zur Hölle fahren?«

»Und da treffen wir dann womöglich auf Olle Holzbein, denn woanders als im Fegefeuer kann so ein Schuft ja nicht enden!«, sagte Käptn Klaas nach kurzem Nachdenken und schüttelte sich. »Bevor ich für alle Ewigkeit mit Olle Holzbein zusammen in der Hölle schmoren muss, nehm ich lieber sein Balg mit bis zum nächsten Hafen. Da geben wir es dann in einer Spelunke einer netten Dame und dann sind wir es los.«

Nadel-Mattes ging neben der Balje vorsichtig in die Knie. »Es ist ja außerdem gar nicht gesagt, dass es wirklich Olle Holzbein sein Balg ist!«, sagte er. Dann kitzelte er das winzige Kind ein klitzekleines bisschen am Kinn, und da lachte es ein helles keckerndes Lachen, das wollte gar nicht mehr aufhören und verzückte Mattes so, dass sich ein lächerliches Grinsen auf sein altes Seeräubergesicht stahl. »Es ist ja nicht gesagt, dass das Kind diesem Holzbein-Schurken gehört! Vielleicht hat Olle Holzbein es ja auch von einem reichen Handelsschiff geraubt oder von einem königlichen Kriegsschiff. Denkt doch mal, die feinen Spitzen, in die es gewickelt ist!«

Und in allerfeinste Spitzen gewickelt war das Kind ja tatsächlich, nur dass die inzwischen ziemlich durchgeweicht waren von diesem und jenem.

»Hm, hm, hm«, sagte der Käptn und kratzte sich am Bart. »Dann könnte man ja vielleicht sogar noch ein Lösegeld für das Balg kassieren! Gold und Silber lieb ich sehr, wie das Sprichwort so sagt.«

Da starrten die Seeräuber plötzlich mit einem ganz anderen Blick auf das Kind, denn ein Säugling, den Olle Holzbein vielleicht einer reichen Dame gestohlen hatte und für den man also womöglich ordentlich Lösegeld kassieren konnte, war ja fast so viel wert wie Gold und Geschmeide.

»Dann müssen wir ihn behalten, Käptn«, sagte Fiete entschieden und nun kitzelte er das Kind sogar selbst probehalber ein bisschen unter dem Kinn. Und als es vor Lachen gluckste und zappelte und mit seinen kleinen Ärmchen nach ihm griff, stahl sich ganz langsam ein zahnloses Lächeln auf sein schmutziges Seeräubergesicht. »Guck, was das für ein fixer Bengel ist! Aus dem wird mal ein prächtiger Kerl und Seeräuber, das kann man sehen.«

Da hob der Käptn das Kind ein wenig unbeholfen aus der Waschbalje und hielt es am ausgestreckten Arm so weit von sich weg, wie das nur ging, um es genauer zu inspizieren. »Und dass wir das hier gerettet haben, wird uns Gott der Herr beim Jüngsten Gericht als gute Tat anrechnen, Männer!«, sagte er zufrieden. »Dann kommen wir in den Himmel zu den Engeln und müssen nicht mit Olle Holzbein im Fegefeuer schmoren.«

Und damit war es ausgemacht.

»Aber einen Namen muss er haben«, sagte Nadel-Mattes, als das Bündel am ausgestreckten Arm von Käptn Klaas schon wieder anfing zu brüllen. »Sonst weiß man ja gar nicht, was man zu ihm sagen soll, wenn er schreit.« Und er nahm dem Käptn das namenlose Bündel kurzerhand ab und wiegte es ein bisschen ungeschickt auf seinen alten Armen, bis es ruhig wurde.

»Eine kräftige Stimme hat er, Donnerwetter!«, sagte Haken-Fiete und grinste noch immer zahnlos und verzückt. »Doch, doch, das wird mal ein prächtiger Kerl und Seeräuber, verdammich!« Und dann kitzelte er das Kind auf Mattes´ Arm, und als es wieder anfing, sein helles Lachen zu lachen, wurde Fietes Grinsen nur noch breiter.

Und daran, dass das Kind ganz zufrieden damit war, bei Mattes auf dem Arm zu sein und von Fiete gekitzelt zu werden, merkst du wohl, dass ihm der ganze Dreck in den Ohren und auf den Gesichtern der Seeräuber und auch das Gemüffel aus ihren Kleidern nicht das allerkleinste bisschen ausmachte.

»Tja, einen Namen muss er haben«, sagte der Käptn und sah wohlgefällig auf seinen winzigen neuen Matrosen. »Da hat Nadel-Mattes recht. Und den Namen musst du ihm geben, Bruder Marten, denn du verstehst von uns allen am meisten von der heiligen Taufe, will mir scheinen.«

Das kam daher, weil Bruder Marten der Smutje ein entlaufener Mönch war, die gesellten sich damals in den finsteren Zeiten gar nicht so selten den Seeräubern zu, wenn ihnen das Leben im Kloster zu langweilig oder zu anstrengend oder sonst irgendwie nicht mehr so recht war; und ein Mönch ist ja natürlich wirklich fast so etwas wie ein geistlicher Herr, wenn auch nur fast. Und zu den Aufgaben eines geistlichen Herrn gehörte es eben auch damals schon, den Kindern bei der heiligen Taufe ihren Namen zu geben, mochten sie auch noch so brüllen und zappeln, wenn ihnen dabei das Taufwasser über ihr Gesicht tropfte. Da hatten Käptn Klaas und seine Seeräuber doch Glück, dass auf der »Wüsten Walli« ein Mönch zur Stelle war, gerade als sie ihn am dringendsten brauchten.

Bruder Marten mit seiner Küchenschürze trat also vor und sah das Kind lange und nachdenklich an, und das gluckste und zappelte immer noch so, dass auch dem alten Smutje sein finsteres Seeräuberherz schmolz.

»Moses sollst du heißen!«, sagte Bruder Marten nach einigem Nachdenken schließlich feierlich und dabei schüttete er ihm mit einer Suppenkelle ordentlich Wasser aus der Trinkwassertonne über den kahlen kleinen Kopf. Und weil das Kind danach sein Gesicht verzog, als ob es gleich wieder anfangen wollte zu weinen, kitzelte er es noch schnell unter dem Kinn und legte es zurück in die Balje. »Guu, guu, guu! Da lacht er wieder, unser kleiner Moses.«

»Ist die Taufe damit schon vorbei?«, fragte Haken-Fiete und

drängte sich zwischen Bruder Marten und Nadel-Mattes, weil er das Findelkind unbedingt auch noch mal kitzeln wollte. Es passierte ihm sonst ja nicht so oft, dass die Menschen sich freuten, wenn er sie kitzeln kam, und da wollte er das nun mal weidlich ausnutzen. »Guu, guu, guu, kleiner Moses!«

»Aber warum denn Moses?«, fragte Nadel-Mattes unzufrieden und jeder konnte sehen, dass er sich ärgerte, weil jetzt alle den zukünftigen kleinen Seeräuber kitzeln durften, nicht mehr nur er. »Warum nicht Klein Klaas nach unserem Käptn oder Mattes nach mir, weil ich ihn gefunden habe?«

Bruder Marten schüttelte den Kopf. »Da sieht man mal, wie viel du von der Heiligen Schrift verstehst, Mattes Segelmacher!«, sagte er. »Wärst du vielleicht ab und an mal in die Kirche gegangen, solange du noch kein sündiger Seeräuber warst, dann wüsstest du jetzt, dass der Moses in der Bibel als kleines Kind auch auf dem Wasser ausgesetzt war wie unser Moses hier! Und das Wasser hieß Nil und war ein großer Fluss im fernen Afrika, und der kleine Moses schaukelte da ganz vergnügt auf den Wellen in einem Weidenkorb, bis ihn eine ägyptische Prinzessin fand und rausfischte und zu ihrem Sohn nahm, amen.«

»Amen«, sagte Fiete vorsichtshalber auch, aber dann kratzte er sich am Kopf. »Aber unser Moses schaukelte ja nicht in einem Weidenkorb auf den Wellen, sondern in einer Waschbalje, verdammich!«, sagte er nachdenklich. »Und rausgefischt hast du ihn, Käptn Klaas, und du bist ja wohl keine ägyptische Prinzessin nicht, soweit ich weiß!« Er sah triumphierend in die Runde. »Jetzt warst *du* aber mal dösig, Bruder Marten. Du hast den falschen Namen ausgesucht.«

Aber keiner hörte ihm zu, obwohl er ja eigentlich irgendwie recht hatte.

»Teufel, bist du dösig, Fiete«, sagte Bruder Marten nur, was zwar sicherlich die Wahrheit war, aber an dieser Stelle trotzdem ungerecht; und dann drängelten die wüsten Kerle sich alle Mann um die Waschbalje und stritten sich darum, wer Moses als Nächster kitzeln durfte.

4. Kapitel,

in dem das Findelkind den Seeräubern eine ziemliche Überraschung bereitet

Und weil das Meer nun ruhig in der Sonne lag und die Segel schlaff in der Flaute hingen, wäre das wohl auch noch eine ganze Weile so weitergegangen, wenn nicht …

Ja, aber das muss ich jetzt wohl mal der Reihe nach erzählen.

»Guu, guu, guu!«, sagte also Bruder Marten der Smutje und kitzelte das Baby am Kinn, dass es lachte und gluckste und zappelte, und »Guu, guu, guu!« sagten auch Nadel-Mattes der Segelmacher und Haken-Fiete, und sogar der Käptn sagte: »Guu, guu, guu!«; aber der räusperte sich vorher, als ob er sich nicht ganz sicher wäre, ob ein Seeräuberkäptn so etwas überhaupt sagen durfte; und ob ein Seeräuberkäptn ein kleines Kind in einer Waschbalje kitzeln durfte, wusste er auch nicht. Davon stand nichts in seinen Seeräuberregeln, und an die hielt er sich ja sonst immer.

Da standen sie also an Deck, diese wüsten Kerle, und kitzelten und gurrten: »Guu, guu, guu!«, und das Lächeln auf ihren schmutzigen Seeräubergesichtern war so verzückt, wie es das sonst nur war, wenn sie ein richtig stattliches Schiff gekapert hatten mit ordentlich Trinkerchen an Bord und Gold und Dukaten. Und sie hätten sicher noch ewig so weitergekitzelt und -gegurrt – denn viel Abwechslung brauchten diese dummen Gesellen nicht, um glücklich zu sein –, wenn Klein-Moses nicht nach einer Weile plötzlich ganz erbärmlich das Gesicht verzogen und angefangen hätte zu brüllen.

»Tja, eine kräftige Stimme hat er, beim Klabautermann, das wird mal ein kräftiger Kerl und Seeräuber!«, sagte Haken-Fiete wieder, denn dem fiel ja selten etwas Eigenes ein. Aber er sah doch ein bisschen beunruhigt aus, wie Moses nun überhaupt nicht mehr aufhören wollte zu brüllen, egal wie sehr sie ihn auch kitzelten und ihm über seinen glatzigen Säuglingskopf strichen.

»Das ist gewisslich wahr, Fiete mit der Hakenhand«, sagte Bruder Marten und versuchte noch ein letztes Mal, den kleinen Kerl mit einem besonders wilden Kitzeln zum Lachen zu bringen. »Und wenn ein Kind so schreit, wie dieses Kind hier schreit, dann fehlt ihm doch wohl etwas, will mir scheinen!« Und nun sah auch er ganz unglücklich aus, denn dass ihrem kleinen Moses etwas fehlte und es ihm schlecht ging, das konnten sie alle schon jetzt nicht mehr gut ertragen. Woran man ja sehen kann, dass ihre Herzen doch nicht ganz so verstockt waren, wie man hätte glauben können, wenn man sie sonst mit wildem Gebrüll eine Kogge entern sah.

»Vielleicht will es einen kleinen Humpen Bier, beim Klabautermann!«, sagte Haken-Fiete, denn ein kleiner Humpen Bier war das Erste, was ihm einfiel, wenn er selbst traurig war. »Gib ihm einen kleinen Humpen Bier, Bruder Marten, das gefällt unserem Moses bestimmt, verdammich!«

»Teufel, bist du dösig, Haken-Fiete!«, sagte Marten Smutje da voller Abscheu und dieses Mal hatte er ja wirklich recht. »Man darf Kindern doch kein Bier zu trinken geben, beim Herrn und all seinen Engeln!«

»Wenn einem kleinen Kind etwas fehlt«, sagte da zum Erstaunen aller Käptn Klaas, und er räusperte sich noch kräftiger, als er das bisher schon die ganze Zeit getan hatte, »dann hat es meistens die Windeln voll.«

Denn Käptn Klaas, du wirst es kaum glauben, hatte vor langer, langer Zeit und bevor er ein Seeräuber geworden war und ein wüster Geselle dazu, an Land auch einmal eine Frau gehabt und sogar fünf nette kleine Kinder, darum kannte er sich aus. Aber seinen Männern hatte er nichts davon erzählt, denn wer weiß, ob die ihm sonst noch gehorcht hätten.

»Die Windeln voll?«, sagte Haken-Fiete und sah so verwirrt aus, als hätte der Käptn gerade behauptet, dass vor ihnen ein gefährliches Seeungeheuer aufgetaucht wäre. »Unser Moses? So was macht der nicht!«

»Teufel, bist du dösig, Fiete!«, sagte Bruder Marten wieder. »Das machen alle kleinen Kinder. Und er ist auch schon ganz nass untenrum, unser Moses.«

Das stimmte tatsächlich, aber bisher hatten sie alle lieber so getan, als ob sie nichts davon merkten.

»Das ist ja man bloß vom Meerwasser!«, sagte Haken-Fiete versuchshalber und guckte Moses vorwurfsvoll an. »Weil er in der Balje geschwommen ist. Das ist bloß Meerwasser, sag ich dir, Marten, verdammich!« Aber jeder konnte sehen, dass er das selbst nicht mehr so richtig glaubte.

»Du musst mal nachgucken, Nadel-Mattes!«, sagte der Käptn und räusperte sich wieder. »Mach ihm die Windeln ab. Denn Windeln sind Weibersache, und du bist unser Segelmacher und kannst mit der Nadel umgehen, da kennst du dich mit Weibersachen von uns allen am besten aus, will ich meinen.«

Na, das war nun vielleicht der ungewöhnlichste Befehl, den Nadel-Mattes in seinem langen Seeräuberleben von seinem Käptn bekommen hatte.

Und kaum hatte er angefangen, Moses mit spitzen Fingern die vollen Windeln abzuwickeln, da begann der wieder ganz vergnügt zu quietschen. Daran konnte man ja sehen, dass neue Windeln haargenau das waren, was das Findelkind wollte.

Es kann natürlich sein, dass es aus seinen vollen Windeln ein kleines bisschen müffelte, wie es das bei Babys ja tut, aber das konnte Nadel-Mattes nicht schrecken. Denn wie du weißt, waren sie an Bord ohnehin ein ziemliches Gemüffel gewöhnt. Darum musste es also einen anderen Grund dafür geben, dass der alte Segelmacher plötzlich ganz erschrocken zurückzuckte und »Oh Elend, Elend!« sagte.

»Mattes, was ist los?«, fragte Käptn Klaas, der sich wie die anderen Männer auch ein paar Schritte an die Reling zurückgezogen hatte.

Denn beim Windelwechseln wollten sie nun doch nicht unbedingt
zugucken. »Du bist ja auf einmal weiß wie ein Leintuch, Mattes
Segelmacher! – Sogar weißer als jedes Leintuch, das *ich* je gesehen
habe«, fügte er ehrlich hinzu und kratzte sich am Kopf. »Du wirst
uns doch nicht in Ohnmacht fallen wegen so einer kleinen Portion
Kinderschiet?«

Aber Mattes schüttelte nur immerzu den Kopf und starrte auf die
Balje, aus der es nun wieder ganz vergnügt lachte und gurrte. Und
schließlich drehte er sich zum Käptn um und legte die Hand an seine
Stirn, als ob er salutieren wollte. »Nee, wegen dem Kinderschiet ist
das gewiss nicht, Käptn Klaas!«, sagte er. »Es ist nur – oh Kummer,
Kummer! –, unser Moses ist wohl gar kein Moses!«

»Unser Moses ist gar kein Moses?«, fragte der Käptn. »Je nu, Mat-

31

tes, du sprichst mir in Rätseln wie die geheimnisvolle Sphinx im fernen Ägypten!« Denn da war Käptn Klaas schon gewesen.

»Unser Moses«, sagte Mattes und dabei warf er noch mal ganz schnell einen Blick in die Balje; aber dann sah er genauso schnell wieder weg, »unser Moses ist wohl gar kein Moses, weil er – Elend, Elend! – gar kein kleiner Bengel ist, Käptn Klaas. Unser Moses ist wohl eher – eine kleine Dame, wenn ich so sagen darf!«

»Eine kleine Dame?«, fragte der Käptn und nun guckte er wirklich sehr erschrocken. Aber dann traute er sich doch vor und warf einen vorsichtigen Blick auf das Findelkind; und was er da zu sehen bekam, machte ihm auf einen Schlag klar, dass es wohl keinen Zweifel geben konnte. Wenn man einem Säugling die Windeln abmacht, dann sieht man, was es ist, ein Mädchen oder ein Junge, das ist noch heute so und das war schon damals so und ändern kann man daran gar nichts.

»Tod und Teufel!«, sagte der Käptn. »Mattes hat recht! Wir haben eine kleine Dame an Bord!«

Auch Haken-Fiete wagte jetzt einen Blick in die Balje. »Tod und Teufel, unser Moses ist eine Dame, beim Klabautermann!«, sagte er. »Und Weiber an Bord bringen Unglück, Käptn, das weißt du wohl.«

Denn die Seeräuber waren so abergläubisch, dass es knirscht, und sie glaubten tatsächlich, dass ihr Schiff versinken musste mit Mann und Maus, wenn sie eine Frau mit an Bord hatten, das war ein alter Seeräuber-Aberglaube; und darum war das, was da unter den Windeln zum Vorschein kam, nun wirklich ein Unglück für die »Wüste Walli«.

»Dann müssen wir unsere Moses jetzt wohl doch über Bord schmeißen!«, sagte Fiete mit einem weiteren Blick auf das zappelnde, lachende Bündel düster. »Obwohl es einem ja in der Seele wehtut, Käptn. Dafür, dass sie kein Bengel ist, kann sie ja eigentlich nichts, verdammich.« Und mit einem blitzschnellen Griff zog er die Windel wieder über Moses' kleinen Bauch. Da war nun also nichts mehr davon zu sehen, dass Moses eine kleine Dame war, aber das half ja nichts. Schließlich wussten sie ja alle Bescheid.

»Immerhin kann sie brüllen wie ein Bengel«, sagte Bruder Marten nachdenklich, denn das tat Moses jetzt tatsächlich wieder. Sie mochte eben nicht gern eine nasse Windel umhaben, das ist bei kleinen Kindern so, egal ob sie ein Bengel sind oder nicht, und das hatte Moses ja vorher schon gezeigt. »Und ein kleines Kind über Bord werfen – nee, pfui Teufel, Käptn, ich glaub nicht, dass das dem Herrgott im Himmel wohlgefällig ist, auch wenn das Kind eine kleine Dame ist.«

Da nickte der Käptn nachdenklich und man konnte sehen, dass er sich jetzt wirklich in einer Zwickmühle befand und dass er das überhaupt nicht schätzte. »Vielleicht könnten wir es einfach vergessen?«, sagte er schließlich in die ängstlichen, erwartungsvollen Gesichter seiner Männer hinein. »Dass unser Moses kein Bengel ist? Wir tauschen sie ja sowieso bald gegen ein stattliches Lösegeld aus, wäre doch schade, das zu vergeuden. So lange soll sie denn an Bord bleiben dürfen meinethalben.«

»Hurra!«, schrie Haken-Fiete, aber dann schlug er sich ganz schnell seine Hakenhand vor den Mund. »Ich freu mich ja nur, weil es bald Lösegeld gibt!«, sagte er, und auch Nadel-Mattes und Marten Smutje waren mit der Entscheidung zufrieden, das konnte man sehen.

»Allerdings, Smutje, Moses kann sie jetzt nicht mehr heißen«, sagte Nadel-Mattes bedauernd. »Das siehst du wohl ein. Denn Moses ist ein Bengelname und der passt nicht für ein kleines Frauenzimmer.«

»Teufel, bist du dösig, Mattes!«, sagte Bruder Marten und das sagte er sonst ja eigentlich immer nur zu Haken-Fiete. »Eine christliche Taufe ist eine christliche Taufe vor dem Herrn, die kann man nicht einfach so rückgängig machen. Moses ist sie getauft mit unserer Suppenkelle und Moses soll sie darum heißen ihr Leben lang, amen.«

»Amen!«, sagte Haken-Fiete andächtig; und »Amen!« sagten auch Käptn Klaas und sogar Nadel-Mattes; und damit war es also abgemacht.

5. Kapitel,

in dem Moses einfach nur größer wird

Ja, das war nun bestimmt etwas ganz Neues für die Männer auf der »Wüsten Walli« und etwas ziemlich Ungewöhnliches noch dazu; obwohl ja eigentlich gar nicht einzusehen ist, warum ein Kind nicht genauso gut auf einem Schiff aufwachsen konnte wie in einem Haus, selbst wenn es ein Seeräuberschiff war und das Kind eine kleine Dame.

»Saubere Windeln kriegen kann sie hier schließlich genauso gut wie irgendwo sonst!«, sagte Nadel-Mattes ganz vernünftig und dabei schnitt er für Moses neue Windeln aus einem alten Linsensack. »Auch wenn sie ja wirklich verflixt viele davon braucht, unsere kleine Moses.«

»Ja, das tut sie tatsächlich, unsere Moses«, sagte Haken-Fiete so stolz, als wäre das eine ganz besondere Leistung und nicht das Normalste auf der Welt für jedes kleine Kind. »Guu, guu, guu! Doch, doch, doch, tüchtig ist sie bestimmt, unsere kleine Dame!«, und er kitzelte Moses im Vorbeigehen ihren runden kleinen Bauch, denn inzwischen war er geradezu närrisch nach ihr, der alberne dumme Kerl, und er glaubte nicht, dass es ein wunderbareres Kind geben könnte auf Gottes ganzem Erdenrund, und wer gewagt hätte, das zu behaupten, der hätte seine Faust zu schmecken bekommen oder sogar seine Hakenhand, so viel ist mal sicher.

»Ja, tüchtig ist sie!«, sagte Bruder Marten auch und schaukelte ein bisschen an der winzigen Hängematte, die Nadel-Mattes für Moses aus altem Segeltuch geschnitten und am Achterkastell aufgehängt hatte. Denn ein Bett für sie hatten sie ja natürlich nicht an Bord, und darum schaukelten Moses nun Tag und Nacht Wind und Wellen in den Schlaf; und man hatte gewiss nicht das Gefühl, dass sie sich etwas anderes gewünscht hätte, denn sie schlief ganz prächtig und zufrieden, außer wenn sie gerade Hunger hatte oder wieder mal die Windeln voll.

Ein Bett für Moses zu beschaffen war also ganz einfach gewesen, wie du siehst, und jeden Abend, wenn die Glasenuhr den achten Schlag tat und die erste Nachtwache begann, die Abendwache heißt – und was eine Glasenuhr ist und eine Abendwache, das ist ein bisschen schwierig, darum kannst du vielleicht hinten im Buch nachgucken –, schaukelte Mattes sie also in ihrer Hängematte in den Schlaf und dazu sang er ihr sein allerschönstes Schlaflied.

»Wild tost die See und der Sturm braust laut!
Männer, wir müssen versinken!
Atschüs, mein Deern, meine kleine Braut!
Zum Trost wolln wir fix noch was trinken!«

Und wenn Moses dann immer noch nicht eingeschlafen war, obwohl Mattes der Hängematte doch geduldig einen sanften Schubs nach dem anderen gab, sang er ihr ganz leise auch noch die zweite Strophe.

»Wild spritzt die Gischt und der Donner rollt!
Ach weh, was wird aus uns Zechern?
Wenn uns nun gleich der Klabauter holt?
Drum lasst uns noch fix einen bechern!«

Aber weiter sang Mattes nur, wenn es mit dem Einschlafen nun überhaupt nicht klappen wollte, und das war so selten, dass du die dritte Strophe in diesem Buch wohl leider nicht kennenlernen wirst und das ist vielleicht auch besser so, denn die ist wirklich so seeräubermäßig und schauerlich, dass du danach bestimmt nicht so gut schlafen kannst.

Mit dem Essen allerdings ging es bei Moses leider nicht ganz so glatt wie mit dem Schlafen. Denn kleine Kinder trinken ja zuerst bei ihrer Mutter an der Brust, das weißt du natürlich, und eine Mutter gab es nun doch beim besten Willen nicht an Bord, auch wenn Mattes sich ja ziemliche Mühe gab. Und wenn die Seeräuber auch gerne bereit waren, Pökelfleisch und Dörrobst und Stockfisch und auch ihre ewigen Linsen mit Moses zu teilen, so wollte und wollte die kleine Dame das alles doch nicht essen und wurde dünner und dünner, egal wie viel Mühe Bruder Marten sich auch mit dem Kochen gab. Aber anderes Essen hatten sie auf der »Walli« nun mal nicht an Bord, denn du musst ja bedenken, dass es noch keine Kühlschränke gab damals und dass Seeleute auf ihren Reisen über das Meer darum nur solche Sachen mitnehmen konnten, die auch nach Wochen nicht verschimmelten oder verfaulten, und diese Sachen waren alle nicht besonders lecker, das kann ich dir versichern.

Darum wollte Moses eines Tages schließlich gar nicht mehr essen, noch nicht mal den Schiffszwieback, den sie unter Deck in einer Tonne verwahrten; aber wenn du gesehen hättest, wie viele Käfer und anderes Ungeziefer es sich längst darin gemütlich gemacht hatten und blitzschnell ans Tageslicht krabbelten, kaum war der Deckel von der Tonne gehoben, dann würdest du verstehen, warum Moses vom Zwieback auch nicht begeistert war. Obwohl Bruder Marten ihn ja immer gegen die Reling klopfte, damit die Käfer vor dem Essen alle herausfielen und wie eine wilde Meute *hastdunichtgesehen!* in den Ritzen zwischen den Deckplanken verschwanden.

»Nee, du, Marten Smutje, dein Zwieback ist wohl auch nichts für unsere Moses!«, sagte Haken-Fiete kummervoll. Er selbst aß wie all die anderen Seeräuber auch seinen Zwieback immer nur unter Deck im dunklen Laderaum, damit er nicht sehen musste, wie viel Krabbeliges er dabei gleich mit verschluckte. Aber daran waren die Seeleute damals gewöhnt, nicht nur die Seeräuber, und wegen so einer Kleinigkeit machten sie bestimmt keinen Aufstand.

Nur die kleine Moses war Käferzwieback eben nicht gewöhnt und wollte ihn auch nicht gewöhnt sein, und darum schrie und brüllte sie schon, wenn Nadel-Mattes ihr auch nur einen vor ihre Nase hielt, und die wurde vor lauter Hunger immer spitzer und dünner.

»Milch muss sie haben, Milch muss sie haben!«, sagte Mattes Segelmacher schließlich, und weil Haken-Fiete und Bruder Marten

und auch Käptn Klaas das sofort einsahen, beschafften sie an Land eine Ziege. Da bleibt die Milch ja im Euter frisch und man braucht keinen Kühlschrank; aber wie sie die Ziege beschafften, erzähle ich lieber nicht, denn sie holten sie still und klammheimlich in einer Nacht einfach von der Weide und den Bauern fragten sie auch nicht, und dass sie für Euter-Klaas bezahlten, hast du wohl sowieso nicht geglaubt.

Ja, Euter-Klaas nannten sie ihre Ziege, weil sie über dem einen Auge einen schwarzen Fleck hatte, der sah haargenau so aus wie die Augenklappe von Käptn Klaas, und wie sie vorher geheißen hatte, wussten sie ja nicht. Nur als sie Euter-Klaas in ihrem Ruderboot zur »Wüsten Walli« schaffen wollten, stellte sie sich ein kleines bisschen an. Ich weiß ja nicht, was Ziegen alles gerne tun, aber Bootfahren gehört jedenfalls nicht dazu, das konnte man merken.

Von jetzt an trank Moses also jeden Tag ganz zufrieden ihre Ziegenmilch und sie wuchs und wurde immer kräftiger und ihr Gebrüll auch, aber das störte die Männer kein bisschen, sie brüllten ja selbst ziemlich viel. Und jeden Samstag, wenn Nadel-Mattes Moses in einer leeren Stockfischtonne badete (denn wenn die Seeräuber selbst auch so dreckig waren, dass es die Engel im Himmel grauste, so wussten sie doch, dass sich das für kleine Kinder nicht gehört), standen die wüsten Kerle mit einfältigen Gesichtern drum herum und gurrten und kitzelten, und es war ja wirklich kein Wunder, wenn dieses Kind bald glaubte, dass es das Allerherrlichste auf der ganzen Welt war, aber das ist für kleine Kinder vielleicht nicht das Schlechteste.

Und was für ein Geschrei die Seeräuber veranstalteten, als Moses zum ersten Mal auf den Topf ging und schon bald keine Windel mehr brauchte! (Übrigens war der Topf eine alte Suppenschüssel, was hätten sie sonst wohl dafür nehmen sollen? Aber man konnte sie ja immer wieder auswaschen.) Man hätte glauben können, Moses hätte gerade Amerika entdeckt, so aufgeregt und begeistert war die gesamte Mannschaft.

»Nee, du, dass sie so schlau ist!«, sagte Haken-Fiete verzückt, und dafür schenkte Moses ihm ihr schönstes zahnloses Lächeln, aber ganz zahnlos war es inzwischen schon lange nicht mehr, denn irgendwann wachsen den kleinen Kindern ja Zähne, und warum sollte das bei Moses anders sein.

»Nee, du, dass sie schon vier Zähne hat!«, sagte Haken-Fiete an dem Tag, als nach viel Geschrei und Gequengel endlich auch der vierte Zahn in Moses´ Mund aufgetaucht war, und es klang gerade so, als ob vorher noch nie ein Kind auf der Welt Zähne gekriegt hätte.

Und als Moses schließlich anfing zu krabbeln, waren sie alle vollkommen aus dem Häuschen, vor allem Fiete.

»Nee, du, dass sie schon krabbeln kann!«, sagte er und vor lauter Begeisterung hätte er fast übersehen, dass Moses dabei mit Blitzesgeschwindigkeit der Reling immer näher kam. Und fast wäre sie vor aller Augen über Bord und ins Wasser geplumpst, wenn Käptn Klaas sie nicht in allerletzter Sekunde noch an ihrer Windel gepackt und festgehalten hätte, denn der Käptn kannte sich ja, wie du weißt, insgeheim von allen Seeräubern am besten mit kleinen Kindern aus.

Da bekam Moses einen Tampen um den Bauch und wurde zusammen mit Euter-Klaas am Mast festgebunden, damit auf ihren Ausflügen über Deck nicht womöglich doch noch ein Unglück geschah. Denn den ganzen Tag auf sie

aufpassen konnten die Männer schließlich nicht, dafür hatten sie mit dem Segeln und der Seeräuberei viel zu viel zu tun.

So lernte Moses also auf eigene Faust die »Wüste Walli« kennen, vom Bugkastell bis zum Achterkastell. Und weil es ja sonst keine Spielgefährten an Bord gab, spielte sie eben mit Euter-Klaas und später auch mit den leider etwas dummen Hühnern, die die Seeräuber an Bord mit sich führten wie alle Seeleute damals, damit es ab und zu wenigstens sonntags ein Ei für sie gab.

»Denn wenn wir den Feiertag schon nicht heiligen können, indem wir zur heiligen Messe gehen«, sagte Bruder Marten der Smutje, »so heiligen wir ihn doch wenigstens mit einem Frühstücksei, und ich bin mir sicher, das ist dem Herrn genauso wohlgefällig.« Und leider muss ich dir sagen, dass die Seeräuber, wenn sie die Wahl gehabt hätten zwischen heiliger Messe und Ei, den Feiertag sowieso allemal lieber mit einem Frühstücksei geheiligt hätten, solche Kerle waren das, aber nun hatten sie ja zum Glück nicht die Wahl, und da muss man ihnen wohl verzeihen.

Und während Moses also mit Euter-Klaas spielte und mit den leider etwas dummen Hühnern, wuchs sie und wuchs, wie kleine Kinder das ja tun, und an jedem Samstag nach Neumond stellte Nadel-Mattes sie an den Mast und schnitt eine Kerbe hinein, um zu gucken, wie groß sie schon war. Und jedes Mal klatschte Haken-Fiete vor Begeisterung mit seiner guten Hand in seine Hakenhand. »Nee, du, dass sie so tüchtig wächst!«, sagte er dann und das zahnlose Lächeln breitete sich wie immer blitzschnell über sein ganzes schmutziges Gesicht aus. »Wo unsereins es doch nicht mal schafft, auch nur noch einen Hasenfurz größer zu werden!«

Und schließlich lernte Moses auch noch laufen – immer noch mit einem Tampen um den Bauch, versteht sich – und dann sogar sprechen, wenn das auch ein bisschen länger dauerte. Und wie bei den meisten Kindern war ihr erstes Wort »Mama«, das sollte »Mattes« heißen, denn der kümmerte sich ja von allen Seeräubern am meisten um sie. Aber ihr zweites Wort war »Nein!«, und das sagte sie bald den ganzen Tag von morgens bis abends. Daran konnte man sehen, was für eine starrköpfige kleine Dame Moses war, und unter all den rauen Kerlen an Bord war das ja vielleicht auch ganz gut so.

Und die ganze Zeit lernte Moses immer mehr dazu und wurde jeden Tag schlauer und tüchtiger. Fiete brachte ihr fast alle Seemannsknoten bei (was mit seiner Hakenhand schon ein ziemliches Kunststück war, musst du zugeben): Slipstek und Webeleinstek und Palstek und Doppelten Palstek und was es sonst noch alles an wichtigen Knoten für alle möglichen Gelegenheiten gibt; und der Käptn selbst zeigte ihr, wie man die Segel refft und die Rahen brasst und die Leinen aufschießt und wie man die Windstärken und die Gezeiten erkennt.

Bruder Marten der Smutje band ihr einen längerenTampen um den Bauch und schmiss sie bei ruhiger See übers Heck ins Meer, egal wie sehr sie strampelte und schrie. »Denn«, so sagte er weise, »wenn sie uns doch mal über Bord geht, unsere kleine Dame, soll sie doch wenigstens schwimmen können. Von uns dösbaddeligen Kerlen hier könnte sie dann ja gewisslich keiner retten, halleluja.« Und vielleicht, weil Bruder Marten ein entlaufener Mönch war und darum immer noch dem Himmel ziemlich nah, oder vielleicht auch, weil kleine Kinder ja alles Mögliche lernen können, da staunt man nur, konnte Moses auch wirklich bald schwimmen wie ein Fisch, auch wenn sie zu Anfang ziemlich laut brüllte und so viel Salzwasser schluckte, dass Haken-Fiete sagte, nun wäre wohl bald der ganze Ozean leer getrunken und die »Wüste Walli« würde auf Grund laufen.

Nur zwischendurch mischte sich mit einem freundlichen Räuspern auch manchmal Nadel-Mattes in die Erzieherei ein und brachte Moses bei, wie man sich mit einer Wurzelbürste die Fingernägel schrubbt und mit einem alten Lappen die Ohren wäscht, aber das waren nicht Moses´ Lieblingsfächer, das kann ich dir versichern. Schließlich sah sie an Bord niemals irgendwen sonst seine Fingernägel schrubben oder seine Ohren waschen, da wusste sie nicht so richtig, wozu das nun gut sein sollte.

»Nur wenn du mir eine Geschichte erzählst!«, sagte sie darum immer ganz erpresserisch zu Mattes und vielleicht hatte er ja sogar darauf gewartet; jedenfalls erzählte er ihr dann am liebsten die Geschichte von dem kleinen Moses im großen Fluss Nil und von der vornehmen ägyptischen Prinzessin, und am Ende sagte er immer: »Nun weißt du, wie du zu uns gekommen bist, Moses, und woher du das Tuch um deinen Hals hast. Nur dass wir ja keine Prinzessin sind hier auf der ›Wüsten Walli‹, verdammich.«

Dann schlang Moses jedes Mal ihre Arme um seinen Bauch. »Du bist viel lieber als so eine alte pergyptische Prinzessin, Mattes!«, sagte sie und daran sieht man ja, dass Moses sich ganz genau richtig fühlte auf der »Wüsten Walli«, und wenn irgendwer ihr erzählt hätte, dass kleine Mädchen eigentlich in einem Haus an Land bei ihrer Mama und ihrem Papa aufwachsen sollten, dann hätte sie wohl nur gelacht.

Und was Käptn Klaas von seinen Männern plötzlich alles verlangte! Vielleicht nicht gerade, dass sie sich von nun an auch ihre Fingernägel mit der Wurzelbürste schrubben sollten, das wäre dann wohl doch zu weit gegangen; aber: »Mit dem ewigen Fluchen muss nun endlich mal Schluss sein, Männer, verdammich!«, sagte er zum Beispiel, sobald Moses ein bisschen sprechen konnte. »Denn sonst lernt unser kleines Frauenzimmer eure lästerlichen Flüche auch, und ihr wollt ja wohl nicht schuld daran sein, wenn sie deswegen dereinst in der Hölle schmoren muss!«

»Zusammen mit Olle Holzbein!«, sagte Haken-Fiete erschrocken, und dieser Gedanke war für all die rauen Kerle tatsächlich Grund genug, von nun an so fein zu sprechen wie die zierlichen Damen an Land in ihren Rüschenröcken; jedenfalls gaben sie sich alle Mühe. Und das war für einen Seeräuber bestimmt nicht einfach, denn der fluchte am Tag eigentlich öfter, als er Pflaumenkerne spuckte.

Ja, so war das, als Moses auf der »Wüsten Walli« aufwuchs. Aber jetzt will ich erzählen, wie sich eines Tages alles änderte und warum.

Das kam nämlich so.

6. Kapitel,

in dem Käptn Klaas sich einen Kaperbrief besorgt

Im Großen und Ganzen war Moses also ziemlich zufrieden auf der »Wüsten Walli«, und daran, dass sie ein Findelkind war und woher sie wohl käme, dachte sie eigentlich nie, auch wenn Nadel-Mattes ihr zur Erinnerung an ihre Geschichte das hauchzarte bestickte Spitzentuch um den Hals gebunden hatte, das sollte ihr Glück bringen. Darum trug sie es auch jeden Tag; und nur wenn es wirklich nicht mehr anders ging, wurde es in der alten Waschbalje einmal kurz ausgespült.

Nein, nein, Moses war wirklich ganz zufrieden und fühlte sich wohl, nur manchmal, wenn sie mit ihrer Kogge in einer Stadt anlegten und die Männer alle an Land in den finsteren Spelunken am Hafen verschwanden, wurde Moses so wütend wie ein Wirbelsturm. Denn niemals erlaubte Käptn Klaas, dass sie mit ihnen ging, ganz egal wie sehr sie auch bettelte und quengelte.

»Ich will aber auch in eine finstere Spelunke gehen!«, schrie Moses und trampelte und trat gegen die Reling und gegen den Mast und spuckte gegen das Achterkastell. »Ich will aber auch in eine finstere Spelunke gehen, verdammich!« Aber du verstehst wohl, dass das nicht ging. Finstere Spelunken sind nichts für kleine Damen, auch wenn sie schon fast ein richtiger Seeräuber sind, da ließ Käptn Klaas nicht mit sich reden.

Nur Moses wollte das einfach nicht einsehen, und wenn sie dann vor lauter Wut so rot im Gesicht war wie der Sonnenuntergang über dem Horizont im Westen, packte Nadel-Mattes der Segelmacher sie schließlich ohne ein einziges Wort und klemmte sie sich unter den

Arm, dass ihr Kopf vorne herausstak und ihre zappelnden Beine hinten, und während Moses weiterbrüllte und mit ihren Fäusten gegen Mattes' Bauch trommelte und mit ihren Füßen strampelte, dass es einen erbarmte, trug er sie einfach ganz ruhig nach unten ins Mannschaftslogis, in dem sonst die Männer nachts neben ihren Seekisten auf ihren Matten schliefen, und sperrte die Tür hinter ihr zu.

»So, Madamchen«, sagte Nadel-Mattes freundlich. »Jetzt kannst du deinen Kopf in der Wassertonne abkühlen.«

Und dann verschwand er mit den anderen Seeräubern an Land, und meistens musste er sich ein bisschen beeilen, weil er wegen Moses' Trotzerei schon wieder der Letzte war. Und Moses brüllte und schrie und trampelte im Mannschaftslogis noch eine Weile weiter vor sich hin, aber dann hörte sie doch ziemlich schnell damit auf, weil so ein wildes Rumgewüte schließlich nicht viel Sinn macht, wenn es niemand mitbekommt. Darum legte sie sich lieber ganz vernünftig auf eine Matte und schlief ein.

Aber zum Glück waren solche Tage selten.

Denn die »Wüste Walli« war ja ein Seeräuberschiff, und da kannst du wohl verstehen, dass sie nicht oft in einem richtigen Hafen mit richtigen Spelunken und richtigen Damen anlegte. Weil Seeräuber ja schließlich *Räuber* waren, das hört man schon am Wort und das ist nun mal so, und wenn sie also vielleicht gerade ein großes Kaufmannsschiff ausgeraubt hatten oder meinetwegen auch nur ein armseliges Fischerboot, um mal wieder Bruder Martens Kombüse zu füllen, dann wurden sie ja überall gesucht und konnten sich niemals sicher sein, dass sie an Land nicht das Henkersbeil erwartete. Mit Seeräubern machte man damals in den finsteren Zeiten kurzen Prozess, und ganz egal ob sie nun leugneten oder brüllten oder jammerten, ihre Strafe fiel im Allgemeinen ziemlich schrecklich aus, das will ich lieber gar nicht erzählen, sonst träumst du heute Nacht nicht gut.

Und weil er keine Lust auf so schreckliche Strafen hatte und auf das Henkersbeil schon gar nicht, ankerte Käptn Klaas mit seinen Männern meistens lieber in einsamen kleinen Buchten als in einem großen Hafen, wenn die »Wüste Walli« mal wieder frisches Wasser und Pökelfleisch und Zwieback an Bord nehmen musste. Da durfte Moses dann an Land gehen wie alle anderen Seeräuber auch, und sie wunderte sich jedes Mal wieder, wie groß das Land war und dass es keine Reling drum herum gab und dass man rennen konnte, so weit man wollte, ohne ins Wasser zu plumpsen. Und dass der Boden nicht das kleinste bisschen unter ihren Füßen schaukelte, wunderte Moses fast am meisten.

Na gut, aber eines Tages steuerte Käptn Klaas dann doch wieder eine Hafenstadt an, die lag an der Ostsee, so hieß das Meer, auf dem die »Walli« meistens unterwegs war und viele andere Seeräuber damals auch.

»Hisst die Kaufmannsflagge!«, rief Käptn Klaas, denn so machten die Seeräuber es, wenn sie nicht wollten, dass jemand gleich merkte, mit wem er es bei ihrem Schiff zu tun hatte. Es wäre ja dumm gewesen, immerzu mit einer Piratenflagge durch die Gegend zu fahren, da hätten ja alle Kaufmannsschiffe sofort Reißaus genommen, sobald sie sie sahen. Darum hatte die »Wüste Walli« auch gleich mehrere Kaufmannsflaggen zur Auswahl an Bord, die hatte Nadel-Mattes der Segelmacher genäht und die sahen wirklich alle sehr schön aus und außerordentlich ehrlich. Kein Mensch hätte glauben können, dass die »Wüste Walli« in Wirklichkeit eine Seeräuber-Kogge war, wenn sie mit einer dieser Flaggen am Mast in einen Hafen einsegelte; außer vielleicht die Leute, die sie bei einem ihrer Überfälle kennengelernt hatten, und das waren inzwischen natürlich eine ganze Menge.

»Ja so, die Kaufmannsflagge!«, sagte Nadel-Mattes und sah zufrieden zur Mastspitze auf. »Dann soll es heute also wieder einen Stadtausflug geben, Käptn?« Und bestimmt träumte er schon von finsteren Spelunken und schönen Damen.

Käptn Klaas nickte. »Ich hab gehört, dass der Herzog noch reichlich Seeräuber sucht für seinen Kampf gegen die Königin, Männer!«, sagte er. »Wir kriegen von ihm einen Kaperbrief und dann

dürfen wir die Schiffe der Königin überfallen, so viel wir lustig sind, und niemand darf uns dafür einen Kopf kürzer machen, denn mit einem Kaperbrief ist unsere Räuberei dann ehrliche Arbeit für den Herzog, und ehrlich Gut gedeihet gut, wie das Sprichwort so sagt.«

»Ehrliche Arbeit, wenn wir Schiffe überfallen?«, fragte Bruder Marten und wischte die Suppenkelle an seiner Schürze ab. »Herr im Himmel! Räuberei ist Räuberei und bleibt Räuberei, Käptn Klaas, und ehrliche Räuberei gibt es nicht, das ist gewisslich wahr!«

Da nickte Käptn Klaas bedächtig mit dem Kopf und dann sagte er: »Aber!«, und dann erzählte er seinen Männern die ganze Geschichte.

Du musst ja bedenken, dass es rund um die Ostsee viele kleine Länder gab damals, viel mehr als heute, und alle hatten sie ihren eigenen Herzog oder ihren König oder was weiß ich, wie der Chef eben hieß. Und die stritten sich nun leider manchmal um ein Stück Land und darum, wem es gehören und wer der Boss sein sollte, solche dummen Kerle waren das. Manchmal war es genau wie im Kindergarten, wirklich. Dann wollten diese Chefs gegeneinander kämpfen, um die Sache zu entscheiden, aber du musst nicht denken, dass sie das selbst und womöglich noch alleine taten, keineswegs! Das hätten sie ja meinetwegen machen können, da hätte doch bestimmt niemand wirklich etwas dagegen gehabt, wenn der eine König gegen den anderen geboxt hätte unter den anfeuernden Rufen und zum Jubel seiner Landeskinder. *Er* wollte ja schließlich das Land haben, also sollte *er* sich doch auch dafür prügeln, oder? Wenn ihm schon keiner beigebracht hatte, dass vernünftige Menschen ihren Streit auch mit Worten regeln können.

Aber so war es leider überhaupt nicht in den finsteren Zeiten, von denen ich erzähle. Wenn sich da die Könige stritten, dann dachten sie gar nicht daran, selbst zu kämpfen; stattdessen ließen sie das ihre Männer für sich tun zu Land und zu Wasser, und ob die nun Lust dazu hatten, war ihnen ganz egal.

Und weil diese Könige und Herzöge und ich weiß nicht, wer sonst noch alles, auch auf dem Meer gegeneinander kämpfen wollten und weil sie dafür aber leider keine Schiffe hatten, waren sie eines Tages auf eine schlaue Idee gekommen, du ahnst vielleicht schon, auf welche. Sie luden einfach alle Seeräuber ein, die sie finden konnten, und machten ihnen ein Angebot.

»Ihr dürft von jetzt an alle Schiffe aus dem anderen Land überfallen und ausrauben und die Besatzung über Bord zu den Fischen schmeißen!«, sagten die Könige und Herzöge. »Haut ordentlich drauf! Ich gebe euch einen Kaperbrief, der euch das erlaubt. Denn ab heute ist eure Seeräuberei keine Seeräuberei mehr, sondern ehrliche Arbeit im Dienste des Königs! Na, wie würde euch das gefallen?«

Und natürlich gefiel das den Seeräubern außerordentlich gut, das kann man ja verstehen. Schließlich durften sie nun noch immer haargenau so viel rauben wie vorher auch und ihre Schatzkisten und Goldsäcke füllen wie bisher, nur dass sie plötzlich keine Angst mehr haben mussten, dass sie irgendwann in einem Hafen zur Strafe einen Kopf kürzer gemacht wurden.

Da war es ja klar, dass die Seeräuber alle bei den Königen und den Herzögen und ich weiß nicht, wem sonst noch, Schlange standen, um sich einen Kaperbrief zu besorgen. Nur wer den Königen und Herzögen erlaubt hatte, den Seeräubern diese Kaperbriefe zu geben und einfach fremde Schiffe auszurauben, danach fragte niemand.

Ja, und so einen Kaperbrief wollte Käptn Klaas sich nun also abholen. »Denn, Männer, ein bisschen habe ich es schon langsam satt, immerzu Angst vor dem Henkersbeil zu haben«, sagte er. »Darum lasst uns nun also ehrliche Leute werden! Ich muss nur schnell gehen und mir einen Kaperbrief holen, und hohoho!, dann geht es morgen wieder hinaus aufs Meer und wir rauben und brandschatzen und schmeißen die reichen Kaufleute ins Wasser, dass es eine Freude ist, und ab morgen ist es auch noch eine gute Tat dazu.«

Da jubelten und klatschten die dummen Seeräuber alle, nur Bruder Marten schüttelte sorgenvoll den Kopf. »Rauben und brandschatzen und reiche Kaufleute ins Wasser schmeißen kann niemals nicht eine gute Tat sein, Käptn Klaas«, sagte er düster. »Nicht ohne Kaperbrief und nicht mit Kaperbrief. Da weinen die Engel im Himmel, das ist gewisslich wahr.«

»Das kann ja alles sein, Marten Smutje«, sagte der Käptn und dabei guckte er in der Wassertonne sein Spiegelbild an, ob er wohl auch fein genug aussah für seinen Landgang, »aber der Himmel ist weit weg und die Tränen der Engel kümmern mich nicht so sehr wie das Beil des Henkers! Und vor dem müssen wir mit einem Kaperbrief jedenfalls dann keine Angst mehr haben, verdammich.«

Damit zupfte er ein bisschen an seiner Augenklappe herum, und als er wohl fand, dass er nun gut und gefährlich und landfein genug aussähe, sprang er von Bord und auf den Kai. »Und übrigens«, rief er Bruder Marten von da aus noch zu, »hast du doch bisher auch immer fröhlich mit uns geraubt und gebrandschatzt und reiche Kaufleute ins Wasser geschmissen, dass es eine Freude war, was nörgelst du also plötzlich so rum, Marten Smutje?«

Und damit hatte er ja eigentlich recht.

Und als es acht Glasen schlug und die vierte Tagwache begann, die Plattfuß heißt, da machten sich dann auch die anderen Seeräuber fein für ihren Landgang – was sie so unter fein verstanden –, denn auch wenn die »Wüste Walli« ja eigentlich nur in diesem Hafen angelegt hatte, damit sich Käptn Klaas seinen Kaperbrief besorgen konnte, so wollten sie doch nicht die Gelegenheit verpassen, möglichst viele finstere Spelunken aufzusuchen.

Nadel-Mattes warf allerdings ab und zu einen Blick auf die kleine Moses, ob sie denn nicht endlich anfangen wollte zu brüllen und zu schreien, wie sie das sonst immer zu tun pflegte. Aber das tat Moses dieses Mal ausnahmsweise nicht und das war doch merkwürdig. Eigentlich hätte Mattes da ja vielleicht schon mal misstrauisch werden können. Aber das wurde er nicht, so leicht konnte man ihn reinlegen, den dummen alten Kerl.

»Du schreist ja gar nicht, dass du auch in eine finstere Spelunke gehen willst, Seeräubermoses«, sagte er freundlich. »Oh Freude, Freude! Ich sehe, du laust Euter-Klaas das Fell? Bist du also doch endlich vernünftig geworden?«

Da sah Moses ihn ernsthaft aus ihren großen Augen an und nickte so heftig, dass die »Wüste Walli« fast ins Schaukeln geraten wäre. »Phhht, ja, das bin ich, Nadel-Mattes, verdammich«, sagte Moses. »Ich bin endlich vernünftig geworden«, und dann fand sie zwischen den Hörnern von Euter-Klaas eine ganz besonders große Laus und schmiss sie über Bord, nachdem sie sie zuerst noch zufrieden zwischen Daumen und Zeigefinger zerknackt hatte, wie man das mit Läusen ja soll. »Geht ihr nur alle in eure finsteren Spelunken, ich bleib mit Euter-Klaas an Bord, denn Spelunken sind gewiss nicht der richtige Ort für eine kleine Dame, auch wenn sie schon fast ein richtiger Seeräuber ist.«

Und kann man sich vorstellen, dass Nadel-Mattes so dumm war und ihr jedes Wort glaubte? Kann man sich so etwas vorstellen?

So dumm war er aber und die anderen wüsten Kerle alle auch. Und darum sperrten sie Moses dieses Mal ausnahmsweise nicht im Mannschaftslogis ein, sondern winkten ihr zum Abschied zu und beeilten sich, an Land zu kommen.

»Auf Wiedersehen, Moses, und geh nicht über Bord!«, rief Nadel-Mattes.

»Nee, du, geh nicht über Bord, denn sonst müsste ich weinen!«, sagte Haken-Fiete.

»Und wenn wir wiederkommen, kriegst du einen Löffel Sirup aus meinem Krug, weil du so brav gewesen bist«, sagte Bruder Marten.

Aber dann hatten sie es plötzlich eilig und Moses sah nur noch ihre schaukelnden Rückseiten, wie sie zwischen den windschiefen Häusern am Hafen verschwanden. Und darauf hatte sie ja nur gewartet.

7. Kapitel,

in dem Moses zum ersten Mal feine Damen sieht

Denn du hast doch nicht im Ernst geglaubt, dass Moses wirklich vorhatte, an Bord zu bleiben und Euter-Klaas geduldig die Läuse aus dem Fell zu klauben, während alle anderen Seeräuber sich an Land ein schönes Leben machten? Nie im Leben, nein, wirklich nicht!

Sie war einfach nur ein schlaues Kind wie du auch und hatte begriffen, dass Brüllen und Strampeln ihr niemals helfen würden, an Land und in eine finstere Spelunke zu kommen, das hatte sie ja nun oft genug versucht.

Darum tat sie dieses Mal lieber so, als ob sie lieb und brav an Bord bleiben wollte, dann brauchte Nadel-Mattes sie ja nicht im Mannschaftslogis einzusperren; und wenn Haken-Fiete und Nadel-Mattes und Marten Smutje erst einmal im Gewimmel der Stadt verschwunden waren, konnte sie ganz einfach von Bord gehen, so viel sie lustig war, so hatte sie sich das gedacht, und wer sollte sie wohl daran hindern?

»Aber ohne dich geh ich nicht, Euter-Klaas!«, sagte Moses und band den Tampen los, mit dem die Ziege am Achterkastell festgemacht war. »Du sollst auch endlich mal sehen dürfen, was in der großen Stadt los ist. – Und in den finsteren Spelunken«, denn darum ging es ihr ja schließlich zuallererst.

Leider stellte Euter-Klaas sich ziemlich an, als sie über die schmale Planke von Bord gehen sollte, denn die Planke schwankte schon ordentlich, und außerdem war Euter-Klaas inzwischen eine richtige Schiffsziege geworden und hatte mit Landgängen nicht mehr viel

am Hut. Aber Moses zog und zerrte an ihrem Tampen, und da machte Euter-Klaas einen zappeligen Satz und dann landete sie auf dem Kai.

»Na bitte«, sagte Moses.

Wie immer fühlte das Land sich sehr merkwürdig an so ganz ohne Reling drum herum, und der Boden schwankte kein bisschen unter Moses´ nackten Sohlen; aber sonst war es in der Hafenstadt schon ziemlich viel anders als in den einsamen Buchten, in denen sie sonst an Land gegangen war, das sah Moses auf den ersten Blick. Windschiefe Häuser drängten sich nur wenige Schritte vom Wasser entfernt und Schiffe drängten sich auf dem Wasser, und überall waren so viele Menschen unterwegs, dass Moses niemals geglaubt hätte, dass es so viele überhaupt geben könnte auf der Welt. Sie war bisher ja immer nur an Bord der »Wüsten Walli« gewesen, musst du bedenken, und kannte nur ihre Seeräuberfreunde, und dass die Welt so voller Leute war, erstaunte sie nun doch.

Kräftige Männer schleppten von den Koggen und Holks schwere

Säcke auf ihrem Rücken und wuchteten sie auf Ochsen-
karren oder rollten Fässer über das unebene Pflaster, dass
es dröhnte; fliegende Händler liefen mit ihren Waren
von Schiff zu Schiff, um der Besatzung noch kurz
vor dem Auslaufen eine letzte Speckschwarte, ein
Beutelchen Dörrobst oder sogar schrumpelige
Äpfel vom letzten Herbst zu verkaufen; aber
am erstaunlichsten waren doch die Frauen
mit den bunt geschminkten Gesichtern, die
sich mit einem breiten Lächeln und schaukelnden Hüften überall durch die Menge
drängten.

»Dunnerlittchen, sind die da etwa die
feinen Damen?«, flüsterte Moses und blieb
stehen wie vom Schlag gerührt. Und Euter-
Klaas blieb auch stehen wie vom Schlag gerührt, denn gerade hatte ein fliegender Händler
einen Apfel verloren, und so einen Leckerbissen kriegte
Euter-Klaas an Bord nicht jeden Tag. »Und Dunnerlittchen, wie gut
die Damen duften!«

Es war ja vielleicht kein Wunder, dass Moses der feine Duft am
meisten auffiel, wenn du bedenkst, wie selten die Männer auf der
»Walli« ihren Waschzuber benutzten. Aber vor allem kriegte Moses
beim Anblick der Damen auch einen ziemlichen Schrecken, und das
kann man vielleicht ja verstehen. Denn sie hatte doch von den Kerlen
an Bord immer wieder gehört, dass sie selbst auch ein Frauenzimmer
und eine kleine Dame war, aber was das nun genau bedeutete, hatte
sie bisher ja nicht rauskriegen können. Schließlich hatte sie niemals
Frauenzimmer gesehen und Damen schon gar nicht. Sie kannte ja,
wie gesagt, bisher nur die Gesellen auf der »Wüsten Walli«, und darum wollte sie eines Tages mal ein genauso feiner Seeräuber werden
wie Nadel-Mattes und am liebsten noch Seeräuberhauptmann wie
Käptn Klaas; und wenn sie den Männern mit lautem »Hauruck!«
beim Segelreffen half oder bei Gewitter an Deck mit Mattes um die

Wette Pflaumenkerne gegen den Sturm spuckte, hätte auch niemand daran gezweifelt, dass sie das eines Tages schaffen würde.

Aber nun sah sie also zum ersten Mal in ihrem Leben feine Damen, wie es sie in den Häfen damals so gab, mit ihren spitzenbesetzten Kleidern und ihren tiefen, tiefen Ausschnitten und weiten, schwingenden Röcken und Locken im Haar und Lippen, so rot wie Kirschen, und da begriff Moses mit einem großen Schrecken, dass Damen doch wohl etwas ganz anderes waren als Kerle und dass von denen hier bestimmt keine jemals ein tüchtiger Seeräuber werden könnte und Hauptmann schon ganz bestimmt nicht, und das beunruhigte sie sehr.

Dann musste sie sich also wohl auch entscheiden, was sie einmal werden wollte, Seeräuberhauptmann oder duftende Dame? Na, da fiel ihr die Entscheidung leicht, wie man sich denken kann.

»Dann werde ich wohl lieber ein tüchtiger Käptn und Hauptmann, Euter-Klaas«, sagte Moses seufzend. »Nee, pfui Teufel, so ein duftendes Ding sein und den ganzen Tag immerzu nur mit den Röcken wippen, das ist ja wohl langweilig.«

Und damit hätte die Sache natürlich ein für alle Mal entschieden sein können; aber tief drin in ihrem Innern war Moses sich leider gar nicht so sicher, dass es so einfach war. Denn vielleicht musste man ja später auch als große Dame weitermachen, wenn man einmal als kleine Dame angefangen hatte – wer konnte das schon sagen?

Aber dann hatte Moses die Nase voll davon, über so schwierige Fragen nachzudenken. Schließlich bot sich ihr ja nicht jeden Tag die Gelegenheit, in einer Hafenstadt eine finstere Spelunke kennenzulernen. Wozu sollte sie lange darüber nachgrübeln, was vielleicht in tausend Jahren sein würde, wenn es jetzt doch gerade so aufregend und schön sein konnte?

»Kommt Zeit, kommt Rat, wie das Sprichwort so sagt!«, sagte Moses wie sonst immer Käptn Klaas, und damit verschwand sie mit Euter-Klaas am Tampen in den düsteren Gassen der Hafenstadt, um endlich herauszukriegen, welche Freuden es da wohl zu entdecken gab.

8. Kapitel,

in dem Moses gleich drei finstere Spelunken kennenlernt und ein neues Seemannslied dazu

Die erste Spelunke, die Moses am Hafen entdeckte, hieß »Zum rostigen Anker« und lag gleich am Anfang einer winkeligen Gasse in einem windschiefen Haus. Ihre Tür stand weit offen, und von drinnen hörte Moses raue Männerstimmen wüste Lieder grölen, wie Seemänner das damals so machten, wenn sie endlich mal an Land waren und einen ordentlichen Humpen gebechert hatten.

»Wild tost die See und der Sturm braust laut!«, sangen die Seeleute, und fast hätte Moses mit eingestimmt, denn das Lied kannte sie ja nur zu gut, weil Nadel-Mattes es auf der »Wüsten Walli« so oft am Abend gebrummelt hatte, um sie in den Schlaf zu singen.

»Männer, wir müssen versinken!
Atschüs, mein Deern, meine kleine Braut!
Zum Trost wolln wir fix noch was trinken!«

Dann schepperten drinnen die Becher so laut gegeneinander, dass man merkte, auch wenn die Männer in der Spelunke ja bestimmt jetzt gerade nicht versinken mussten, was trinken wollten sie trotzdem, und dazu schmetterten sie den Refrain:

»Joho, joho, wir buddeln ab!
Das Meer wird unser kühles Grab!
Zum Trost wolln wir fix noch was trinken!«

Aber da presste sich Moses mit Euter-Klaas erschrocken neben der Tür ganz fest an die Mauer, um noch ein bisschen länger zu lauschen, denn schon seit der ersten Strophe hatte sie so einen Verdacht, und

der hatte mit der lautesten Stimme zu tun, die auch noch am falschesten sang.

»Wild spritzt die Gischt
und der Donner rollt«,

sangen die Kerle weiter, und da war sich Moses plötzlich ganz sicher.

»Ach weh, was wird
aus uns Zechern?
Wenn uns nun gleich
der Klabauter holt?
Drum lasst uns noch fix
einen bechern!«

»Haken-Fiete!«, flüsterte Moses, denn die Stimme, die am lautesten und am falschesten von allen sang, kannte sie tatsächlich ganz genau. Und während die Männer in der Spelunke zum Scheppern ihrer Becher nun wieder den Refrain anstimmten:

»Joho, joho, wir buddeln ab!
Das Meer wird unser kühles Grab!
Zum Trost wolln wir fix noch was bechern!«,

zog Moses ihre Ziege lieber schnell von der offenen Tür der Spelunke weg und tiefer in die Gasse hinein, bevor sie noch jemand erkannte.

»Nee, komm lieber mal mit, Euter-Klaas!«, flüsterte sie. »Wenn Fiete uns in der Spelunke erwischt, ist das Schiet! Der bringt uns doch bloß zurück auf die ›Walli‹ und stopft mich ins Mannschaftslogis, und das war es dann für uns beide mit den finsteren Spelunken!«

Und darum ging sie lieber weiter, noch mehr Spelunken suchen.

Die zweite Spelunke, zu der sie kam, hieß »Zum durstigen Seemann«, und auch hier war wieder ein Lied zu hören, das klang sogar noch lauter als das aus der ersten Spelunke, obwohl es dieses Mal nur ein einziger Seemann war, der sang. Und als Moses und Euter-Klaas so dicht an die geöffnete Tür herangekommen waren, dass Moses endlich den Text verstehen konnte, wusste sie zu ihrem

Kummer gleich, dass sie auch an dieser Spelunke wieder unverrichteter Dinge vorbeigehen musste. Denn das Lied, das aus dem düsteren Raum nach draußen tönte, war für eine finstere Spelunke doch einigermaßen merkwürdig, so viel begriff Moses schon.

> »Herre Gott, dich will ich preisen,
> Dafür lass mich fürstlich speisen!
> Preis und Lob singe ich dir,
> Schenkst du täglich mir ein Bier!«,

sang eine Stimme, die Moses auf der »Walli« jeden Tag hörte, wenn sie nach unten in die Kombüse flitzte, um zu gucken, ob sie vielleicht noch einen Löffel Sirup stibitzen konnte.

»Marten Smutje!«, flüsterte Moses, denn wer anders als der entlaufene Mönch hätte wohl in einer Hafenspelunke so ein Loblied auf den Himmel geträllert?

»Nee, komm lieber mal mit, Euter-Klaas. Wenn Bruder Marten uns in der Spelunke erwischt, ist das Schiet! Der bringt uns doch bloß zurück auf die ›Walli‹ und stopft mich ins Mannschaftslogis, und das war es dann für uns beide mit den finsteren Spelunken!«

Darum hörten sie die zweite Strophe erst gar nicht mehr an.

Aber bei der dritten Spelunke hatte Moses endlich Glück. Die dritte war vielleicht die finsterste von allen, und auf dem hölzernen Wirtshausschild, das über der Tür knarrend im Wind hin und her schwang, stand »Zum teuflischen Totenkopf«, zumindest, soweit man das lesen konnte, denn die Farbe war doch schon ziemlich abgeblättert. Was Moses übrigens nicht das geringste bisschen ausmachte, denn lesen konnte sie ja sowieso nicht. Nadel-Mattes konnte ihr schließlich nur all das beibringen, was er selbst gelernt hatte, und du glaubst doch wohl nicht, dass die wüsten Kerle auf der »Walli« auch nur einen einzigen Buchstaben entziffern konnten. Wozu hätte das auf ihren Räuberfahrten denn wohl auch gut sein sollen? Da hätten sie ja noch eher begriffen, warum sie sich vielleicht ab und zu mal waschen sollten.

Auch in der dritten Spelunke grölten die Seeleute wieder ein Lied, aber das hatte Moses nun tatsächlich noch niemals gehört.

»Schwing das Holzbein, Matrose, joho, johoho!
Gleich gibt es Gold und Dublonen!
Denn unser ist der Kahn mit Mann und mit Maus,
Wir schmeißen die Kaufleute alle raus,
Solln sie doch bei den Fischen wohnen!«

»Beijen – Fischen, genau!«, schrie irgendwer mit einem lauten *Hicks!*, und dann stimmten sie schon die nächste Strophe an.

»Schwing den Säbel, Matrose, joho, johoho!
Gleich muss die Besatzung verderben!
Denn wir entern den Kahn mit Mann und mit Maus
Und schmeißen die Kaufleute alle raus,
Pech für sie, gleich müssen sie sterben!«

»Nein, was für ein gruselig schönes Lied das ist, findest du nicht, Euter-Klaas?«, flüsterte Moses begeistert. Dann linste sie vorsichtig um die Ecke und in die Dunkelheit der Spelunke hinein, und wirklich, da sah sie keinen Käptn Klaas und keinen Nadel-Mattes und überhaupt keinen einzigen von den Matrosen der »Walli«. Sonst wäre es mit dieser Spelunke ja wieder nichts gewesen.

»Dann komm mal mit, Euter-Klaas!«, sagte Moses darum. »Hier ist keiner, der uns kennt, hier können wir rein! Und wo man singt, da lass dich ruhig nieder, böse Menschen haben keine Lieder, wie das Sprichwort so sagt!« Na, da sollte sie sich vielleicht bannig täuschen.

Und Euter-Klaas dachte auch gar nicht daran, mitzukommen. Sie stemmte ihre Beine alle vier fest in den Boden, so wenig Lust hatte sie, die singenden Männer im »Teuflischen Totenkopf« kennenzulernen, und dazu meckerte sie aus voller Kehle. Aber am Ende war Moses doch stärker. Und dabei wäre es viel besser gewesen, wenn sie wenigstens dieses eine Mal auf ihre Ziege gehört hätte, das wirst du gleich sehen.

Denn damit, dass sie in dieser Spelunke keiner kannte, hatte Moses leider überhaupt gar nicht recht. Und so nahm das Unheil seinen Lauf.

9. Kapitel,

in dem Moses leider schanghait wird

Im Inneren der Spelunke war es so düster, dass man kaum die Hand vor Augen sehen konnte und Moses verstand auf einen Schlag, warum die Männer auf der »Walli« immer nur von *finsteren* Spelunken gesprochen hatten. Es roch nach Bier und nach Schnaps, denn natürlich gingen die Seeleute damals nicht an Land, um Kamillentee oder Fliederbeersaft zu trinken, das ist ja klar.

An langen gescheuerten Holztischen saßen die Matrosen dicht an dicht und schwenkten ihre Humpen und schmetterten ihre Lieder. Na, ob die Holztische wirklich gescheuert waren, wollen wir mal lieber nicht genauer untersuchen. Zum Glück war es ja so dunkel in dem kleinen Raum, dass kein Mensch erkennen konnte, wie sauber die Humpen und die Krüge und die Tische in Wirklichkeit waren. Der Boden jedenfalls war kein bisschen sauber, das sah Moses selbst in der Dämmerung auf den ersten Blick, und das fand sie nun doch ein bisschen eklig, so sehr klebte er von verschüttetem Trinkerchen und abgenagten Hühnerknochen und ausgespuckten Pflaumenkernen. Denn wenn die Männer auf der »Walli«, wie du weißt, auch für sich selbst mit Wasser nicht so viel am Hut hatten, ihre Deckplanken schrubbten sie doch jeden Tag.

»Guten Tag, guten Tag allerseits!«, sagte Moses trotzdem höflich. Nun hatte sie mal beschlossen, eine finstere Spelunke kennenzulernen, und dann wollte sie es auch tun, egal wann der Boden zuletzt geschrubbt worden war. »Ihr singt ja wirklich verteufelt gut, Männer, beim Klabautermann, verdammich!«

Vielleicht wunderst du dich jetzt, dass Moses so mutig war. Du hättest dich vor den finsteren Gesellen im »Teuflischen Totenkopf« vielleicht doch ein bisschen gegrault und ich bestimmt auch; aber du musst ja bedenken, dass Moses ihr ganzes Leben lang immerzu nur mit solchen wüsten Kerlen zusammen gewesen war und dass diese wüsten Kerle immer lieb und nett zu ihr gewesen waren und sie eine kleine Dame genannt und ihr von ihrem Dörrobst und ihrem Sirup abgegeben hatten. Darum konnte Moses sich eben gar nicht vorstellen, dass Seeleute und Matrosen vielleicht auch mal irgendwann nicht ganz so freundlich zu ihr sein könnten.

»Ja, guten Tag, wie gesagt!«, sagte Moses also höflich zum zweiten Mal, denn Nadel-Mattes hatte schließlich darauf geachtet, dass sie Manieren lernte. »Ist hier vielleicht noch ein kleines Plätzchen frei für mich und meine Ziege?« (Dass es eigentlich »für meine Ziege und mich« heißen müsste, weil sich nur der Esel selbst zuerst nennt, vergessen wir mal. So viel Manieren hatte Mattes ihr nun doch nicht beigebracht.)

»Für – dichundeine – Ssiege?«, grölte der Matrose, der vorhin auch gehickst hatte, und da hörte man ja schon an seiner Sprache, dass er mindestens einen Humpen zu viel gebechert hatte und vielleicht sogar zwei. »Was – wilsudenn – miteiner Ss-Ssiegehier, Bengel?«

Und das war ja vielleicht trotzdem keine ganz dumme Frage, musst du zugeben.

»Ich?«, sagte Moses, denn bisher hatte sie ja noch niemand je einen Bengel genannt, darum musste sie sich erst daran gewöhnen. Aber das fiel ihr gar nicht schwer, kann ich dir sagen. Sie wollte ja sowieso viel lieber ein Käptn und Seeräuberhauptmann werden als eine duftende Dame, und darum machte ihr Herz auch einen kleinen Hüpfer vor Freude, als sie merkte, dass dieser versoffene Kerl sie für einen Jungen hielt. So wie sie aussah in ihrem groben Kittel und den viel zu weiten Hosen, die Nadel-Mattes ihr wie immer aus einem Linsensack genäht hatte, und mit ihren strubbeligen, zipfeligen Haaren, die Bruder Marten ihr wie allen anderen Seeleuten auf der »Walli« mit seinem schärfsten Fleischmesser über der Reling abgesäbelt hatte, konnte man das schließlich leicht glauben.

»Schwingt eure Klaue, joho, johoho!«,
sangen währenddessen die übrigen Männer weiter. Sie hatten ja
längst nicht alle mitgekriegt, dass da eben eine kleine Dame mit ihrer Ziege einfach so durch die Tür zu ihnen in die finstere Spelunke
hineinspaziert war.

»Gleich rollen an Bord tausend Köpfe!
Denn wir stürmen den Kahn mit Mann und mit Maus,
Dann ist es mit allen Landratten aus,
Nie mehr flechten sie sich ihre Zöpfe!«

Und wenn dir das mit den Zöpfen merkwürdig vorkommt, dann
kann ich schnell noch erklären, dass damals auch viele Männer einen
Zopf trugen, der ihnen über den Rücken hing. Aber Zopf hin oder
her, dieses Mal sangen schon längst nicht mehr alle wüsten Kerle
mit, und das war ja vielleicht auch ganz gut so. Es war schließlich
ein ziemlich grässliches Lied, wenn man es genau bedenkt. Obwohl
das natürlich nicht der Grund dafür war, dass mitten in der dritten
Strophe immer mehr Matrosen plötzlich still wurden, sodass beim
letzten Wort überhaupt nur noch eine einzige krächzige Altmänner-
stimme übrig geblieben war.

Inzwischen hatten die Kerle nämlich doch alle mitgekriegt, dass
eine kleine Dame in der Tür stand (wenn sie natürlich auch dachten,
sie wäre ein Bengel); denn Euter-Klaas an ihrem Tampen meckerte
immer noch ganz erbärmlich, und darum hörten die Gesellen also
einer nach dem anderen verblüfft auf zu singen und starrten stattdessen Moses an.

Und: »Ha! Teufel und Beelzebub!«, brüllte plötzlich eine Stimme
von irgendwo so weit hinten im Raum, dass Moses das Gesicht dazu
gar nicht erkennen konnte. »Ich sehe die Hörner des Satans! Gespenster, Spuk und Geister, hinweg, hinweg!« War da aber irgendwer ziemlich schreckhaft!

»Dasisnur – ein Bengelmit seiner Ssiege, Käptn!«, sagte der betrunkene Matrose wieder. »Kein Teufel und Beelzebub ist das, Käptn!
Absolut kein Satan nicht!«

Also, das war doch eigentlich sowieso klar!

»Ich weiß, was ich weiß!«, sagte die schreckhafte Stimme wieder, aber jetzt klang sie schon nicht mehr ganz so schreckhaft. »Ich habe erlebt, was ich erlebt habe!« Aber dann wurde sie plötzlich so tief und so finster und, wenn man genau aufpasste, auch so gefährlich, dass man kaum glauben konnte, dass es immer noch derselbe Mann war, der da sprach. »Ein Bengel mit seiner Ziege? Was willst du mit deiner Ziege hier bei uns im Wirtshaus, Bengel?«

Und weil ja bisher in ihrem Leben immer alle Menschen nett zu Moses gewesen waren, bemerkte sie nicht einmal, dass das jetzt aber gar nicht so besonders nett klang.

»Ich heiße Moses und ich komme von dem stattlichen Kaufmannsschiff ›Wüste Walli‹, das heute Morgen am Kai festgemacht hat«, sagte sie und kam sich dabei ganz fürchterlich schlau vor. Denn die »Walli« hatte ja bei der Einfahrt in den Hafen eine Kaufmanns-flagge gesetzt, wie du dich erinnerst, und so viel wusste Moses schon, dass sich ein Seeräuber an Land nie zu erkennen geben durfte. »Wir nehmen hier frisches Wasser an Bord und Dörrfleisch und Zwieback, wenn es welchen gibt.« Und damit war sie auch schon bei dem Mann mit der tiefen finsteren, gefährlichen Stimme angekommen, und noch immer hatte sie kein bisschen Angst, stell dir mal vor.

Der Mann saß nicht nur ganz hinten in den tiefsten Tiefen des düsteren Raumes, er hatte da auch eine Bank fast ganz für sich alleine, und daran konnte man ja schon sehen, dass er von allen Kerlen in der Spelunke bestimmt der wichtigste war und wahrscheinlich, dachte Moses, ein ziemlich reicher, echter Kaufmann. Er trug ein glitzerndes Gewand aus feinstem Seidenbrokat mit goldenen Knöpfen daran, auf denen blitzten sogar noch Edelsteine; und an seinen Ohren hingen als Ohrringe prächtige Golddublonen, die waren so groß und so schwer, dass sie seine Ohrläppchen ordentlich nach unten zogen, bis sie ihm fast auf die Schulter reichten.

»So, so, vom Kaufmannsschiff ›Wüste Walli‹!«, sagte der Mann, und man kann sich doch wirklich nicht vorstellen, dass diese Worte gefährlich klingen können. Aber glaub mir, bei ihm taten sie das. Und wie. »Und Dörrfleisch und Wasser und Zwieback wollt ihr an Bord nehmen, wenn es welchen gibt«, und dabei kräuselte er seine Lippen, dass bestimmt jeder andere Mensch auf der Welt gleich gewusst hätte: Der führt bestimmt nichts Gutes im Schilde. Nur Moses merkte das nicht! Und guck, da sieht man mal wieder, warum es manchmal doch nützlich sein kann, an Land in einem Haus aufzuwachsen und nicht auf hoher See an Bord eines Seeräuberschiffes. Man kriegt an Land einfach mehr mit und begreift mehr vom Leben.

»Wir nehmen auch Dörrobst!«, sagte die dumme Moses darum immer noch ganz zutraulich und jetzt setzte sie sich sogar noch auf den letzten freien Platz auf der Bank genau dem Mann gegenüber. »Und Sirup. Und Honig, wenn Bruder Marten welchen finden kann.« Denn Sirup und Honig, das waren ja die größten Leckereien, die Moses sich vorstellen konnte.

»So, so, Sirup und Honig, eh?«, fragte der Mann und beugte sich vor. »Für die ›Wüste Walli‹? Das stattliche – *Kaufmannsschiff*?« Und vor dem Wort »Kaufmannsschiff« war die Pause so lang, dass es Moses nun doch ein kleines bisschen unbehaglich zumute wurde.

Da endlich fingen die anderen Männer in der Spelunke an zu lachen, dass sich die Balken bogen. Sie schlugen sich auf die Schenkel und grölten: »Kaufmannsschiff!«, und erst jetzt begriff Moses ganz allmählich, dass irgendetwas vielleicht nicht ganz so war, wie es hätte sein sollen. Ja, war sie denn taub gewesen? Hatte sie denn gar nicht gehört, was für ein Lied die Männer vorhin gesungen hatten? Da hätte einem Kind, das auf einer Seeräuberkogge aufgewachsen war, vielleicht doch mal etwas auffallen können!

Aber bevor sie noch aufstehen
und sich höflich von dem gruseligen
Mann und seinen Leuten verabschieden konnte – schließlich hatte Nadel-
Mattes ihr ja Manieren beigebracht, und
sie wäre nie gegangen, ohne Auf Wiedersehen zu sagen –, trat aus dem Dunkel ein
Mann an den Tisch, der war so klein und so alt,
dass man sich fragen musste, was so ein kleiner alter
Mann wohl zwischen all diesen rauen Gesellen zu suchen
hatte. Genau darum hatte er sich wohl auch so einen großen Hut
mit einer Feder aufgesetzt, aber groß und stark sah er darum trotzdem noch lange nicht aus.

»Was der Bengel erzählt, könnte stimmen, Käptn!«, sagte er. »Ich
hab schon mal gehört, dass Klaas Klappe seit Jahren ein Balg an Bord
mit sich rumschleppt, einen Bengel, der Moses heißt!«

»Einen Bengel, der Moses heißt, Hinnerk mit dem Hut?«, fragte
der Mann hinter dem Tisch wieder, und jetzt endlich merkte Moses,
wie finster sein Blick war und wie gefährlich seine Stimme. »Ausgerechnet Klaas Klappe, der alte Schurke!« Und als er Moses tief in
die Augen sah, wurde es ihr auf einmal so kalt, als ob wie aus dem
Nichts ein Sturm mit Windstärke zehn von Nordnordost aufge-
kommen wäre, hier mitten in der Spelunke. »Und du bist also
Moses, Klaas Klappe sein Balg?«

»Ich bin …«, sagte Moses und sie merkte erstaunt, dass
ihre eigene Stimme auf einmal ganz anders klang als sonst,

krächzig und viel zu leise, und wenn sie ganz ehrlich war, sogar ein bisschen, als ob sie vielleicht Angst hätte. »Ich bin …«

Aber dann hatte sie endgültig begriffen, dass der Mann da hinter dem Tisch ganz bestimmt kein netter Mann war und die Spelunke eine besonders finstere Spelunke, und sie beschloss, ihre Beine in die Hand zu nehmen und zurück zur »Walli« zu rennen und lieber auf dem Achterkastell gemütlich darauf zu warten, dass Nadel-Mattes und die anderen zurückkämen. Vielleicht war es ja doch keine so gute Idee gewesen, mit Euter-Klaas in eine finstere Spelunke zu gehen.

Darum drehte Moses sich also um und warf einen Blick zur Tür, denn allmählich fand sie hier alles so merkwürdig und so unheimlich, dass sie am liebsten sogar ohne höflichen Abschiedsgruß weggerannt wäre, Manieren hin oder her. Aber dafür war es jetzt leider zu spät.

Hinter ihrem Rücken drängten sich inzwischen nämlich alle Kerle, die vorher noch auf ihren Bänken gesessen und gesungen hatten, und manche von ihnen hatten ihren Humpen noch in der Hand und manche nicht, und manche standen gerade und manche schwankten ein bisschen, das war ja kein Wunder. Aber alle sahen sie nicht so aus, als ob sie Moses jetzt einfach so gehen lassen würden, das verstand sie sofort, auch wenn sie ja vorher nicht so furchtbar viel verstanden hatte.

»Klaas Klappe sein Balg!«, donnerte der Mann im vornehmen Mantel und dann schlug er plötzlich mit aller Wucht auf den Tisch. »Na, wenn das kein Zufall ist! Packt ihn, ihr Männer! Und ab mit ihm an Bord!«

Da half es gar nichts, dass Moses aus voller Kehle schrie und noch dazu jeden Matrosen kratzte und biss, wo sie ihn nur erwischen konnte: Gegen so ungefähr zwanzig wüste Kerle kann ein Kind nicht viel machen, ganz egal ob es nun ein Bengel ist oder eine kleine Dame.

»Lasst mich los!«, brüllte Moses und strampelte mit den Beinen und trat in jedes Schienbein, das sie erwischen konnte, und das waren zu ihrer Freude einige. »Lasst mich sofort los! Käptn Klaas kriegt euch sowieso! Käptn Klaas zieht euch eins mit dem Tampen über den Allerwertesten, dass es zischt! Käptn Klaas …«

Aber danach konnte sie nur noch gurgeln, denn einer der Männer hatte ihr einfach so einen schmutzigen Wischlappen in ihren Mund gestopft, so sehr hatte ihn ihr Gebrüll geärgert. Und ich kann dir sagen: Es ist ja niemals schön, wenn einem der Mund gestopft wird, aber mit so einem ekligen alten Wischlappen aus einer finsteren, stinkigen Spelunke ist es gleich noch mal doppelt so eklig.

Darum war es auch kein Wunder, dass von Moses kein Ton mehr zu hören war, als die Männer sie jetzt an den Schultern und an den Füßen packten und mit lautem Gejohle aus der Spelunke trugen wie ein Paket und dann die Gasse hinunter und zum Hafen. Und dass Euter-Klaas ihnen dabei entwischte, war ihnen ganz und gar gleichgültig. Na, das hätte es vielleicht nicht sein sollen.

Nun wunderst du dich vielleicht, dass die Kerle Moses einfach so durch die Gegend schleppten, am helllichten Tag und mit lautem Gejohle. Ja, hatten sie denn gar keine Angst, dass irgendwer sie sehen könnte? Das würden sich bei uns ja auch die schrecklichsten, fiesesten Gangster nicht trauen! Da hätten sie viel zu viel Angst vor der Polizei, darum können wir ganz beruhigt sein.

Aber damals, so leid es mir tut, waren solche Dinge einfach an der Tagesordnung. In den finsteren Zeiten, von denen ich erzähle, gab es nämlich viel zu wenig Männer, die als Seeleute auf einem Schiff anheuern wollten, schließlich war das Leben auf See ja kein Zuckerschlecken. Immer nur Dörrfleisch und Käferzwieback, nein, vielen Dank! Aber haben musste man Matrosen, wer sollte sonst wohl die Segel reffen und die Rahen brassen und den Anker lichten und was sonst an Bord noch so alles zu tun ist? Und darum hatten die Kapitäne sich einen ziemlich gemeinen Trick ausgedacht.

In den Hafenstädten nämlich gingen die Seeleute durch die Gassen, und wenn sie da auf einen jungen Mann trafen, am besten auf einen dummen jungen Mann aus einem kleinen Dorf, der nur mal eben in der Stadt zu Besuch war, um auf dem Markt Eier und Äpfel oder Rüben zu verkaufen, dann luden sie ihn einfach ganz freundlich in eine Spelunke ein und gaben ihm einen aus oder eher schon zwei oder drei: Bier und Schnaps und was einem jungen Mann vom Lande

sonst noch so schmeckte. Und wenn der dann betrunken war, verschleppten die Seeleute ihn in seinem Rausch einfach auf ihr Schiff, und wenn er später mit grässlichen Kopfschmerzen und einem Kater endlich wieder zu sich kam, waren längst die Segel gesetzt und das Schiff auf hoher See, und wann der arme junge Mann seine Heimat wiedersehen würde, stand in den Sternen, aber bestimmt nicht so bald, das war mal klar. Das hatte er nun davon, dass er vom Schnaps nicht genug kriegen konnte.

Und wenn du jetzt glaubst, dass nur die See*räuber* damals so gemein waren, dann täuschst du dich aber gewaltig. Matrosen brauchten ja auch die ganz *gewöhnlichen* Kapitäne, und also waren sie kein bisschen besser und machten es haargenauso.

Darum wunderte sich in den Straßen der Hafenstadt auch niemand, als jetzt eine Gruppe grölender Seeleute mit einem strampelnden Paket unter dem Arm in Richtung Schiffsanleger verschwand. So was sahen sie schließlich jeden Tag.

»Haben sie wieder einen schanghait!«, sagten die Städter höchstens, denn so hieß das Wort dafür, und anstatt so einem armen Kerl zu Hilfe zu eilen, freuten sie sich, dass es sie selbst diesmal wieder nicht erwischt hatte, und beschlossen einmal mehr, sich auf keinen Fall mit Seeleuten in einer Spelunke zusammenzusetzen, egal wie groß ihr Durst auch sein mochte.

Dass das strampelnde Paket an diesem Tag kein erwachsener Mann war, sondern noch ein Kind, bemerkte übrigens niemand. Aber ich bin mir noch nicht einmal sicher, ob die Leute sich selbst dann überhaupt eingemischt hätten. Schließlich brauchte ja jedes Schiff auch einen Schiffsjungen, das war bekannt, und wenn es den anders nicht kriegen konnte, was sollte der Käptn wohl tun? Dann wurde eben auch der Schiffsjunge schanghait, darüber regte sich niemand auf. Jaja, es ist schon gut, dass die Zeiten ruhiger geworden sind und die Seeleute netter.

In der finsteren Spelunke übrigens erhob sich der Mann mit dem Mantel jetzt langsam hinter seinem Tisch. Und erst als er sich mithilfe einer Krücke aufgerichtet hatte, sah man, dass da, wo eigentlich sein linkes Bein sein sollte, unter dem Mantel nur noch ein Holzbein steckte.

10. Kapitel,

in dem Käptn Klaas Olle Holzbein wieder trifft und gar nicht merkt, dass eine kleine Dame fehlt

Hätten die finsteren Gesellen Moses nun auf dem kürzesten, direktesten Weg zu ihrem Schiff gebracht, dann hätten sie dabei am Kai entlang- und an der »Wüsten Walli« vorbeigemusst, und vielleicht hätte dann einer von Käptn Klaas´ Leuten Moses erspäht und wäre ihr zu Hilfe gekommen, und dann hätte es diese ganze Geschichte gar nicht gegeben.

Aber so dumm waren selbst diese versoffenen, dummen Kerle nicht. Wenn der strampelnde Bengel mit dem stinkenden Tuch zwischen den Zähnen Käptn Klaas sein Balg war, dann würden sie sich ihre Beute bestimmt nicht unterwegs noch von ihm abjagen lassen!

Darum schleppten sie Moses auf einem riesengroßen Umweg durch die schmalen, verwinkelten Gassen der Stadt, bis sie an einer anderen Stelle wieder an den Hafen kamen, und das war haargenau da, wo ihr eigenes Schiff lag.

Und darum kriegte Käptn Klaas von der ganzen Entführung auch leider überhaupt nichts mit, wie er da jetzt mit wütenden Schritten an Deck der »Walli« auf und ab marschierte und immer auf und ab und dazu wüste Beschimpfungen und Flüche vor sich hin murmelte.

»Totgesagte leben länger!«, murmelte er. »Wie das Sprichwort so sagt! Ausgerechnet dieser finstere Fiesling, der gemeinste Ganove von allen! Ausgerechnet Olle Holzbein!« Und dabei schlug er mit der Faust auf die Reling, als ob er sie zu Klump hauen wollte. Aber da haute er wohl eher seine Faust zu Klump.

»Olle Holzbein?«, fragte Nadel-Mattes, der schon längst von seiner Tour durch die Spelunken zurück war. »Was ist mit dem schäbigen Schurken, Käptn? Elend, Elend! Wir haben doch gesehen, wie die ›Suse‹ abgegluckert ist! Olle Holzbein haben doch längst die Fische gefressen!«

»Und hoffentlich hat er ihnen gemundet, wenn sie sich an dem Gauner wohl auch gewisslich ihre kleinen Fischmägen verdorben haben!«, sagte Marten Smutje. Als Koch dachte er ja immerzu an solche Dinge.

»Den haben nicht mal die Fische gewollt!«, sagte Käptn Klaas düster. »So lebendig ist der wie ich und du und dem Herzog seine Schwiegermutter! Ich hab ihn getroffen!«

»Getroffen? Olle Holzbein? Ja, wenn mich da nicht der Klabauter!«, sagte Nadel-Mattes erschrocken. »Den haben wir doch schon nicht mehr gesehen, seit wir Moses aus der Balje gefischt haben!«

Aber wie viele Jahre das nun her war, konnte keiner von ihnen sagen. So genau nahmen die Menschen es damals nicht mit der Zeit.

»Der ist doch abgebuddelt mit seiner ›Suse‹ und mit Mann und mit Maus, halleluja, als wir unsere Moses gefunden haben!«, sagte Marten Smutje überzeugt, und nun guck mal, wie dumm das war! Denn das hatten sie ja damals nur *gehofft*, wenn du dich noch erinnerst, und jetzt tat Marten Smutje gerade so, als hätten sie es selbst gesehen. »Dem hätten wir doch gewisslich mal begegnen müssen, wenn den nicht der Klabauter geholt hätte, Käptn!«

»Es hofft der Mensch, solang er lebt!«, sagte Käptn Klaas düster. »Wie das Sprichwort so sagt. Aber jetzt gibt es nichts mehr zu hoffen! Getroffen hab ich ihn, wie wir uns vom Herzog die Kaperbriefe geholt haben, verdammich, und seine Augen haben Blitze gesprüht, wie er mich erkannt hat. Der hat sieben Leben, der Kerl, wie eine Katze! In der Westsee ist er gesegelt, darum haben wir nichts von ihm gesehen bis jetzt!«

»Und dafür sei Gott Preis und Dank!«, sagte Marten Smutje. Die Westsee übrigens war das Meer, das wir heute Nordsee nennen, nichts anderes. »Und nun lässt er seine schmutzige Seeräuber-

visage wieder auf unserer Ostsee blicken? In der Hölle soll er schmoren!«

»Holzbein hat sich auch seinen Kaperbrief abgeholt!«, sagte Käptn Klaas düster. »Genau wie wir anderen Seeräuber alle. Jetzt ist sogar Holzbein ein ehrlicher Seeräuber, pfui Teufel! Lasst uns den Anker lichten, dass ich ihn nicht womöglich noch mal sehen muss, das täte meinen armen Augen weh. Sind alle Mann an Bord?«

»Alle Mann an Bord!«, sagte Nadel-Mattes, und Haken-Fiete nickte dazu.

»Dann die Trossen los, Männer!«, sagte Käptn Klaas. »Dann wollen wir ab heute mal ehrlich rauben!« Er sah sich um. »Aber wo, beim Herrn und seinen Engeln, ist unser kleines Frauenzimmer geblieben?«

»Die wird wohl gemütlich in ihrer Hängematte im Mannschaftslogis schlafen!«, sagte Nadel-Mattes. »Stell dir vor, Käptn, nicht mal gedrängelt hat sie heute, dass sie mit uns an Land und in eine finste-

re Spelunke wollte! Ganz friedlich ist sie an Bord geblieben, unsere kleine Dame. Ja, ja, sie wird wohl langsam vernünftig.«

»Sie wird wohl langsam vernünftig, ja, ja!«, sagte Käptn Klaas auch und kraulte Euter-Klaas kurz zwischen den Hörnern, weil die sich die ganze Zeit an seinen Beinen schubberte, als wollte sie ihm etwas erzählen, und meckern tat sie auch ganz erbärmlich. Hätte er sich da nicht mal fragen können, warum Euter-Klaas ihre Leine hinter sich herschleppte und kein bisschen angebunden war, wie sich das doch eigentlich gehört hätte? Aber der Käptn war ja in Gedanken nur mit Olle Holzbein beschäftigt, der starrköpfige Kerl. Sonst hätten sie Moses doch womöglich sogar noch befreien können! Aber auf eine Ziege hört ja kein Mensch. »Also den Anker lichten! Die Leinen los! Setzt die Segel!« Und damit war das abgemacht.

Erst am Abend, als sie längst auf hoher See waren und am Himmel die Sterne um die Wette funkelten und auch der Mond freundlich hinter einer Wolke hervorlugte, stieg Nadel-Mattes hinunter ins Mannschaftslogis, um endlich nach Moses zu sehen, und das war ungefähr um acht Glasen der vierten Tagwache, die Platt-fuß heißt.

Aber die Hänge-matte war leer, und wo die Seeräuber auch suchten, sie konnten ihre kleine Dame nicht finden.

11. Kapitel,

in dem Moses viele Schimpfwörter kennt

Ja, natürlich konnten sie Moses nicht finden! Die war ja längst auf dem Entführerschiff angekommen, verschnürt wie ein Paket und mit einem stinkigen Lappen zwischen den Zähnen, und wenn sie auch manchem der Kerle auf dem Weg zum Schiff mit ihren Füßen ein paar kräftige blaue Flecke verpasst hatte, so hatte sie es doch trotzdem nicht geschafft, sich zu befreien. Ich habe ja schon gesagt, dass auch das stärkste, tapferste Kind gegen zwanzig wüste Seeräuber nicht ankommen kann, und das ist nun mal eine Tatsache.

An Bord angelangt, schleppten die Männer Moses gleich unter Deck, da war es so dunkel, dass man fast die Hand nicht vor Augen sehen konnte. Und dann steckten sie sie in einen Käfig, der war aus festen Holzstäben gezimmert und auf seinem Boden lag nichts als ein bisschen Heu und Streu. Das guckte Moses sich aber lieber alles nicht genauer an, weil es nämlich sogar noch dreckiger war als der Fußboden in der finsteren Spelunke. Also war es ja vielleicht ganz gut, dass es unter Deck so duster war, da musste Moses sich wenigstens nicht allzu sehr ekeln.

Nun fragst du dich vielleicht, warum es an Bord einen Käfig gab, der so groß war, dass sogar eine kleine Dame wie Moses da ganz gut reinpasste, nur den Kopf musste sie vielleicht ein bisschen einziehen.

Du weißt ja schon, dass die Seeleute damals manchmal Hühner mit auf ihre Reisen ohne Kühlschrank nahmen, damit sie unterwegs wenigstens ab und zu mal ein Ei zu essen hatten, wenn ihnen die

ewigen Linsen und Bohnen und das Dörrobst und der Fisch auf die
Nerven gingen. Aber wenn sie auch noch keine Kühlschränke kannten, dumm waren sie trotzdem nicht. Überall auf einsamen Inseln
und in verlassenen Landstrichen an den Küsten nämlich, an denen
sie manchmal vorbeikamen, setzten die Seeleute einfach Ziegen aus,
die kriegten ganz fix Ziegenbabys (so ist das nun mal) und wurden
mehr und mehr. Und wenn ein Schiff dann später in die Nähe so
einer Insel oder so eines verlassenen Landstrichs an der Küste kam,
dann sagte der Kapitän zu seinen Männern: »Werft den Anker aus,
Männer! Jetzt gibt es Abwechslung im Speiseplan! Jetzt holen wir
uns eine leckere Ziege oder zwei oder drei!« Und das taten sie dann
auch.

Und weil sie sich bei der Gelegenheit meistens lieber gleich zwei
oder drei Ziegen einfingen als nur eine und weil sie die ja nicht alle
gleichzeitig schlachten konnten, weil das Fleisch ihnen sonst ganz
schnell vergammelt wäre, darum hatten manche Schiffe eben einen
Käfig an Bord, da konnte man die Ziegen für ein paar Tage einsperren, bevor man sie dann schlachtete. Da siehst du mal, wie gut es Euter-Klaas auf der »Wüsten Walli« getroffen hatte, dass sie da einfach
so an Deck herumspazieren durfte! Aber auf dem Schiff, auf dem
Moses jetzt gelandet war, sah das für Ziegen ziemlich anders aus.

Und für Moses leider auch. Denn nun hatten die finsteren Entfüh-
rer ja gleich etwas, wo sie Moses einsperren konnten, auch wenn sie
sie hinterher doch wohl hoffentlich nicht schlachten wollten.

»So, Bengel, da wären wir also!«, sagte der Mann vergnügt, nachdem er mit seinem Holzbein endlich auch an Bord angekommen war
und Hinnerk mit dem Hut den Befehl gegeben hatte, eine Kette aus
Eisen dreimal um die Stäbe von Käfig und Käfigtür zu schlingen und
sie danach mit einem riesigen rostigen Schloss zu verschließen. Das
hatte den größten Schlüssel, den Moses jemals gesehen hatte, und
den hängte der Mann mit dem Holzbein sich jetzt an seinen Gürtel,
direkt neben den Säbel.

»Ich hoffe, es gefällt dir bei uns an Bord!« Und dabei fuchtelte er
wie wild mit einer Kienfackel vor den Stäben herum, dass lange

Schatten auf den Boden
fielen. Das war bestimmt
nicht ungefährlich, denn so
ein Schiff war ja damals ganz
und gar aus Holz, und wenn
man nicht aufpasste, konnte es
leicht anfangen lichterloh zu bren-
nen. Da hätte dann das ganze Wasser
im Meer drum herum nichts genützt,
um es zu löschen. Aber weil es ja noch
keine Glühbirnen gab, mussten die Seeleute
eben Kienfackeln anzünden, wenn sie unter Deck
etwas erkennen wollten.

Jetzt nahm Hinnerk mit dem Hut Moses endlich auch
den stinkigen Spelunkenlappen aus dem Mund. Wenn er gewusst hätte, wie laut Moses schimpfen konnte und wie viele wirklich abenteuerliche Schimpfwörter sie kannte, dann hätte er es sich
vielleicht noch mal überlegt; aber nun war es also zu spät, denn der
Lappen war draußen, und inzwischen war Moses so wütend, dass sie
ordentlich loslegte.

»Lasst mich raus!«, brüllte sie und rüttelte an den Käfigstäben.
»Ihr vergammelten Fischköpfe! Dreckige Dorschmäuler! Ihr dösbaddeligen Donnerfurze! Stinkmorcheln! Kakerlakenfresser! Wi-
ckelkinder! Windelpisser!«

Und falls du dich wundern solltest, woher Moses all diese Wörter
kannte, die ja wirklich nicht sehr schön sind (ich habe eine ganze Weile überlegt, ob ich sie überhaupt hinschreiben soll, denn du kriegst
bestimmt rote Ohren, wenn du sie hörst), dann muss ich leider sagen, dass ganz allein Käptn Klaas daran schuld war. Der hatte seinen
Männern ja verboten zu fluchen, seit Moses bei ihnen an Bord war,
aber irgendwie mussten die Seeräuber ihrem Zorn schließlich Luft
machen, wenn er sie überfiel. Darum gab es wahrscheinlich auf der
ganzen Ostsee kein einziges Schiff – und auf der Westsee sicherlich
auch nicht –, auf dem die Seeleute so viele Schimpfwörter kannten

wie auf der »Walli«. Sie erfanden sogar immerzu neue Wörter dazu, und manchmal, wenn zwei von ihnen miteinander in Streit gerieten und gerade mit den Fäusten aufeinander losgehen wollten, dann schrie Käptn Klaas: »Halt! Schimpfwörterwettkampf!«, und dann beschimpften die beiden sich stattdessen, was das Zeug hielt, und schrien »Fischkopf!« und »Finsterfurz!« und »Stinkender Steinbutt!«, und für die anderen an Bord war das viel vergnüglicher, als bei einem Faustkampf zuzugucken, und neue Wörter lernten sie vom Zuhören außerdem. Ich weiß nicht genau, ob die Leute, die immer sagen, dass man einen Streit ja auch mit Worten regeln kann, genau das damit meinen, aber auf der »Walli« machten sie es jedenfalls so.

Darum kannte Moses also mehr Schimpfwörter als irgendein anderes kleines Frauenzimmer zwischen Göteborg und Gibraltar, und je mehr sie jetzt schimpfte, desto mehr gute Wörter fielen ihr ein,

und die wilden Kerle, die um den Käfig herumstanden, wurden allmählich immer stiller und stiller. Vielleicht versuchten sie, sich wenigstens das eine oder andere Schimpfwort zu merken, man konnte
ja nie wissen, wozu die noch mal nützlich sein konnten.

Am stillsten von allen wurde der Mann mit dem Holzbein.

»Ja, Teufel auch!«, sagte er, als Moses endlich auch mal Luft holen
musste. »Was ist Klaas Klappe sein Balg für ein Teufelsbraten! Von
dem Bengel könnte ja sogar ich noch was lernen!«

»Vor allem Manieren könntest du von mir lernen!«, schimpfte
Moses da schon wieder, denn inzwischen hatte sie genug Luft geholt. »Hinterfotziger Hohlkopf! Hat dir niemand beigebracht, dass
man Kinder nicht in Käfige sperrt? Schleimiger Schollenschiffer!
Schäbiger Schaluppenschrubber! Lass mich hier raus, aber sofort!
Sonst kommt Käptn Klaas mit der neunschwänzigen Katze und brät
dir eins über!« Denn das war absolut die fürchterlichste Strafe, von
der Moses an Bord der »Walli« gehört hatte. Die neunschwänzige
Katze war ja eine Peitsche mit neun Enden mit Knoten dran, wie
du vielleicht weißt, und wenn ein Seemann damit zur Strafe von
seinem Käptn den Allerwertesten versohlt kriegte, dann mochte er
danach eine ganze Weile nicht sitzen, das kann ich dir versichern,
oder höchstens auf einem sehr weichen Kissen. Und davon hatten sie
ja damals nicht viele an Bord.

Aber der Einbeinige winkte nur ab. »Käptn Klaas, Käptn Klaas!«,
sagte er. »Der alte Klaas Klappe hat längst die Leinen losgemacht,
Bengel! Die morsche ›Walli‹ schippert seit Stunden gemütlich irgendwo zwischen Rügen und Rostock über die raue See, und wenn
du Klaas das Aas in deinem Leben noch mal wiedersehen willst, dann
kannst du nur hoffen, dass er genug Lösegeld-Dublonen für dich
rausrückt!« Und dann lachte er wieder sein gruseliges Lachen, das
Moses ja schon aus der Spelunke kannte, tauchte die Kienfackel in
eine Wassertonne, um sie zu löschen, und verschwand nach oben an
Deck. Und weil alle seine Männer ihm folgten, war Moses nun unten
mutterseelenallein.

2. Teil,
in dem erzählt wird,
wie Moses einen neuen Freund findet und
einen gefährlichen Seeräuber überlistet

12. Kapitel,

in dem Moses Dohlenhannes kennenlernt und einen gehörigen Schrecken kriegt

Vielleicht glaubst du, dass Moses da unten in der Dunkelheit jetzt vor lauter Angst anfing zu schlottern oder sich sogar in ihre weiten Linsensackhosen machte; aber das tat sie keinesfalls. Dunkelheit unter Deck war Moses ja ihr Leben lang gewöhnt gewesen, weil sie auf der »Wüsten Walli« manchmal heimlich nach unten geschlichen war, um von den Vorräten zu naschen, die Marten Smutje da verstaut hatte; und darum wusste sie auch, dass jede Dunkelheit schon nach einer Weile nicht mehr ganz so dunkel ist, weil die Augen sich nämlich gewöhnen und weil ja außerdem hier und da ein winziger Lichtstrahl zwischen den Planken hindurchfiel, wo das Schiff nicht mehr ganz gut abgedichtet war und mal längst wieder hätte kalfatert werden müssen.

Und wenn du und ich und alle, die wir kennen, dann vielleicht wenigstens aus Angst vor dem gruseligen Mann mit dem Holzbein geschlottert hätten, so tat Moses auch das nicht. Sie hatte ja so lange mit solchen wüsten Kerlen zusammengelebt und daher wusste sie, dass sich manchmal sogar unter der rauesten Schale ein weicher Kern verbirgt. Na, das war in diesem Fall vielleicht nicht ganz so, wirst du merken.

Aber *wütend* war Moses, das kannst du glauben, und mit jeder Minute wurde sie immer noch wütender. Wer will denn wohl schon gerne in einem stinkigen Ziegenkäfig unter Deck eingesperrt sein, in dem er noch nicht mal aufrecht stehen kann? Die Dunkelheit übrigens war jetzt tatsächlich schon nicht mehr ganz so dunkel, und darum erkannte Moses auch allmählich die Umrisse all der Dinge, die im Laderaum verstaut waren: Und da sah es auf diesem Schiff eigentlich gar nicht so sehr viel anders aus als auf der »Walli«. Es gab Kisten mit zugenageltem Deckel und Fässer, von denen Moses nicht mal ahnte, was da wohl drin sein mochte, und Säcke und Truhen, über deren hölzernen Rand goldene und silberne Ketten hingen; und in der hintersten Ecke lag auch noch ein ziemlich hoher Berg aus gelben Steckrüben, die hatte die Besatzung gerade erst geladen und die sollten wohl mit auf große Fahrt.

»Igittigitt, jetzt auch noch Rüben!«, sagte Moses; denn auch auf der »Walli« hatten sie manchmal tagelang und wochenlang immer nur Rüben gegessen, und ihre Lieblingsspeise waren die ganz bestimmt nicht. »Im Dunkeln eingesperrt sein und dann auch noch Rüben!«

Und gerade als sie überlegte, ob sie jetzt erst mal eine Runde schlafen sollte, um das ganze Elend zu vergessen und auch weil man sonst ja nicht so viel machen konnte in dem schäbigen Käfig, wenn man keine Ziege war, hörte sie plötzlich eine Stimme: Die klang so merkwürdig und so fremdartig und auch ein bisschen gruselig, wie sie noch keine Stimme je gehört hatte in ihrem ganzen Leben, und sofort spürte Moses einen kleinen Knoten in ihrem Magen.

Denn »Rübe ab!« schnarrte die Stimme und dazu hörte Moses sogar auch noch Schritte, die kamen direkt auf sie zu. »Rrrrrrrübe ab!«

Da wuchs der Knoten in ihrem Magen und am liebsten hätte Moses sich irgendwo versteckt; aber in ihrem Käfig gab es ja absolut gar nichts, wohinter sie sich hätte verkriechen können, und darum versuchte sie einfach, nicht an den Knoten in ihrem Magen zu denken, und ballte die Fäuste.

Und dann erkannte sie auch schon die Umrisse einer merkwürdigen gebückten Gestalt, die schlich vorsichtig, ganz vorsichtig näher und näher auf ihren Ziegenkäfig zu, und dabei stieß sie immerzu gegen irgendwelche Kisten und Truhen und Fässer, dass es nur so rumpelte. Die Gestalt kam ja von oben aus der Helligkeit, musst du bedenken, darum konnte sie hier unten so gut wie gar nichts erkennen und darum schmiss sie jetzt eben alles um.

Da dachte Moses, dass sie so einer merkwürdigen Gestalt, die ihr Angst machte, dann ja wohl auch Angst machen konnte. Denn wenn *sie* auch im Käfig eingesperrt war, ihre Stimme war das ja nicht und brüllen konnte sie immer noch.

»Buuh!«, schrie Moses also, so laut sie konnte, und das war ziemlich laut, kann ich dir versichern. »Ich bin das Schiffsgespenst! Sieh dich lieber mal vor, wenn dir dein Leben lieb ist, Rübenbrüller!«

Und tatsächlich!, da gab es ein Rumpeln und ein Krachen, denn vor lauter Schreck war die Gestalt jetzt über eine Truhe mit Golddublonen gestolpert und dabei stieß sie einen erschrockenen Schrei aus.

»Mist, verflixter!«, stöhnte die Gestalt, und das tat sie doch tatsächlich mit einer heiseren Jungenstimme; aber *gleichzeitig* schnarrte sie auch immer noch »Rübe ab!«, und wie ein Mensch das beides gleichzeitig schaffen kann, das wusste Moses nun wirklich nicht. Da wurde der Knoten in ihrem Bauch vor lauter Angst noch ein bisschen größer, so groß wie ein Doppelter Palstek zum Beispiel.

Die Gestalt richtete sich jetzt langsam auf und rieb sich ihre Knie. »Halt den Schnabel, Schnackfass!«, sagte sie, und da fiel Moses endlich ein Stein vom Herzen und der Palstek in ihrem Bauch löste sich auf; weil die merkwürdige Gestalt nämlich nichts anderes als ein ganz gewöhnlicher Junge war, der war gar nicht so viel größer als sie oder höchstens ein winziges, winziges bisschen; und auf seiner Schulter saß ein kleiner schwarzer Vogel und flatterte mit den Flügeln und schnarrte schon wieder: »Rübe ab!«

Na, da war das Rätsel ja gelöst; und vor einem Jungen und seinem Vogel hatte Moses nun bestimmt keine Angst.

»Gehorchen tut dir dein Vogel aber nicht!«, sagte sie darum, und das ist ja vielleicht nicht die freundlichste Begrüßung, wenn man jemanden zum allerersten Mal trifft. Aber du musst natürlich bedenken, wie verblüfft Moses war. »Dem hättest du auch was Besseres beibringen können als immer nur *Rübe ab!*«

»Was anderes wollte er nicht lernen!«, sagte der Junge, und das ist als Begrüßung ja nun auch nicht viel höflicher. »Dohlen sind starrköpfig! Hier, bitte, ich soll dir dein Essen bringen.« »Rrrrrrübe ab!«, schnarrte die Dohle.

»Da will ich ja lieber verhungern!«, sagte Moses und starrte voller Abscheu auf den Napf, den der Junge ihr durch die Stäbe reichte. »Das ist ja Rübenmus!«

»Rrrrrübe ab!«, schnarrte die Dohle wieder und jetzt passte das doch eigentlich ganz gut.

»Dann musst du wohl verhungern, denn Rübenmus gibt es bestimmt die nächsten Wochen jeden Tag!«, sagte der Junge. »Wir haben nämlich gerade Rüben an Bord genommen.« Na, das hatte Moses ja schon selbst gesehen. »Und du bist also Klaas Klappe sein Balg!«

Moses tunkte den hölzernen Löffel vorsichtig in ihr Rübenmus, gerade nur mit seiner Spitze. So ganz schlecht schmeckte es gar nicht, das musste sie zugeben. Der Smutje hatte sogar Salz darangetan, und das war ja damals so wertvoll, dass arme Leute es sich überhaupt nicht leisten konnten. Auf der »Walli« hatten sie ihr Mus darum auch immer ohne Salz gegessen. »Und *du*? Wer bist *du*?«

»Ich bin Dohlenhannes, der Schiffsjunge«, sagte der Junge und machte es sich auf dem Boden vor dem Käfig bequem. »Und das ist meine Dohle Schnackfass, der hab ich die Federn gestutzt, dass sie nicht wegfliegen kann.«

»Rrrrübe ab!«, schnarrte Schnackfass wieder.

Der Junge hielt ihr den Schnabel zu. »Ich muss sie vor dem Käptn verstecken!«, flüsterte er. »Der will sie nicht an Bord!«

»Kein Wunder!«, sagte Moses und nahm einen ziemlich großen Löffelvoll. Eigentlich schmeckte das Rübenmus ihr jetzt sogar ziemlich gut. »So viel, wie die schnackt!« Und das hieß natürlich in der Seemannssprache: »So viel, wie die redet«, und Schnackfass sagen die Leute übrigens oben an der Küste auch heute noch zu jemandem, der die anderen mit seinem vielen Gerede nervt. Na, da hatte die Dohle ja den richtigen Namen abgekriegt.

Dohlenhannes beugte sich vor. »Es ist ja gar kein *Er*!«, flüsterte er. »Psst! Das ist doch das Problem! Meine Schnackfass ist eine kleine Vogelfrau! Und Weiber will unser Käptn nun mal partout nicht an Bord haben, nicht mal Vogelweiber, da weiß ja jeder, dass die nur Unglück bringen!«

»Ja, phhht, dummes Zeug!«, sagte Moses und schüttelte den Kopf. »Wieso sollen Weiber denn Unglück bringen? Teufel, seid ihr dösig hier alle Mann!«

Und wenn sie damit natürlich auch recht hatte, so erinnerst du dich ja bestimmt noch, dass es damals tatsächlich auf allen Seeräuberschiffen so war. Haken-Fiete hatte Moses deshalb sogar über Bord werfen wollen in der wilden, stürmischen Gewitternacht, als die Kerle auf der »Wüsten Walli« sie in ihrer Waschbalje aus dem Wasser gefischt hatten. Es gab sogar ein richtiges Seeräubergesetz, das verbot, Damen mit an Bord zu nehmen, und darum hatten Frauen es verteufelt schwer, wenn sie wie Moses Seeräuberkäptn werden wollten, das ist dir jetzt wohl klar. Aber auf der »Walli« hatte Moses von so einem Gesetz natürlich nie gehört.

»Dösig?«, sagte der Junge jetzt also und dabei hielt er seiner Dohle den Schnabel zu. »Na, da kannst du aber wohl noch was lernen, Klaas Klappe sein Bengel! Das weiß doch in der christlichen Seefahrt jeder, dass Weiber zu nichts nütze sind und schwach und feige, und wenn es gefährlich wird, nehmen sie immer gleich schreiend Reißaus!« Er kratzte sich am Kopf. »Außer meiner Mutter vielleicht«, sagte er dann, und das war ja wenigstens was.

»Schwach und feige?«, sagte Moses empört. »Das wollen wir doch erst mal sehen!« Aber dann fiel ihr zum Glück gerade noch rechtzeitig ein, dass Dohlenhannes ja wie alle anderen an Bord dachte, sie wäre ein Junge, und wenn sie es sich recht überlegte, war das doch vielleicht auch ganz gut so. Denn wenn der dösbaddelige Käptn auf diesem Schiff partout keine Weiber an Bord wollte – was hätte er dann wohl mit Moses gemacht, wenn er gemerkt hätte, dass sie in Wirklichkeit eine kleine Dame war? Da hätte er sie womöglich noch gefesselt und mit verbundenen Augen über Bord geschmissen, das heißt bei den Seeräubern *über die Planke gehen*, und dazu hatte Moses nun wirklich keine Lust. Natürlich konnte sie schwimmen, das hatte Marten Smutje ihr ja beigebracht, aber das Meer war doch ziemlich groß und außerdem gab es darin vielleicht Haie und Riesenkraken und wer weiß, was sonst noch alles. Da war es ihr schon lieber, sie blieb an Bord, auch wenn das ja nur im Käfig war. Und darum machte sie ihre Stimme jetzt vorsichtshalber ein kleines bisschen tiefer, und dass sie ein kleines Frauenzimmer war, blieb erst mal ihr allergeheimstes Geheimnis.

»Ja, ja, gut, dass man selbst ein Bengel ist und nicht so ein schwächliches Weib oder eine kleine Dame!«, sagte Moses also und räusperte sich. »Aber was braucht euer Käptn übrigens noch mich, wenn er schon dich als Schiffsjungen hat?«

Und bevor ich dir erzähle, was Dohlenhannes darauf antwortete, muss ich doch ganz schnell noch sagen, dass das Seeräubergesetz, keine Frauen mit an Bord zu nehmen, natürlich ziemlich abergläubisch war, aber vielleicht doch gar nicht so dumm. Denn guck, wer weiß, ob sich sonst nicht plötzlich auf hoher See all die rauen Kerle ganz fürchterlich verliebt hätten, und dann hätten sie sich gestritten bis aufs Blut, welcher von ihnen die Frau denn nun kriegen sollte – denn dass sie die Frau

auch mal gefragt hätten, wen *sie* gerne wollte, das glaubst du doch wohl selbst nicht – und dann hätte es nur Prügeleien und Messerstechereien und überhaupt fürchterlichen Ärger gegeben. Und darum war das alte Seeräubergesetz vielleicht doch eigentlich ganz schlau, wenn man es mal genau bedenkt.

Nur die Seeräuber selbst waren dumm, wenn sie glaubten, der Grund dafür wäre, dass Frauen schwach und feige sind und immer gleich Reißaus nehmen, wenn es gefährlich wird. Und eine Dohlenfrau wie Schnackfass übrigens hätten sie dann ja trotzdem ruhig an Bord lassen können. In die hätte sich ja bestimmt keiner verliebt.

Na gut. Aber Moses hatte, wie du dich erinnerst, gerade mit ihrer allertiefsten Stimme gesagt: »Ja, ja, gut, dass man selbst ein Bengel ist und nicht so ein schwächliches Weib oder eine kleine Dame! Aber was braucht euer Käptn übrigens noch mich, wenn er schon dich als Schiffsjungen hat?«

Da lachte Dohlenhannes.

»Du hast doch wohl nicht geglaubt, dass Käptn Olle dich geraubt hat, damit du sein Schiffsjunge wirst!«, sagte er, und dabei nahm er die Hand vom Schnabel seiner Dohle und natürlich schrie Schnackfass sofort wieder ihr »Rrrrübe ab!«.

Aber das hörte Moses dieses Mal gar nicht. Auf einmal war der Knoten in ihrem Bauch nämlich wieder da, und dieses Mal war er größer und stärker als jemals zuvor. Mit dem hätte man glatt eine Kogge festmachen können. »Käptn Olle?«, flüsterte sie und ihre Stimme zitterte. »Wieso denn Käptn Olle?«

Denn das war ja der fürchterlichste, grässlichste Seeräuber von allen, der größte Feind und Erzrivale von Käptn Klaas, von dem hatten sie auf der »Walli« ja immer erzählt. Und außerdem war der doch längst tot und abgesoffen mit seiner Schaluppe! Und darum lief es ihr jetzt auch ganz eiskalt den Rücken herunter.

Dabei hätte sie doch eigentlich längst vorher etwas merken können! Ich bin mir sicher, dass du dir bestimmt schon gedacht hast, wer der Mann mit dem Holzbein war. Aber Moses war ja so fürchterlich, dummerhaftig leichtgläubig!

»Käptn Olle, der Seeräuberhauptmann, dem gehört dieses Schiff!«, sagte Hannes. »Ja, was hast du denn geglaubt, wer dich hierher auf die ›Süße Suse‹ gebracht hat?«

Da ist es ja kein Wunder, dass die Angst in Moses´ Bauch plötzlich wieder da war. Denn wenn es Olle Holzbein war, der sie geraubt hatte, der allerallergrößte Feind und Erzrivale von Käptn Klaas, dann konnte das ja nichts Gutes bedeuten!

»Käptn Olle hat dich an Bord genommen, weil du Klaas Klappe sein Bengel bist! Und Klaas das Aas kann er auf den Tod nicht ausstehen, wie du ja wohl weißt«, sagte der Junge. Und »Rrrrrübe ab!«, schnarrte Schnackfass.

»Klar weiß ich das«, sagte Moses und nahm die Schultern zurück. »Klar, dass so ein Pisspottpuper wie Olle Holzbein neidisch ist auf einen tüchtigen Seeräuberhauptmann wie unseren Käptn Klaas! Aber dass er deswegen kleine Kinder klaut, das ist ja so schäbig, dass von jetzt an sogar seine Schiffsratten keinen Zwieback mehr von ihm annehmen würden!«

Und danach ging es ihr gleich ein bisschen besser, denn wenn man jemanden, vor dem man Angst hat, einen Pisspottpuper nennt, fühlt er sich plötzlich längst nicht mehr so gefährlich an, das ist ein alter Seeräubertrick und den kannst du gerne ausprobieren.

»Der füttert die Schiffsratten sowieso nicht«, sagte der Junge. »Käptn Olle sagt, etwas Besseres als Klaas Klappe sein Sohn wäre ihm in seinem ganzen Leben noch nicht ins Netz gegangen! Denn nun wird dein Käptn Klaas als Lösegeld bestimmt alles geben, was er jemals geraubt hat, nur damit Käptn Olle seinen Bengel freilässt. Dann gehört Käptn Olle nicht mehr nur sein eigener Schatz, sondern der von Klaas Klappe noch dazu. Und wenn er dann auch noch den Blutroten Blutrubin des Verderbens findet, nach dem er schon seit Jahren sucht, dann kann er sich endlich gemütlich zur Ruhe setzen.«

»Ja, phhht!«, sagte Moses. »Den Blutroten Blutrubin des Verderbens findet er ganz bestimmt nicht! Wenn den nicht mal ein tüchtiger Seeräuber wie mein Käptn Klaas aufstöbern kann!« Sie tippte sich an die Stirn. »Und du glaubst doch wohl nicht, dass Käptn Klaas sich von so einem Schüsselschisser wie Olle Ochsenhirn erpressen lässt und ihm seinen Schatz überlässt!« Aber eigentlich musste sie sich ja sogar wünschen, dass Käptn Klaas Olle Holzbein seinen Schatz als Lösegeld gab. Wer wusste denn schon, was Olle Holzbein sonst mit ihr anstellen würde?

»Tja, wenn Klaas Klappe nicht für dich zahlt, dann schmeißt Käptn Olle dich wohl über Bord, Pisspottpuper und Schüsselschisser hin oder her«, sagte der Junge düster. »Denn wenn Klaas Klappe nicht für dich zahlt, dann bist du hier an Bord nur ein unnützer Esser, und unnütze Esser gehen über die Planke.«

»Rrrrrübe ab!«, schrie Schnackfass.

Moses nickte nachdenklich. »Ja, so wird es wohl sein«, sagte sie. Und wenn du gedacht haben solltest, dass sie jetzt anfing zu weinen vor Angst, dann hast du noch nicht richtig gemerkt, was für ein tüchtiges und vernünftiges kleines Frauenzimmer Moses war. Stattdessen gab sie Hannes einfach nur den Musnapf zurück und versuchte doch tatsächlich, es sich auf der mageren Käfigstreu wenigstens ein bisschen bequem zu machen.

Denn Grübeln und Angsthaben hätten ihr schließlich jetzt überhaupt nichts genützt. Darum hielt sie sich einfach an das, was Nadel-Mattes ihr an Bord der »Walli« immer wieder gesagt hatte, wenn er schon dreimal »Joho, joho, wir buddeln ab, das Meer ist unser kühles Grab« gesungen hatte und Moses immer noch nicht einschlafen wollte: »Es gibt nichts auf der Welt, das nach einer guten Mütze voll Schlaf nicht gleich viel freundlicher aussieht.«

»Ganz genau!«, murmelte Moses, und während Dohlenhannes sich leise, leise auf Zehenspitzen davonschlich und sogar Schnackfass ausnahmsweise mal still war, fielen ihr schon ganz von alleine die Augen zu.

Und das übrigens war ungefähr um acht Glasen der vierten Tagwache, die Plattfuß heißt, und zur selben Zeit, als Nadel-Mattes auf der »Wüsten Walli« bemerkte, dass ihre kleine Dame verschwunden war.

13. Kapitel,

in dem die Kerle auf der »Walli« endlich bemerken, dass Moses verschwunden ist

Und darum müssen wir jetzt auch schnell mal gucken, was währenddessen auf der »Walli« los war.

»Oh Elend, Elend!«, schrie Nadel-Mattes da nämlich gerade, als er unter Deck im Mannschaftslogis alles um- und umgewühlt hatte. Aber trotzdem konnte er nirgendwo eine kleine Dame entdecken.

Eigentlich gab es im Mannschaftslogis gar nicht so viel, was man um- und umwühlen konnte, weil da ja nur die Hängematten waren, in denen die Seeräuber nachts schliefen, und dann vielleicht noch ein paar Seekisten dazu; aber Mattes war jedenfalls sehr gründlich bei seiner Suche, und danach durchwühlte er auch noch den Laderaum, und dabei brachte er so ziemlich alles in Unordnung, was man nur in Unordnung bringen konnte, denn im Laderaum gab es ja zwischen all den Kisten und Truhen und Fässern und Säcken – und einer riesengroßen Rübenmiete übrigens auch – nun wirklich genügend Stellen, an denen ein kleines Frauenzimmer sich ganz prächtig verstecken konnte. Aber auch da konnte Mattes Moses nicht finden.

»Käptn Klaas!«, schrie er darum und kletterte mit seinen alten Beinen zurück an Deck, so schnell er nur konnte. »Marten Smutje! Haken-Fiete! Sie ist nicht mehr da! Unsere kleine Dame ist verschwunden!«

»Wie, verschwunden?«, fragte Käptn Klaas, der wie immer an Deck stand und seine Befehle brüllte, dafür war er schließlich Kapitän. »Wie kann unsere Moses denn wohl verschwunden sein? Du hast doch selbst gesagt, sie ist unter Deck!«

»Weil ich das ja auch geglaubt habe, Käptn!«, rief Mattes, und dabei starrte er auf Euter-Klaas, die noch immer niemand an ihrer üblichen Stelle am Achterkastell angebunden hatte. »Oh Kummer, Kummer! Seht euch doch nur unsere Ziege an! Losgebunden hat sie irgendwer, und wer wird dieser Irgendwer wohl sein?«

»Beim Herrn und all seinen Engeln!«, sagte Bruder Marten und wischte sich seine großen Pranken an der Schürze ab. »Also ist sie im Hafen doch an Land gegangen, das freche kleine Frauenzimmer!«

»Sie wollte ja schon immer so gerne mal eine finstere Spelunke sehen, verdammich!«, sagte Haken-Fiete. »Na, das versteh ich gut! Das versteh ich gut!« Und beim Gedanken an seinen letzten Spelunkenbesuch rollte er ganz verzückt mit den Augen.

»Teufel, bist du dösig, Fiete, nun sei aber mal still!«, sagte Marten Smutje böse. »Sie hat uns doch gesagt, sie ist vernünftig geworden!«

»Das hat sie!«, sagte Nadel-Mattes und auch Haken-Fiete nickte jetzt mit dem Kopf. »Das hat sie, das hat sie«, sagte er, denn ihm fiel ja selten etwas Eigenes ein.

»Und da habt ihr sie einfach so alleine an Bord gelassen, als ihr in die Stadt gegangen seid, und habt sie nicht eingesperrt?«, brüllte Käptn Klaas, und daran, wie laut er brüllte, konnte man ja merken, wie erschrocken er war. »Was für dumme, dösbaddelige Kerle seid ihr denn, zum Teufel?«

»Wer hätte denn wohl geglaubt, dass unsere Moses uns beschwindelt!«, sagte Nadel-Mattes, und seine Stimme klang auf einmal ganz klein und traurig. Denn wenn man jemanden lieb hat, wird man von

dem ja nicht so gerne reingelegt, das weiß wohl jeder, und ich finde auch wirklich, dass das nicht sehr nett von Moses gewesen war.

»Alle kleinen Kinder schwindeln mal!«, schrie da Käptn Klaas. (Du weißt ja, er hatte früher an Land mal eine Frau und fünf Kinder gehabt, da kannte er sich aus.) »Das ist nicht schön, aber so ist die Welt, wie das Sprichwort so sagt! Ihr hättet dafür sorgen müssen, dass sie nicht an Land gehen konnte! Oh Hölle, Tod und Teufel, was wird unserer Moses denn nur zugestoßen sein?«

Dann gab er den Befehl, die Rahen zu brassen und alles klarzumachen zur Wende, denn jetzt sollte es sofort zurückgehen in die Stadt, so schnell der auflandige Abendwind es nur erlaubte. Und du meine Güte, wie die »Walli« jetzt über das Wasser zischte!

»Nun ist es doch ein Glück, dass wir uns den Kaperbrief geholt haben und von jetzt an *ehrliche* Seeräuber sind, denn sonst hätten wir ja mit unserer ›Walli‹ gar nicht in den Hafen einlaufen können!«, sagte Käptn Klaas zufrieden, als vor ihnen im Schein des Mondes allmählich das Land auftauchte wie ein schwarzer Schatten und nur ein paar flackernde Lichter dem Mann im Krähennest zeigten, wo die Hafenstadt lag. »Sonst hätten sie uns gleich einen Kopf kürzer gemacht.«

»Wenn du dir in der Stadt keinen Kaperbrief geholt hättest, wäre unsere Moses gar nicht erst verschwunden und wir brauchten überhaupt nicht in den Hafen einzulaufen!«, sagte Nadel-Mattes streng, und weil das ja nun auch wieder stimmte, widersprach ihm niemand.

Und während das Land immer näher und näher kam, grübelten die rauen Kerle an Bord die ganze Zeit, was denn wohl bloß mit ihrer Moses passiert sein konnte, und daran merkt man ja, wie lieb sie sie alle hatten.

»Die sitzt bestimmt die ganze Nacht am Kai und weint ins Wasser, weil sie sich so einsam und verlassen fühlt!«, sagte Nadel-Mattes und dabei kamen ihm fast die Tränen.

»Doch nicht unsere Moses!«, sagte Marten Smutje und kraulte Euter-Klaas zwischen den Hörnern. »Die ist bestimmt in einer finsteren Spelunke verschwunden und tanzt auf dem Tisch!«

»Doch nicht unsere Moses!«, sagte Käptn Klaas und kratzte sich den Bart. »Wenn ihr nur nichts passiert ist! Wenn sie bloß niemand geraubt hat, unsere kleine Dame!«

Da starrte Haken-Fiete ihn ganz verblüfft an. »Wer sollte denn wohl so ein kleines Frauenzimmer rauben, Käptn Klaas, verdammich? Teufel auch! Damit kann doch niemand nichts anfangen!« Aber an seiner Stimme hörte man doch, wie erschrocken er bei dem Gedanken war.

»Ja, wer sollte wohl so ein kleines Frauenzimmer rauben?«, flüsterte Käptn Klaas und starrte über den Bugspriet voraus auf die Lichter des Hafens. »Der fürchterlichste, grässlichste Seeräuber von allen sollte das! Olle Holzbein, der Schlickschlecker! Vergesst nicht, ich hab in der Stadt Olle Holzbein gesehen!«

»Olle Holzbein, Herr im Himmel, hilf!«, flüsterte Bruder Marten und bekreuzigte sich.

»Olle Holzbein, oh Elend, Elend!«, flüsterte Nadel-Mattes.

»Olle Holzbein, oh Elend, Elend, Herr im Himmel, hilf!«, flüsterte Haken-Fiete, denn dem fiel ja selten etwas Eigenes ein.

Und voller Angst und Zittern liefen sie in den Hafen ein, den sie am Tag zuvor gerade erst verlassen hatten, während am Himmel die ersten Sonnenstrahlen schon langsam die Wolken rosa färbten.

14. Kapitel,

in dem Hannes und Moses sich ein bisschen anfreunden

In ihrem Käfig auf der »Süßen Suse« schlief Moses währenddessen noch immer tief und fest. Denn wer gelernt hat, auf See beim fürchterlichsten Unwetter zu schlafen wie ein Murmeltier, der kann das auch in einem Ziegenkäfig auf einem feindlichen Schiff, und guck mal, wie praktisch das manchmal sein kann.

Aber dann wurde Moses doch geweckt.

»Rrrrübe ab!«, schnarrte Schnackfass, und das war lauter als der allerlauteste Wecker. »Rrrrübe ab!«

»Halt den Schnabel, dummer Vogel!«, sagte Moses und setzte sich auf. In ihren Haaren und in ihrem Kittel steckten überall Strohhalme von der Streu, die zupfte sie jetzt ab. »Was willst du denn schon wieder hier?«

»Das musst du wohl eher mich fragen!«, sagte Dohlenhannes, denn natürlich war Schnackfass auf seiner Schulter unter Deck gekommen. »Ich bring dir dein Frühstück, Klaas Klappe sein Bengel.«

»Ich heiße Moses!«, sagte Moses. »Ich hab nämlich einen Namen. Nenn mich nicht immer Klaas Klappe sein Bengel, Olle Schollenschmeißer sein Schiffsjunge!«

»Na, dann eben Moses«, sagte Dohlenhannes ganz friedlich und reichte ihr einen Napf durch die Gitterstäbe. »Mose mit der Hose, das Balg von Klaas dem Aas.« Und er lachte und zeigte auf den Linsensack, aus dem Nadel-Mattes Moses vielleicht wirklich nicht die eleganteste Hose genäht hatte. Aber wer kann das schon aus einem Linsensack?

»Mose mit der Hose, bist du dumm?«, sagte Moses darum auch böse und sprang auf. »Hannes-Wasserkannes!«

»Das Wort gibt es ja gar nicht!«, sagte Hannes. »Auf mich reimt sich nichts, da kannst du lange suchen.« Er nickte zufrieden. »Willst du nicht essen?«

Währenddessen hatte Moses blitzschnell überlegt, aber wirklich, Hannes war ein schwieriger Name, da fiel ihr kein Reim ein. Das war natürlich ärgerlich, und darum tat sie lieber so, als ob Reime sie überhaupt nicht interessierten.

»Wohl schon wieder Rübenmus?«, fragte sie und in ihrer Stimme lag so viel Abscheu, als wenn Hannes ihr Möwenschiet mit Heringsgräten serviert hätte. Denn wenn das Rübenmus ihr am Abend vorher auch ohne Frage gut geschmeckt hatte, so war sie sich doch nicht sicher, ob sie es nun wirklich zu jeder Mahlzeit haben wollte. »Was habt ihr denn für einen Koch hier auf der ›Suse‹?«

»Haferflockensuppe ist das!«, sagte Hannes vorwurfsvoll. »Und der Smutje hat dir sogar noch einen Löffel Sirup drangetan, weil du ihm leidtust hier unten im Käfig und in der Dunkelheit.«

Aber da hatte Moses schon ordentlich reingehauen. Sirup war ja, wie du weißt, ihr Allerliebstes, da war das Frühstück im Käfig ja besser als auf der »Wüsten Walli«!

Hannes hatte es sich währenddessen wie am Abend vorher auf dem Boden vor ihrem Käfig bequem gemacht. »Schmeckt´s?«, fragte er.

Moses schluckte. Schließlich hatte Mattes ihr beigebracht, dass man mit vollem Mund nicht reden soll. »Sag eurem Smutje vielen Dank!«, sagte sie. »Aber warum ist der denn so nett zu mir? Und warum bist du«, und dabei guckte sie ganz schnell auf ihren Napf, um den Jungen nicht ansehen zu müssen, »denn auch so einigermaßen mittelnett zu mir? Du bist doch Olle Holzbein sein Schiffsjunge und ich bin Käptn Klaas sein Bengel, da sind wir doch Erzrivalen!« Und dann löffelte sie wieder ihre Haferflockensuppe, aber nur von der obersten Schicht, auf der der Sirup schwamm.

»Tja, warum wohl, Mose mit der Hose?«, sagte Hannes, aber er lachte dabei. »Was glaubst du denn wohl, wie ich zu Käptn Olles Schiffsjungen geworden bin?«

Moses löffelte langsamer. Jetzt hatte sie den Sirup fast ganz weggegessen.

»Sag du«, sagte sie.

»Was glaubst du denn wohl, woher einer wie Käptn Olle seine Matrosen bekommt?«, fragte Hannes, und dann hielt er Schnackfass den Schnabel zu, denn die wollte schon wieder »Rübe ab!« schreien, und irgendwann mag das ja keiner mehr hören. »Wer will denn wohl freiwillig Matrose auf der ›Süßen Suse‹ werden?«

»Du meinst, Olle Holzbein hat euch alle schanghait?«, flüsterte Moses erschrocken, und weil du das Wort ja schon kennst, muss ich es dir nicht mehr erklären. »Dich auch?«

Dohlenhannes nickte. »Wenn du deinen Brei nicht mehr willst, kannst du ihn mir geben«, sagte er. »Natürlich hat er mich schanghait! Mein Unglück war, dass ich mit meinen Eltern in einem Dorf nicht weit vom Meer gewohnt habe, und eines Nachts hat Olle Holzbein seine Männer ausgeschickt, ihm einen neuen Schiffsjungen zu besorgen, denn der alte war inzwischen zu groß geworden, wie das bei Schiffsjungen ja passiert. Und zufällig war ich gerade nachts mit einer Fackel unterwegs, um nach unserem Vieh zu sehen, denn schon einmal hatten uns Räuber eine Ziege gestohlen, pfui Teufel!, und darum ließen wir das Vieh nachts nicht mehr unbewacht. So sind sie auf mich gestoßen und haben mich an Bord der ›Suse‹ geschleppt, und seitdem bin ich hier

der Schiffsjunge, aber glaub mir, wenn ich könnte, würde ich lieber heute als morgen zurück zu meinen Eltern gehen!«

»Das ist ja eine traurige Geschichte!«, sagte Moses und reichte ihm ihren Napf zurück, der war noch halb voll. Nur leider ohne Sirup.

Hannes nickte. »Aber Käptn Olle ist noch keiner entkommen!«, sagte er düster. »Obwohl es schon viele versucht haben! Und außerdem, wenn du erst mal eine Weile Seeräuber warst, dann kannst du dich ja an Land auch gar nicht mehr blicken lassen.« Dann fing er an, den Haferflockenbrei zu essen, und er haute richtig rein, denn so ein Schiffsjunge hat immerzu Hunger.

»Wie traurig!«, sagte Moses wieder. »Dann kannst du jetzt nie mehr zurück?«

Inzwischen war Hannes schon am Boden des Napfes angekommen. »Wenn ich nur Käptn Olle entkommen könnte«, sagte er mit so vollem Mund, dass Moses sich richtig Mühe geben musste, ihn zu verstehen, »dann könnte ich bestimmt wieder nach Hause! Meine Eltern wissen ja, dass ich nicht freiwillig Seeräuber geworden bin, und das ganze Dorf auch.«

»*Ich* bin aber freiwillig Seeräuber geworden!«, sagte Moses und überlegte, ob sie ihm sagen sollte, dass mit vollem Mund reden unhöflich war.

»Du bist ja auch Klaas Klappe sein Balg«, sagte Hannes und stellte den leeren Napf auf den Boden. »Wenn der Vater Seeräuber ist, dann ist man als Seeräuber geboren, das ist schon klar.«

»Bin ich nicht!«, sagte Moses.

»Bist du nicht?«, fragte Hannes und sah sehnsüchtig noch einmal in den Napf. »Wer bist du denn dann, Mose mit der Hose?«

»Ja, phhht!«, sagte Moses. »Ich bin ein Findelkind!«

»Ein Findelkind, wie aufregend!«, rief Hannes und jetzt ruckelte er sich erst recht gemütlich auf dem Boden vor dem Käfig zurecht. »Erzähl!«

15. Kapitel,

in dem Hannes etwas Überraschendes erklärt und Hinnerk mit dem Hut einen Schrecken kriegt

Und das tat Moses. Während Hannes Schnackfass den Schnabel zuhielt, erzählte sie ihm alles, was sie abends vor dem Schlafengehen von Nadel-Mattes gehört hatte, wieder und wieder. Sie erzählte von der stürmischen Gewitternacht, in der die »Wüste Walli« fast ihr Ende auf dem Meeresgrund gefunden hätte, und von dem unbekannten Schiff, das an Backbord querab in den Fluten versunken war, und wie die Männer von Käptn Klaas dann die Waschbalje mit dem Kind drin entdeckt hatten. »Und das Kind war ich!«, sagte Moses triumphierend.

»Du meine Güte!«, sagte Hannes. »Dann weißt du ja gar nicht, wer du bist!«

Moses starrte ihn verblüfft an. »Teufel auch, bist du dösig!«, sagte sie, wie Marten Smutje das immer zu Haken-Fiete sagte, wenn der wieder mal etwas ganz besonders Dummes gesagt hatte. »Natürlich weiß ich, wer ich bin! Ich bin doch ich! Ich bin Moses von der ›Wüsten Walli‹!« Und sie dachte, dass sie hier an Bord der »Suse« aber auch wirklich gar nichts verstanden. »Wer sollte ich denn sonst wohl sein? Nadel-Mattes? Olle Holzbein? Dem Klabautermann seine Schwiegermutter?«

Hannes schüttelte den Kopf. »Nee, nee, Seeräubermoses, das weiß ich schon, dass du das alles nicht bist!«, sagte er, und dabei ließ er aus Versehen den Schnabel von Schnackfass nur für eine winzige Sekunde los und die brüllte gleich wieder ihr »Rrrrübe ab!«. »Ich weiß schon, dass du Moses von der ›Wüsten Walli‹ bist! Aber wer sind denn deine Eltern?«

Da tippte Moses sich aber an die Stirn, wirklich, und am liebsten hätte sie auch noch einen Pflaumenkern zum Ausspucken gehabt, um Hannes mal so richtig zu zeigen, wie albern sie ihn fand. »Ich hab doch keine Eltern!«, sagte sie mit Überzeugung. »Ich bin ein *Findelkind*! Ich hab Käptn Klaas und Nadel-Mattes und Haken-Fiete und die anderen Jungs von der ›Walli‹ alle! Was brauch ich da Eltern, Dohlenhannes? Nein wirklich, bist du aber dösig!«

Hannes starrte sie an. »Ich glaube, dösig ist hier jemand ganz anders!«, sagte er. »Natürlich hast du Eltern wie jeder andere auch! Du kennst sie nur nicht, Moses Findelkind! Aber haben tust du sie, das ist ein Fakt.«

Moses schüttelte den Kopf. »Hab ich nicht«, sagte sie, aber an ihrer Stimme konnte man hören, dass sie doch schon ein wenig unsicher geworden war. »Findelkinder haben keine Eltern! Die werden in Waschbaljen gefunden!«

Jetzt sah Hannes allmählich ein kleines bisschen unruhig aus. Vielleicht wurde ihm ja gerade klar, was er Moses gleich alles würde erklären müssen, und dazu hatte er ehrlich gesagt keine große Lust.

»Und woher kommen die Findelkinder, wenn sie gefunden werden?«, fragte Hannes. »Bevor sie einer in eine Waschbalje legen kann, müssen sie doch erst mal auf der Welt sein! Und wie sind sie auf die Welt gekommen, na? Erklär mir das mal, Moses Besserwisser!«

Da zuckte Moses die Schultern, aber Hannes sah doch, dass sie ins Grübeln gekommen war. »Wie bist *du* denn auf die Welt gekommen?«, fragte Moses dann schlau. »Dohlenhannes? Sag mal!«

Da seufzte Hannes ein bisschen und dann erklärte er ihr die ganze Geschichte, die du ja längst kennst: von den Männern und

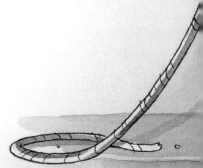

den Frauen, die sich verlieben, und dass sie dann vor lauter Glück schmusen und kuscheln und sonst noch was, und wie danach das Baby bei der Frau im Bauch wächst, bis es groß genug ist und endlich die Welt kennenlernen will und geboren wird.

»Und so ist das mit den Kindern!«, sagte Hannes am Schluss. »Und so war das auch bei dir. Das ist die einzige Art, wie man auf die Welt kommen kann, und eine andere Art gibt es nicht.«

»Auch Olle Holzbein, der Grätengreifer?«, sagte Moses zweifelnd, denn dass der mal ein niedliches winziges Baby gewesen sein sollte, konnte sie sich nun doch nicht so gut vorstellen. »Auch Käptn Klaas?«

»Und alle Könige und Herzöge und Grafen und Bauern und alles, was

Hosen anhat«, sagte Hannes. »Und Röcke«, fügte er dann noch hinzu, denn für Frauen galt ja eigentlich haargenau das Gleiche.

Da war Moses einen Augenblick lang still, und inzwischen kennst du sie ja so gut, dass du weißt, das will schon etwas bedeuten.

»Dann hab ich auch einen Vater und eine Mutter?«, fragte sie schließlich. »Das schwörst du beim Klabautermann?«

»Das schwör ich beim Namen meiner Mutter«, sagte Hannes und hielt drei Finger in die Luft. »Ohne Ableitung.«

Moses nickte. »Ich hab einen Vater und eine Mutter«, sagte sie und ließ jedes Wort auf der Zunge zergehen und probierte aus, wie sich das anfühlte. »Verdammich noch mal!« Dann war sie wieder ganz still, weil sie darüber jetzt doch erst mal ein bisschen nachdenken musste.

Denn wie du weißt, war Moses ja eigentlich immer ganz glücklich und zufrieden gewesen auf der »Wüsten Walli«, außer vielleicht, wenn die Seeräuber sie nicht mit an Land in ihre finsteren Spelunken nehmen wollten. Und wenn sie überlegte, hatte ihr auch gar nichts gefehlt, außer manchmal ein bisschen mehr Honig und Sirup vielleicht, aber jedenfalls bestimmt nicht eine Mutter und ein Vater. Und auch jetzt war ihr ein Vater eigentlich ganz egal, denn Väter hatte sie ja reichlich gehabt auf der »Walli«, vielleicht manchmal sogar zu viele, die sie unter dem Kinn gekitzelt und ihr Manieren und Schwimmen beigebracht hatten und wie man nach den Sternen den Kurs berechnet und die Rahen brasst. Väter hatte es wahrhaftig genug gegeben in ihrem Leben bisher; aber eine *Mutter* war nun doch eine ganz andere Geschichte, wenn man selbst ein Frauenzimmerchen war und eine kleine Dame.

»Dann suchen wir diese Mutter eben!«, sagte Moses darum nach einer langen Pause, in der sogar Schnackfass ihren Schnabel gehalten hatte. »Dunnerlittchen, ja! Das tun wir.« Und sie sah Hannes fest in die Augen. »Du kannst nämlich mitkommen, Dohlenhannes. Wir hauen ab von Olle Holzbein seinem Kahn und dann geht es los mit Karacho. Denn wenn ich dich richtig verstanden habe, willst du auch zu deinen Leuten zurück.«

Hannes lachte. »Und wie sollen wir wohl von hier wegkommen, Moses?«, fragte er. »Zwei Jungs ganz allein? Glaubst du, darüber hätte ich nicht schon tausendmal nachgegrübelt? Wen Olle Holzbein nicht gehen lassen will, den lässt er nicht gehen. Du kannst höchstens darauf hoffen, dass Klaas Klappe das Lösegeld für dich bezahlt, und dann bist du frei. Aber mir hilft das trotzdem kein bisschen.«

Moses sah ihn mitleidig an. »Na, dir hat aber auch noch keiner erklärt, dass man nicht immer so düster denken soll, was?«, sagte sie. »Wo ein Wille ist, ist auch ein Weg, sagt Käptn Klaas, und ein Wille ist bei uns beiden ja wohl da, darum finden wir auch schon noch den Weg!«

Und ganz zufrieden lehnte sie sich gegen ihre Käfigstäbe, denn so war es in ihrem Leben bisher immer gewesen, darum hatte sie auch dieses Mal keinen Zweifel daran.

»Wo ein Wille ist, ist auch ein Weg?«, fragte Hannes zweifelnd.

»Wie das Sprichwort so sagt«, sagte Moses, denn das sagte Käptn Klaas ja auch immer und der hatte eigentlich meistens recht. »Jawollja, verdammich! Wir beiden büxen aus.«

»Rrrrübe ab!«, schrie Schnackfass.

Und während Moses und Hannes ganz still einfach nur dasaßen und grübelten, wie sie das wohl am klügsten anstellen konnten, schlich sich hinter ihnen so leise, wie man das seinen alten Knochen gar nicht zugetraut hätte, Hinnerk mit dem Hut wieder an Deck zurück. Denn der, das hast du dir jetzt wohl schon gedacht, hatte die beiden die ganze Zeit belauscht und dabei waren seine Augen immer größer und größer und runder und runder geworden.

»Ein Findelkind!«, flüsterte er und machte sich auf seinen alten Beinen, so schnell es nur ging, auf den Weg zu Olle Holzbein. »Er ist gar nicht Käptn Klaas sein Balg! Ein Findelkind, ein Findelkind!«

Und warum ihn das so fürchterlich aufgeregt machte, kann ich dir hier leider noch nicht erzählen. Weil wir jetzt dringend wieder gucken müssen, was währenddessen an Bord der »Wüsten Walli« geschah.

16. Kapitel,

in dem Käptn Klaas Olle Holzbein leider seine Schatzkarte geben muss

Die »Wüste Walli« nämlich hatte inzwischen im Hafen angelegt, fast an derselben Stelle, von der sie nicht mal einen ganzen Tag vorher losgesegelt war; und die Männer hatten mit der Vorspring und der Achterleine am Anleger zwei Klampen belegt, was einfach nur heißt, dass sie das Schiff festgebunden hatten; und dabei hatten sie die ganze Zeit Ausschau gehalten, ob sie nicht vielleicht irgendwo ihre kleine Dame entdecken konnten.

»Sie sitzt jedenfalls nicht am Kai und weint ins Wasser, weil sie sich so einsam und verlassen fühlt!«, sagte Nadel-Mattes unruhig. »Oh Elend, Elend!«

»Na, dann ist sie wohl in einer finsteren Spelunke verschwunden und tanzt auf dem Tisch!«, sagte Bruder Marten und versuchte, hoffnungsvoll zu klingen.

»Am Morgen haben die Spelunken ihre Gäste längst alle auf die Straße geworfen, Dösbaddel!«, sagte Käptn Klaas. »Wie sollte sie da wohl in einer Spelunke sein? Beim Wassermann und seinen Riesenkraken, wenn ihr bloß nichts passiert ist! Wenn sie bloß niemand geraubt hat, unsere kleine Dame!«

»Ja, wenn sie bloß niemand geraubt hat, unsere kleine Dame!«, sagte Haken-Fiete, denn dem fiel ja selten etwas Eigenes ein. »Und schon gar nicht Olle Holzbein, der Schlickschlecker, der fürchterlichste, grässlichste Seeräuber von allen!«

Und sie sahen sich so ängstlich und so jammervoll an, diese starken, gefährlichen Seeräuber, dass sie einem wirklich leidtun konnten. Aber vielleicht waren sie auch nur müde, sie hatten in der letzten Nacht ja nicht mal die kleinste Mütze voll Schlaf bekommen, und dann sehen sogar Seeräuber ziemlich zerknittert aus.

Und gerade als Nadel-Mattes die Planke anlegte, damit Käptn Klaas und alle anderen mit ihm an Land gehen und nach Moses suchen konnten, hörte man plötzlich lautes Hufgetrappel, und auf einem schnaubenden Pferd mit wehender Mähne und wehendem Schweif und schweißbedecktem Fell und so weiter kam haargenau in diesem Moment ein berittener Bote im Hafen an, der schwenkte etwas in der Hand.

»Ist das da die ›Wüste Walli‹?«, brüllte er dabei so laut, dass jetzt bestimmt auch die letzte Schlafmütze in der Stadt wach geworden war. »Die Schaluppe von Käptn Klaas Klappe? Heißt einer von euch vielleicht Klaas das Aas?«

»Teufel auch, Klaas das Aas?«, schrie Käptn Klaas und war mit einem Satz an Land. »Und Klaas Klappe? Wer wagt es, mich so zu nennen?« Aber da wusste er es eigentlich schon und seine Männer wussten es alle auch. Es gab ja nur einen, der den tüchtigen Seeräuberhauptmann Käptn Klaas so nannte, und dass ausgerechnet der jetzt nach ihm suchte, ließ Käptn Klaas und seine Männer das Schlimmste befürchten.

»Du sollst mir eine Golddublone geben für meine Botendienste!«, sagte der Junge und brachte sein Pferd am Kai zum Stehen. »Das hat der feine Herr mit dem Holzbein gesagt!«

»Uuuuaaaah!«, brüllte Käptn Klaas. »Der feine Herr mit dem Holzbein! Das kann ja nur Olle Ochsenhirn sein, der käsige Krabbenklauer!« Und er streckte seine Hand aus, um dem Jungen abzunehmen, was der die ganze Zeit durch die Luft geschwenkt hatte. »Gib her den Schiet!«

»Erst die Dublone!«, sagte der Junge, denn dumm war der ja auch nicht. »Sonst geb ich das nicht raus.«

»War Olle Ochsenhirn mal wieder zu geizig, für das zu bezahlen, was er will?«, schrie Käptn Klaas. »Aber hier! Da hast du!« Und er kramte in seinem Lederbeutel, den er am Gürtel gleich neben seinem

Säbel trug, und schmiss dem Jungen eine Dublone hin, die fing der mit einer Hand.

Dann steckte er sie in den Mund und biss darauf, was ganz bestimmt nicht sehr gesund war wegen all der Bazillen und Bakterien und Viren und was sonst noch alles an solchen Münzen klebt; aber so machten sie es damals ja, wenn sie feststellen wollten, ob etwas aus echtem Gold war. Denn echtes Gold ist ziemlich weich, und wenn sie Reichtum witterten, war ihnen ihre Gesundheit ganz egal.

»Tatsächlich! Reines, pures Gold!«, sagte der Junge, und jetzt übergab er Käptn Klaas endlich, was er die ganze Zeit in der Hand geschwenkt hatte, und das war ein Pergament, aufgerollt und mit einem Siegel verschlossen. »Da! Mit einem schönen Gruß von dem feinen Herrn mit dem Holzbein! Und ich soll ausrichten, er meint, was er schreibt, und wenn ihr euer Balg jemals wiedersehen wollt, dann tut, was er will, und tut es schnell, denn sonst haben die Fische in der Ostsee bald mal wieder ein Festmahl!«

»Ein Festmahl?«, fragte Haken-Fiete, der ja, wie du weißt, nicht immer so ganz schnell begriff. »Was für ein Festmahl denn, verdammich?«

Aber »Uuuahhh!«, brüllte Käptn Klaas da schon wieder, und Nadel-Mattes schlug sich vor Schreck beide Hände vor den Mund und Marten Smutje bekreuzigte sich gleich drei Mal.

»Er will unsere kleine Dame den Fischen vorwerfen, der grässliche, grausame Olle Holzbein!«, flüsterte Nadel-Mattes, während Käptn Klaas schon mit zitternden Fingern das Pergament geöffnet hatte; und da war es überhaupt gar keine Schatzkarte, wie du jetzt vielleicht gedacht hast, sondern lauter Wörter, die waren mit Tinte in der krakeligsten Schrift und mit ungefähr tausend Klecksen auf das Pergament geschrieben, und übrigens war auch die Rechtschreibung ziemlich abenteuerlich; aber Rechtschreibregeln gab es damals ja noch nicht und jeder durfte so schreiben, wie er wollte. Weil es doch überhaupt schon mal toll war, dass er überhaupt schreiben konnte.

»JOHO, KLAS KLAPE!« stand da ganz oben auf dem Pergament, und Käptn Klaas wollte gerade anfangen, ganz wütig zu brüllen, da streckte der Junge schon wieder die Hand aus. »Soll ich den Schreiber rufen, dass er es euch vorliest?«, fragte der Junge. »Noch eine Golddublone und ich hol euch den Schreiber!«

»Verzisch dich, du Rotznase!«, sagte Marten Smutje böse. »Du hast ja Preise wie ein Viehhändler! Das ist ja räuberisch! Du bist ja ein verflixter Verbrecher!«

Na, war das nicht ein bisschen komisch von einem, der fast sein ganzes Leben lang andere überfallen und ausgeraubt hatte? Aber an Land fand Marten Smutje eben, dass jedes Ding seinen vernünftigen Preis haben sollte, und wenn ein Rotzlöffel wie der da nun plötzlich für einen einfachen Botendienst eine ganze Golddublone wollte, dann fand er das schlimmer als den Überfall auf ein Kaufmannsschiff.

»Wie ihr wollt!«, sagte der Junge höhnisch. »Aber dann nützt euch das Pergament da gar nichts! Denn lesen kannst du ja wohl nicht, Klaas Klappe!«

»Lesen kann ich nicht?«, brüllte Käptn Klaas. »Wer behauptet denn so einen Schwachsinn?« Dabei richtete er sein gutes Auge schon auf das Pergament und machte mit dem Lesen weiter. Und der Junge starrte ihn an und wunderte sich sehr, denn nun erlebte er nach dem

Herrn mit dem Holzbein schon den zweiten Seeräuber, der lesen und schreiben konnte.

Und wir sollten uns vielleicht auch darüber wundern, aber dazu ist im Augenblick gar keine Zeit, denn sonst rollt Käptn Klaas womöglich das Pergament schon wieder zusammen und dann haben wir verpasst, was Olle Holzbein ihm geschrieben hatte.

»JOHO, KLAS KLAPE!« stand also darauf, das hatte ich ja schon gesagt. »WENT DU DEIN BALG NOMAL WIDERSEN WILS, DAN ÜBERGIP DEM BOTEN DEINEN SCHATSPLAN DEN SONS IS DEIN BALG TOT!«

Was das heißen sollte, ist wohl klar, nämlich:

»Joho, Klaas Klappe! Wenn du dein Balg noch mal wiedersehen willst, dann übergib dem Boten deinen Schatzplan, denn sonst ist dein Balg tot!« Und das war ja nun nicht nur eine abenteuerliche Rechtschreibung, wie du gemerkt hast, sondern auch ziemlich schrecklich.

»Tot, tot!«, schrie Käptn Klaas und starrte seine Männer ganz verzweifelt an. »Unser Findelkind tot! Olle Holzbein will es über die Planke gehen lassen!« Denn unterzeichnet war das Schreiben natürlich mit KAPITEN OLE, das war ja schon klar.

Der Bote sah Käptn Klaas interessiert an, dann streckte er wieder die Hand aus. »Was jammert ihr so?«, fragte er. »Gebt mir eure Schatzkarte und eine Golddublone dazu, dann kommt die Karte ganz gewiss zu dem feinen Herrn, der mich beauftragt hat, und dann kriegt ihr euer Balg wieder, wer immer das sein mag, dass du seinetwegen so jammerst!«

»Oh Elend, Elend!«, schrie Nadel-Mattes, der den Brief selbst natürlich nicht lesen konnte, aber hören konnte er ja. »Unsere Moses geht über die Planke!«

»Nun müssen wir dem hinterfotzigen Holzbein gewisslich unsere Schatzkarte geben, Käptn!«, sagte Marten Smutje düster. »Und alles, was wir in mühevoller unehrlicher Arbeit mit unserer ›Walli‹ erräubert haben, ist dahin!«

»Dahin, dahin!«, sagte Nadel-Mattes voller Verzweiflung, und:

»Oh Elend, Elend! Dahin, dahin!«, sagte Haken-Fiete, denn dem fiel ja, wie du weißt, meistens nicht viel Eigenes ein.

Du hast bestimmt davon gehört, dass die Seeräuber damals in den finsteren Zeiten ihren Raub meistens an irgendeiner ganz geheimen, abgelegenen Stelle versteckten, damit niemand sonst ihn aufstöbern konnte; denn in einen Banktresor konnten sie die Schätze ja nicht tun, wie Seeräuber und andere Räuber das heute vielleicht machen würden. So etwas gab es damals ja noch nicht, und darum suchten die Seeräuber sich also am liebsten irgendeine Höhle, zu der man vom Land aus nicht gelangen konnte, sondern nur von See mit dem Schiff, und damit sie sie auch wiederfanden, zeichneten sie sich eine Karte.

»Olle Holzbein unsere Schatzkarte geben, ja, ja, das werden wir wohl müssen!«, sagte Käptn Klaas und er klang überhaupt nicht mehr so wütig und gefährlich, wie ein Seeräuberhauptmann das doch eigentlich sollte. »Und dann holt er sich unseren Schatz! Wie gewonnen, so zerronnen, wie das Sprichwort so sagt! Es tut mir leid, dass nun die ganze harte unehrliche Arbeit eures Lebens umsonst war, Männer!«

Denn wenn du vielleicht geglaubt haben solltest, dass der geraubte Schatz damals immer dem Seeräuberhauptmann alleine gehörte, dann kann ich dir jetzt etwas Gutes erzählen. Die Seeräuber waren ja vielleicht wilde Gesellen und manchmal grausam dazu, aber untereinander waren sie doch trotzdem ziemlich gerecht. Wenn sie etwas erbeutet hatten, dann teilten alle Männer auf dem Schiff es ganz genau gleich auf und der Käptn kriegte kein Stück mehr als der Smutje oder sogar der Schiffsjunge. Darum hießen die Seeräuber auf der Ostsee damals auch *Likedeelers*, das ist wieder so ein Seeräuberwort und bedeutet, dass man alles gerecht und gleich teilt, und so hielten es also auch Käptn Klaas und seine Männer. Aber ob so ein finsterer Kerl wie Olle Holzbein sich auch an diese Seeräuberregeln hielt, kann ich dir natürlich nicht sagen.

»Die ganze Arbeit umsonst!«, sagte Nadel-Mattes kummervoll. »Und dabei wollte ich mich mit all dem Gold und Silber bald zur

Ruhe setzen und endlich mal meine alten Knochen ausruhen. Elend, Elend! Daraus kann jetzt wohl nichts werden.«

»Nee, daraus kann gewisslich nichts werden, wenn wir unsere Moses wiederhaben wollen!«, sagte Marten Smutje. »Denn nun schnappt sich Olle Ochsenhirn unseren Schatz und dann ist es mit einem geruhsamen Alter aus.«

»Dann ist es mit einem geruhsamen Alter aus!«, sagte Haken-Fiete düster. »Das kann jetzt wohl nichts werden.«

Aber Käptn Klaas hatte sich inzwischen längst auf die Deckplanken gekniet und das Pergament glatt gestrichen, und jetzt holte er sogar ein Tintenfass aus seinem Beutel – war es nicht erstaunlich, was Klaas alles so an seinem Gürtel trug? – und fing an zu schreiben. Denn deshalb war er ja früher einmal ihr Käptn geworden: weil er nicht lange kummervoll jammerte, wenn etwas getan werden musste, sondern nur einmal kurz seufzte und dann loslegte.

»Je eher daran, je eher davon, wie das Sprichwort so sagt!«, sagte er also jetzt auch und tunkte seine Feder ins Tintenfass. »Denn haben muss der Schurke unseren Schatz, sonst muss unsere kleine Dame womöglich noch über die Planke, und Moses ist ja wohl mehr wert als alles Gold der Welt!«

»Und alles Silber dazu!«, schrie Haken-Fiete, und guck, wenn es um so etwas Wichtiges ging, fiel sogar ihm mal etwas Eigenes ein.

»Ja, gib dem Holzbein ruhig den Plan!«, sagte auch Nadel-Mattes. »Denn Gold und Silber und Perlen und Geschmeide können wir uns schon wieder beschaffen, aber unsere Moses gibt es kein zweites Mal auf der Welt!«

»Nein, unsere Moses ist unser größter Schatz, halleluja!«, sagte Marten Smutje. Und übrigens sieht man daran ja mal, dass Moses ganz recht damit hatte, wenn sie dachte, dass die Seeräuber auf der »Walli« eigentlich alle zusammen ihre Väter waren, denn ein Vater hätte das ja wohl haargenauso gemacht, frag mal deinen.

»Da hast du!«, sagte Käptn Klaas also und wedelte mit dem Pergament mit der Schatzkarte durch die Luft, damit die Tinte trocknen konnte. War es nicht toll, wie schnell er so einen schwierigen Plan zeichnen konnte? »Und sag Olle Ochsenhirn, wenn er nach diesem Plan den Schatz nicht finden kann, soll er von jetzt an Fliegenhirn heißen! Und dass er sich beeilen soll, denn wir wollen Moses schnell wieder zurückhaben!«

»Zuerst will er den Schatz!«, sagte der Junge. »Er muss ja sicher sein, dass du ihn nicht reinzulegen versuchst, Klappe! So lange wirst du dich wohl gedulden müssen. Und zuallererst krieg ich mal meine Golddublone!« Und schon wieder streckte der gierige Bengel seine Hand aus.

»Räuber!«, sagte Nadel-Mattes voller Verachtung, aber wo sie nun ihren Schatz ohnehin schon an Olle Holzbein verlieren sollten, kam es auf so eine mickrige kleine Golddublone zusätzlich vielleicht auch nicht mehr an.

»Ja, ein wahrhafter Räuber bist du, du Rotzlöffel, möge der Herr dich strafen!«, sagte Marten Smutje.

Und dann sahen sie dem Jungen hinterher, wie er im Gewirr der Gassen verschwand, und dabei dachten sie, dass dies bestimmt der traurigste Morgen in ihrem Leben war, der Morgen, an dem sie ihre Moses verloren hatten. Darum hatten sie es auch überhaupt nicht eilig, die Segel zu setzen, sondern legten sich allesamt im Mannschaftslogis in ihre Hängematten. Denn es gibt ja, wie du weißt, nichts auf der Welt, was nach einer guten Mütze voll Schlaf nicht gleich viel freundlicher aussieht. Und man kann schließlich verstehen, dass sie auf der »Walli« darauf jetzt hofften.

17. Kapitel,

in dem Olle Holzbein noch immer nicht zufrieden ist

Die »Süße Suse« übrigens war mit Moses an Bord währenddessen keineswegs weiter aufs Meer hinausgesegelt. Ganz im Gegenteil! Denn Olle Holzbein wollte ja so schnell wie möglich die Schatzkarte von Käptn Klaas haben und die musste ihm der berittene Bote schließlich bringen.

Darum war er mit seiner Kogge auch nur so weit aus der Bucht herausgesegelt, bis sie vom Hafen aus nicht mehr zu sehen war; dann aber hatte er noch mitten in der Nacht wieder Kurs aufs Land genommen. Denn gar nicht weit hinter der Stadt ragte eine schmale Landzunge wie ein Finger tief ins Meer, und da war es für einen berittenen Boten ganz leicht, schnell einmal rüber und auf die andere Seite zu kommen.

Dahin segelte nun also auch Olle Holzbein, der wollte ja nicht, dass ihn Käptn Klaas beobachtete und womöglich noch die »Süße Suse« angriff und überfiel und ihm Moses aus dem Käfig raubte, bevor er Klaas seinen Schatz wegnehmen konnte.

Und während sie also Kurs auf die Landzunge hielten, war oben an Deck ordentlich was los.

»Den Fischen zum Fraß vorsetzen sollte ich dich!«, brüllte Olle Holzbein und stapfte *tock, tock, tock!* wütend wie ein Wildschwein über die Planken. »Hinnerk mit dem Hut! Dass du mich so betrogen hast! Dass du mich so belogen hast! Ausgerechnet du, Hinnerk mit dem Hut, dem ich von allen meinen Leuten immer am meisten vertraut habe!«

»Aber siehst du denn nicht, Klein-Olle«, sagte Hinnerk, und bevor wir uns noch wundern können, dass Hinnerk seinen Käptn Klein-Olle nennt, was ja wirklich ziemlich ungewöhnlich ist, wie du zugeben wirst, hatte Holzbein ihn schon unterbrochen.

»Ausgerechnet du, Hinnerk mit dem Hut!«, brüllte er wieder. »Ausgerechnet du!«

Aber was Hinnerk getan und womit er ihn betrogen und belogen hatte, das haben wir nun leider verpasst. Und warum Olle Holzbein ihm trotzdem nicht die neunschwänzige Katze zu schmecken gab, das wissen wir erst recht nicht.

»Eigentlich sollte ich dich die neunschwänzige Katze schmecken lassen!«, brüllte Olle Holzbein nämlich, und dass er nur drohte und es nicht auch tat, ist bei so einem finsteren Gesellen nun doch schon mehr als merkwürdig. »Eigentlich sollte ich …«

Aber da unterbrach Hinnerk mit dem Hut ihn schon wieder, und guck, sogar das ließ Olle sich gefallen. »Ja, siehst du denn nicht, Klein-Olle, dass alles so viel besser ist?«, sagte er und vor der Neunschwänzigen hatte er wohl überhaupt keine Angst. »Begreifst du denn nicht, dass wir jetzt sogar den Rubin kriegen können? Den Blutroten Blutrubin des Verderbens!« Und ein Schauder lief über seinen Rücken und über Olles Rücken auch.

»Den Blutroten Blutrubin des Verderbens!«, flüsterte Olle Holzbein und nickte nachdenklich mit dem Kopf. »Da hast du recht, Hinnerk mit dem Hut.«

»Den kannst du dir von Klein-Klaas nämlich jetzt geben lassen!«, sagte Hinnerk triumphierend, und jetzt konnte man ja fast glauben, dass er alle Seeräuberhauptmänner Klein-Klaas und Klein-Olle nannte, der magere, winzige alte Kerl. »Oder wenigstens den Plan, wo der Blutrote versteckt ist. Denn dass er den hat, das wissen wir nun ganz gewiss.«

»Das wissen wir nun ganz gewiss«, murmelte Olle Holzbein, fast so, als ob er Haken-Fiete wäre und ihm meistens nichts Eigenes einfiele. »Na, dann muss ich dir wohl verzeihen, mein alter Hinnerk.« Und dabei drückte er Hinnerk mit dem Hut sogar einen feuchten kleinen Kuss auf die Stirn, ist das denn zu glauben?

Und überhaupt ist das alles ja so merkwürdig, dass es mir fast schon leidtut, dass wir
den Anfang des Gesprächs zwischen Hinnerk und
Olle verpasst haben. Was hatte Hinnerk seinem Seeräuberhauptmann denn bloß erzählt, das sie beide plötzlich so sicher machte, dass Käptn Klaas wusste, wo der Blutrote Blutrubin
des Verderbens versteckt war? Bestimmt hatte es ja etwas damit zu
tun, dass Hinnerk Moses belauscht hatte, wie sie Dohlenhannes ihre
Geschichte erzählte, denn gleich danach war Hinnerk doch an Deck
gestürzt, so schnell ihn seine alten Beine trugen, um mit Olle zu
reden. Aber vom Blutroten Blutrubin des Verderbens hatte Moses
doch gar nichts erzählt!

Na, das ist vielleicht alles komisch! Vielleicht hätten wir das Ge-
spräch zwischen Hinnerk und Olle doch lieber von Anfang an mit-
hören sollen, anstatt zu gucken, was währenddessen auf der »Walli«
geschah. Aber passiert ist passiert, da hilft auch kein Jammern. Wir
müssen einfach mal hoffen, dass das Rätsel sich irgendwann auf-
klärt.

Von der Landzunge her hörte man jedenfalls plötzlich lautes Huf-

getrappel, und auf einem schnaubenden
Pferd mit wehender Mähne und wehendem Schweif und schweißbedecktem Fell und
so weiter kam haargenau in diesem Moment ein berittener Bote am Strand an, das war der Rotzbengel, den
wir ja schon kennen, und der hielt die Zügel mit der Linken und
schwenkte mit der Rechten ein Pergament. Das war natürlich der
Schatzplan, den Käptn Klaas gezeichnet hatte.

»Ich habe hier, was Ihr wollt, Käptn Olle!«, schrie er und sprang
dabei vom Pferd. »Schickt einen Eurer Männer her zu mir, damit ich
ihm die Schatzkarte übergeben kann! Und gebt ihm auch gleich eine
Golddublone für mich mit für meine tüchtigen Botendienste! Sonst
kann ich Euch die Schatzkarte leider nicht geben!«

War das nicht wirklich ein gieriger kleiner Kerl? Erst holt er sich
die Dublonen für seine Botendienste bei Käptn Klaas und dann auch
noch mal bei Olle Holzbein! Da siehst du mal, wie man mit Schum-
melei reich werden kann, man muss gar kein Seeräuber sein.

»Du kannst gleich wieder zurückreiten!«, sagte Olle Holzbein
und warf einen Blick auf den Schatzplan. »Reite zurück zu Klaas

Klappe und sag ihm, so leicht legt er mich nicht rein! Dieser Schatzplan reicht mir jetzt nicht mehr! Wir wissen, wer sein Balg ist! Jetzt
will ich auch wissen, wo er den Blutroten Blutrubin des Verderbens
verborgen hat!«

»Den Blutroten Blutrubin des Verderbens?«, flüsterte der Bengel
auf dem Pferd und dabei wurde er so bleich wie ein frisch gewasche-
nes Leintuch. »Den Blutroten Blutrubin des Verderbens?«

»Was murmelst du da vor dich hin?«, schrie Olle Holzbein, denn
natürlich hatte er das Geflüster auf der »Suse« nicht verstehen können. »Sprich lauter, wenn du mit mir redest! Oder hör lieber gleich
ganz auf zu reden und mach dich auf den Weg zurück zur ›Wüsten
Walli‹!« Er schwenkte seine Krücke. »Und sag Klaas dem Aas, ich
weiß jetzt, dass er im Besitz der Schatzkarte mit dem Versteck ist!
Dem Versteck des Blutroten Blutrubins! Und wenn er mir den Plan
nicht gibt, geht sein Balg nun doch noch über die Planke!«

Und während wir noch grübeln, was Olle Holzbein wohl damit
gemeint haben kann, dass er jetzt wüsste, wer Moses war – denn
Moses war ja wohl Moses! –, gab der Bote seinem armen Pferd schon
erschrocken die Sporen und machte sich auf den Weg zurück zum
Hafen.

Aber die ganze Zeit, während Olle Holzbein mit dem berittenen
Boten verhandelt hatte, hockte nur wenige Schritte entfernt oben im
Mastkorb verborgen, der Krähennest heißt, kein anderer als Dohlenhannes, der hatte eigentlich nur mal gucken wollen, ob man von hier
über die Landzunge weg auch den Hafen und die Stadt sehen konnte. (Das konnte man übrigens.) Aber jetzt hatte er stattdessen ganz
zufällig jedes Wort mitgehört, das die Männer gewechselt hatten, sie
hatten ja so gebrüllt. Und wenn Lauschen natürlich auch nicht schön
ist und man es eigentlich auf keinen Fall tun soll, so gilt das ja vielleicht nicht für Schiffsjungen, die von einem Seeräuber schanghait
worden sind, die dürfen das vielleicht mal.

Jedenfalls schämte Dohlenhannes sich kein winziges bisschen.
Stattdessen schlich er leise wie eine Maus zum Unterdeck hinunter,
um Moses zu erzählen, was er eben Erstaunliches gehört hatte.

18. Kapitel,

in dem Hannes Moses alles erzählt und Moses
endgültig beschließt auszubüxen

Unter Deck hockte Moses in ihrem Käfig und brüllte Schnackfass an.

»Buuh, ich bin das Schiffsgespenst!«, brüllte Moses. »Ich bin das Schiffsgespenst!«

Als Hannes nach oben an Deck geschlichen war, hatte er Schnackfass nämlich bei ihr gelassen, schließlich durfte Olle Holzbein nichts von seiner Dohlenfrau wissen; und zuerst hatte Moses sich sogar darüber gefreut. Sie mochte Tiere ja gern, und außerdem musste sie nun nicht mehr alleine sein.

Aber Schnackfass war wirklich eine anstrengende Gesellschaft. »Rrrrübe ab!«, schnarrte sie die ganze Zeit. »Rrrrübe ab!«, und wenn man das zwanzigmal gehört hat oder sogar hundertmal, dann wünscht man sich vielleicht mal eine Pause oder wenigstens einen ein bisschen anderen Satz (z.B. »Möhre auf!« oder »Karotte ab!«), und das wünschte sich Moses langsam auch.

Weil sie ja eingesperrt in ihrem Ziegenkäfig hockte, darum konnte sie Schnackfass nicht den Schnabel zuhalten und darum musste sie ja versuchen, das dumme Tier auf andere Weise zum Schweigen zu bringen. Und ihr fiel eben nichts anderes ein, als noch lauter zu brüllen als die Dohle, brüllen konnte sie ja.

»Rrrrübe ab!«, schnarrte also Schnackfass und »Buuh! Ich bin das Schiffsgespenst!«, brüllte Moses. Und »Rrrrübe ab!«, schnarrte Schnackfass und »Buuh! Ich bin das Schiffsgespenst!«, brüllte Moses, und allmählich klang ihre Stimme schon genauso rau und krächzig wie die der Dohle.

»Werden wir ja sehen, wer Sieger wird!«, brüllte Moses wütend. »Buuh, ich bin das Schiffsgespenst, das Schiffsgespenst, das Schiffsgespenst! Werden wir ja sehen, wer länger durchhält, du oder ich!«

»Rrrrübe ab!«, schnarrte Schnackfass. »Rrrrübe ab!«

Und »Was ist denn hier los?«, fragte Hannes, nachdem er die Tür zum Deck fest hinter sich geschlossen hatte.

»Dein blöder Vogel schreit immer *Rübe ab!*«, sagte Moses heiser. »So ein dummes Tier, verdammich!«

»Rrrrübe ab!«, schrie Schnackfass.

Aber Hannes hatte jetzt wirklich wichtigere Neuigkeiten.

»Käptn Olle reicht der Schatz von Klaas Klappe nun plötzlich nicht mehr!«, sagte er, während Schnackfass zärtlich an seinem Ohrläppchen knabberte. Zum Glück, da war sie jetzt wenigstens einen Augenblick lang still. »Jetzt will er von Klaas auch noch die Schatzkarte, auf der der Blutrote Blutrubin des Verderbens verzeichnet ist! Sonst gehst du über die Planke.«

»Der Blutrote Blutrubin des Verderbens?«, fragte Moses verblüfft. Sie war wirklich froh, dass Schnackfass endlich ihren Schnabel hielt.

»Aber den sucht Käptn Klaas doch selbst schon seit

Jahren! Für den hat er keine Schatzkarte, verdammich! Sonst hätte er ihn sich doch längst geholt! Wieso glaubt Olle Ochsenhirn denn so einen Blödsinn?«

Hannes zuckte die Schultern, dass Schnackfass ins Schwanken geriet. »Keine Ahnung!«, sagte er. »Er hat den berittenen Boten zurück zu Käptn Klaas geschickt und einfach nur gesagt: *Wir wissen, wer sein Balg ist! Jetzt will ich auch wissen, wo der Blutrote Blutrubin des Verderbens verborgen ist!*«

»Wir wissen, wer sein Balg ist!«, flüsterte Moses. »Was hab ich denn mit dem Blutroten Blutrubin zu tun? Und wer bin ich denn, verdammich?«

»Ich hab doch gesagt, dass du irgendwo Eltern hast!«, sagte Hannes. »Nur wieso Käptn Olle von denen weiß und du selber nicht, das wundert mich schon.«

»Das wundert mich auch, verdammich«, sagte Moses. »Und jetzt will ich es wirklich auch langsam mal wissen!«

Hannes streichelte seiner Dohle das Gefieder. »Und ich hab dir gesagt, dass wir nicht ausbüxen können, Seeräubermoses!«, sagte er. »Käptn Olle trägt den Schlüssel zu deinem Käfig an seinem Gürtel bei Tag und bei Nacht, und jetzt, wo er sogar glaubt, dass er von Käptn Klaas als Lösegeld für dich den Blutroten Blutrubin des Verderbens bekommen kann, wird er auf den Schlüssel noch viel besser aufpassen! Wir können nur hoffen, dass dein Käptn Klaas den Plan rausrückt, sonst hat dein letztes Stündlein geschlagen.«

»Noch lange nicht!«, sagte Moses trotzig, aber sie spürte doch, wie der Knoten in ihrem Bauch zurückkam, und wenn in diesem Augenblick Schnackfass nicht wieder ihr »Rrrrübe ab!« geschnarrt hätte – denn sie fand wohl, dass sie nun lange genug an Hannes′ Ohrläppchen geknabbert hatte –, dann hätte Moses vielleicht sogar angefangen zu weinen.

Aber stattdessen brüllte sie lieber: »Buuh! Ich bin das Schiffsgespenst!«, und so wütend wie jetzt hatte sie es vorher noch kein einziges Mal gebrüllt. Denn jetzt war sie nicht nur wütend auf Schnackfass, die Dohle, sondern vor allem auf Olle Holzbein, den Schurken, und das war doch gut. Wenn jemand einem Angst zu machen versucht, ist es eigentlich immer besser, man wird wütend auf ihn, als dass man vor ihm zittert, das weißt du ja auch.

»Niemals, niemals schmeißt Olle Holzbein mich über Bord!«, sagte Moses und zog die Nase hoch. »Das glaubt der ja wohl nur! Aber da hat er sich geschnitten, verdammich!« Und so entschlossen war ihr Ton, dass sogar Schnackfass für einen Augenblick den Schnabel hielt. »Wir büxen aus, Hannes, du und ich, wir beide zusammen! Du und ich zusammen, Hannes, heilig geschworen.«

Da griff Hannes durch die Gitterstäbe und schüttelte ihre Hand. »Du und ich zusammen, Moses, heilig geschworen!«, sagte er. »Es gibt es nichts auf der Welt, was zwei Kerle wie wir nicht schaffen können, wenn sie nur fest zusammenhalten, das glaub ich.«

Und »Rübe ab!«, schnarrte Schnackfass.

»Du und ich und vielleicht Schnackfass auch noch!«, sagte Hannes und hielt seiner Dohle den Schnabel zu.

»Ja, phhht!«, sagte Moses. Sie hatte ja keine Ahnung, wie recht Hannes damit haben sollte.

19. Kapitel,

in dem Olle Holzbein langsam wütend wird und Schnackfass die Kinder auf eine Idee bringt

Ehrlich gesagt hätte Moses Schnackfass in den folgenden Tagen am liebsten zum Teufel gejagt. Denn wenn Hannes an Deck seine Schiffsjungenarbeit tun musste, ließ er die Dohle immer bei ihr und da schnarrte sie den halben Tag: »Rübe ab!«, und Moses brüllte zur Antwort: »Buh, ich bin das Schiffsgespenst!« Und so ging das stundenlang, bis Moses so heiser war, dass sie selbst schon fast klang wie eine Dohle. Aber niemals behielt Schnackfass das letzte Wort, da passte Moses auf.

Erst abends, wenn das ganze Schiff zur Ruhe kam, setzte Hannes seinen Vogel in seine Schlafkiste und hängte einen Linsensack darüber, dann war Ruhe. Und das war auch ganz bestimmt gut, denn seit Olle Holzbein darauf wartete, dass Käptn Klaas ihm verraten würde, wo der Blutrote Blutrubin versteckt war, kam er jeden Abend, bevor er sich zum Schlafen in seine Hängematte legte, zu Moses unter Deck, um noch ein bisschen mit ihr zu plaudern. Und immer brachte er eine Fackel mit und schwenkte sie durch die Luft, damit es im Bauch der Kogge nicht ganz so duster war.

»Alle Gruselgeister lieben die Dunkelheit!«, flüsterte er dann und seine Stimme zitterte ein bisschen. »Hinweg, ihr Geister und Gespenster alle! Hinweg!« Dabei schwenkte er seine Fackel hin und her. Erst danach hinkte er vorsichtig Schritt für Schritt und *tock, tock, tock* zu Moses hin, und ein bisschen zitterig und blass um die Nase sah er dann immer noch aus, der große, wilde Seeräuber Olle Holzbein.

»Geister und Gespenster, ja, phhht!«, sagte Moses, denn auf der »Wüsten Walli« nahmen sie sich gar nicht die Zeit, um über so einen Unsinn auch nur nachzudenken. Darum hatte Moses vor Spuk und Geistern und Gespenstern ganz bestimmt keine Angst. »Die gibt es ja gar nicht! Und außerdem kommen die nur um Mitternacht!«

Aber Olle Holzbein schwenkte weiter seine Fackel und antwortete ihr nicht, bis er mit seinen vorsichtigen kleinen Schritten *tock, tock, tock* am Ziegenkäfig angekommen war.

»So, so, Klaas Klappe sein Balg!«, pflegte er dann, mutiger geworden, mit seiner gefährlichen Stimme zu sagen. »Heute hat Klaas das Aas mir also den Plan gebracht, auf dem die Beute all seiner Raubzüge verzeichnet ist! Aber das genügt mir nicht! Das genügt mir noch lange nicht!« Und dann klopfte er mit seiner Krücke dreimal auf den Boden, *tock, tock, tock*. »Wo ich den Blutroten Blutrubin finde, will ich wissen! Sonst gehst du über die Planke!«

»Käptn Klaas weiß doch auch nicht, wo der ist!«, sagte Moses dann jedes Mal. »Begreif das doch endlich, du Dösbaddel!«

»Das kannst du mir nicht erzählen, Klaas Klappe sein Bengel!«, sagte Olle Holzbein. »Ausgerechnet du!«

»Ja, phhht!«, sagte Moses und sie grübelte wirklich, was er mit dem »Ausgerechnet du!« meinen könnte. »Wirst du ja sehen! Und nun scher dich zum Klabautermann!«

Und das tat Olle Holzbein dann auch, jedenfalls verschwand er in seine Hängematte und dabei lachte er sein grässliches Lachen.

Aber am nächsten Abend war er wieder da.

»Es geht voran!«, sagte Olle Holzbein. »Heute hat Klaas Klappe mir auch noch alles Gold angeboten, das er an Bord für seine alten Tage gehortet hat! Aber das genügt mir nicht! Das genügt mir noch lange nicht!« Und wieder klopfte er mit seiner Krücke dreimal auf den Boden, *tock, tock, tock*. »Wo ich den Blutroten Blutrubin finde, will ich wissen! Sonst gehst du über die Planke!«

»Käptn Klaas weiß doch auch nicht, wo der ist!«, sagte Moses jetzt schon ein bisschen ärgerlicher. »Begreif das doch endlich, du Dösbaddel!«

»Das kannst du mir nicht erzählen, Klaas
Klappe sein Bengel!«, sagte Olle Holzbein.
»Ausgerechnet du!«

»Ja, phhht!«, sagte Moses. Sie wusste ja immer
noch nicht, was er mit seinem »Ausgerechnet
du!« wohl meinen könnte. »Wirst du ja sehen!
Und nun scher dich zum Klabautermann!«

Und das tat Olle Holzbein dann auch, jedenfalls
verschwand er in seine Hängematte und dabei
lachte er sein grässliches Lachen.

Und auch am dritten Abend kam Olle Holzbein
wieder zu Moses unter Deck.

»Jetzt hab ich ihn bald!«, sagte er. »Heute hat
mir Klaas Klappe auch noch einen kärglichen

Beutel Silbermünzen angeboten, den hat er unter seinen Leuten zusammengekratzt, ja, ja! An Bord der ›Walli‹ geben sie alles, um dich zurückzukriegen, Klaas Klappe sein Bengel! Aber das genügt mir nicht! Das genügt mir noch lange nicht!«

Und dieses Mal vergaß er, mit seiner Krücke dreimal auf den Boden zu klopfen, *tock, tock, tock*. »Wo ich den Blutroten Blutrubin finde, will ich wissen! Morgen will ich den Plan, morgen, morgen! Sonst gehst du in der nächsten Nacht über die Planke und nur die Sterne sehen zu!«

»Käptn Klaas weiß doch auch nicht, wo der ist!«, schrie Moses, und langsam hatte sie keine Lust mehr, immer das Gleiche zu sagen. Das war ja fast wie bei ihren Gesprächen mit Schnackfass! Und außerdem kriegte sie doch langsam ziemliche Angst. Bis morgen war es ja nicht mehr lange hin. »Begreif das doch endlich, du Dösbaddel!«

»Das kannst du mir nicht erzählen, Klaas Klappe sein Bengel!«, antwortete Olle Holzbein, das hatten wir ja schon erwartet und Moses auch. »Ausgerechnet du!«

»Ja, phhht!«, sagte Moses. »Wirst du ja sehen! Und nun scher dich zum Klabautermann!«

Und das tat Olle Holzbein auch am dritten Abend wieder, jedenfalls verschwand er in seine Hängematte und dabei lachte er sein grässliches Lachen.

Und Moses war klar, dass jetzt allmählich etwas passieren musste.

»Denn wenn Käptn Klaas nun schon das letzte Silber von Marten Smutje und Nadel-Mattes und Haken-Fiete und den anderen allen zusammenkratzt, um mich zu befreien«, sagte sie zu Dohlenhannes, der hinter einer Kiste hervorgekommen war, hinter der er wie an jedem Abend alles mitgehört hatte, »dann heißt das ja, dass er sonst nichts mehr hat, was er Olle Ochsenhirn anbieten kann, um ihn bei Laune zu halten. Und den Schatzplan mit dem Blutroten Blutrubin des Verderbens hat Käptn Klaas nun mal gewisslich nicht! Darum wird der Bote morgen mit leeren Händen von der ›Wüsten Walli‹ zu Olle Holzbein zurückkommen. Und dann geh ich wohl über die Planke«, und sie rührte wild mit dem Löffel in ihrem Napf mit Rübenmus, aber Lust zum Essen hatte sie eigentlich überhaupt gar keine, das kann man ja verstehen.

»Uns muss etwas einfallen, Dohlenhannes! Sonst bin ich morgen Abend beim Klabautermann.«

»Iss wenigstens dein Rübenmus«, sagte Hannes, und hier will ich dir schon mal verraten, dass es ein ganz unglaubliches Glück war, dass Moses an diesem Abend wie an jedem Abend vorher einen Napf mit Rübenmus zum Abendessen bekommen hatte und nicht vielleicht Linsensuppe oder ein Sonntagsei oder sogar ein schönes Schweinekotelett, auch wenn ihr das in diesem Augenblick natürlich lieber gewesen wäre. Aber da wusste sie ja noch nichts davon, auf welche Idee das Rübenmus sie gleich bringen würde, beide gleichzeitig, Hannes und sie.

»Iss wenigstens dein Rübenmus, Seeräubermoses!«, sagte also Dohlenhannes und dabei kraulte er Schnackfass, die hatte er in seinem Kummer darüber, dass Moses nun bald über die Planke gehen würde, noch einmal aus ihrer Schlafkiste geholt.

Und »Rrrrübe ab!«, schnarrte Schnackfass, das war ja nicht anders zu erwarten gewesen.

»Ach, halt doch den Schnabel, Schnackfass!«, sagte Moses müde, und daran, dass sie nicht wie sonst immer »Buh, ich bin das Schiffsgespenst!« brüllte, merkst du ja schon, dass es ihr gerade gar nicht so gut ging.

»Rrrrübe ab!«, schnarrte Schnackfass ärgerlich und legte den Kopf ein wenig schief, dass es aussah, als warte sie auf etwas. »Rrrübe ab!«

Aber Moses schüttelte nur stumm den Kopf, und jetzt liefen sogar zwei Tränen über ihre Wangen, das konnte Hannes in der Dunkelheit zum Glück nicht sehen.

Da plusterte Schnackfass ärgerlich ihr Gefieder auf. Nein wirklich, da hatte dieser kleine Mensch im Käfig drei Tage lang so ein schönes Spiel mit ihr gespielt und immer »Buh! Ich bin das Schiffsgespenst!« geschrien, und nun wollte er nicht mehr! (Bestimmt finden auch Dohlen, dass man sich immer an die Spielregeln halten muss.) Vielleicht musste man den kleinen Menschen ja nur mal daran erinnern, was er jetzt eigentlich sagen sollte?

»Buuh! Ich bin das Schiffsgespenst!«, schnarrte Schnackfass darum, und es klang wirklich, als wäre sie sehr empört. »Buh, ich bin das Schiffsgespenst!«

Da starrte Moses Hannes an und Hannes starrte Moses an, und dann starrten sie beide Schnackfass an und danach auch noch die Rübenmiete in der Ecke, genau in dieser Reihenfolge. Und wer die Idee nun zuerst hatte, ist doch wirklich ganz gleichgültig, denn gute Freunde haben ja öfter mal gleichzeitig dieselbe Idee, und da lohnt es wirklich nicht, sich darüber zu streiten, die Hauptsache ist doch, dass die Idee gut ist.

»Natürlich!«, flüsterte Hannes.

»Natürlich, beim Klabautermann!«, flüsterte Moses. Und dann streckte sie ihre Hand durch die Gitterstäbe und kraulte Schnackfass das Gefieder. »Du bist die allerbeste Vogelfrau der Welt, Schnackfass, weißt du das?«

»Buh, ich bin das Schiffsgespenst, das Schiffsgespenst, das Schiffsgespenst!«, schnarrte Schnackfass.

»Natürlich, so machen wir es!«, sagte Hannes.

Und guck mal, so haben ein Napf voll Rübenmus und ein sprechender Vogel Moses davor bewahrt, über die Planke zu gehen. Und jetzt willst du bestimmt endlich wissen, wie das klappen konnte.

20. Kapitel,

in dem Käptn Klaas alles tut, um Moses zu befreien, aber nichts ist Olle genug

Du hast ja bestimmt längst gemerkt, dass Olle Holzbein, der gefährlichste und gemeinste aller Seeräuber, tatsächlich ganz schreckliche Angst vor Geistern und Gespenstern hatte. Kann man so was denn glauben? Vor nichts sonst fürchtete er sich auf der Welt, nicht vor feindlichen Schiffen und nicht vor den Soldaten des Königs und nicht mal vor den riesengroßen Riesenkraken, die manchmal aus der Tiefe des Meeres nach oben kamen und eine ganze Kogge oder wenigstens ein kleines Ruderboot mit Mann und Maus zu sich in die Tiefe zerren wollten; da zog Olle einfach nur seinen Säbel und brüllte: »Ha!«, und dann kämpfte er los.

Aber kämpfen war eben auch so ungefähr das Einzige, was er konnte, der dumme Kerl, und darum war es ja klar, dass er Angst hatte vor allem, was man *nicht* mit dem Säbel bezwingen konnte. Und Geister und Gespenster kann man ja nicht mit dem Säbel bezwingen. Die sind ja durchsichtig und irgendwie aus Luft und überhaupt nicht lebendig, darum können ihnen Schwerter und Säbel nichts anhaben, die gehen einfach so durch sie durch. Und außerdem gibt es sie natürlich in Wirklichkeit sowieso gar nicht.

Aber das wusste Olle Holzbein eben nicht. Die Menschen in den finsteren Zeiten glaubten ja noch alle möglichen komischen Sachen, zum Beispiel sogar, dass die Erde eine Scheibe ist und dass man darum nach unten ins Weltall kippt, wenn man mit seinem Schiff zu dicht an den Rand fährt. Doch, doch, tatsächlich, so einen Blödsinn glaubten sie damals! Und wenn irgendwo, sagen wir mal bei Sturm, ein

Dachbalken knarrte, dann glaubten sie gleich, das wäre ein Geist, der ihre schwarze Seele holen wollte; und wenn wie aus dem Nichts eine Riesenwelle auf sie zugerollt kam, die, wie du ja weißt, Kaventsmann heißt, dann glaubten sie, der Klabautermann hätte sie geschickt.

Du hättest da natürlich nur gesagt: »Oh, hör mal, da knarrt ja ein Dachbalken, weil es so stürmt!«, und: »Oh, guck mal, ein echter Kaventsmann, nun aber volle Kraft voraus!«, aber das taten diese Kerle in den finsteren Zeiten eben nicht, und da siehst du mal, wie abergläubisch und ängstlich sie eigentlich waren, aber nun warte mal ab, als wie praktisch sich das noch erweisen sollte.

Du erinnerst dich ja sicher noch, dass Hannes eigentlich in einem kleinen Dorf nicht weit vom Meer gewohnt hatte, bevor Olle Holzbein ihn schanghait und zu seinem Schiffsjungen gemacht hatte. Und da hatte Hannes sein ganzes Leben lang immer getan, was alle Bauernjungen damals so taten: Im Frühjahr hatte er die großen Steine von den Äckern geklaubt, damit sein Vater mit dem Ochsen pflügen konnte; im frühen Sommer war er tagelang auf den Knien zwischen den Rüben herumgekrochen, um das Unkraut zu jäten, und war in der glühenden Sonne mit dem Rechen hinter seinem Vater hergegangen, wenn der das Gras mit der Sense mähte. Später im Sommer hatte er auf den abgeernteten Feldern die letzten Kornähren gesammelt, er hatte Erbsen, Bohnen und fast schon im Herbst schließlich noch Brombeeren und Schlehen gepflückt.

Aber wenn dann der Herbst wirklich kam mit Regen und Sturm und Kälte und wenn die Arbeit auf den Feldern endlich getan war, dann wurde in den Dörfern ordentlich gefeiert, und nicht nur von den Erwachsenen. Die Kinder hatten ja auch tüchtig mitgeholfen, die mussten darum schließlich auch ihren Spaß haben.

Und damit sie den auch wirklich hatten, durften sie die allergrößten Steckrüben aushöhlen und gruselige Gesichter hineinschnitzen mit fürchterlichen Augen und vampirspitzen Zähnen, und manchmal half ihnen dabei vielleicht ja auch ihr Vater oder ihre Mutter. Und wenn so ein Rübenkopf dann fertig war, stellten sie ein Licht hinein und setzten ihn auf einen Stecken, das sah im Dunkeln wirklich

126

unheimlich aus und wie ein echtes Gespenst. So zogen sie abends von Tür zu Tür und sangen ihr Rübengeisterlied, und dann bekamen sie überall etwas geschenkt: einen Apfel vielleicht oder auch nur einen Brotkanten, aber in den finsteren Zeiten damals waren sie ja nicht wählerisch.

Auch Hannes hatte sich früher schon immer den ganzen Sommer über auf den Herbst mit seinen Rübengeistern gefreut, und ich glaube nicht, dass es irgendwo auf der Welt einen besseren Rübengeisterschnitzer gab als ihn. Darum war es ja kein Wunder, dass er beim Anblick von Moses´ Rübenmus auf so eine gute Idee gekommen war.

»Na warte, Olle Holzbein!«, flüsterte er grimmig; und in dieser Nacht hockte er Stunde um Stunde neben dem Ziegenkäfig und höhlte mit einem alten Küchenmesser die allergrößte Rübe aus, wie er es zu Hause auch immer getan hatte. Etwas Schärferes als das älteste Küchenmesser hatte der Smutje ihm leider nicht ausleihen wollen, und wenn ihm darum manchmal die Hand wehtat, dann löste Moses ihn für eine Weile ab. So eine Rübe auszuhöhlen ist nämlich ziemlich anstrengend, das kannst du gerne mal ausprobieren.

Aber als dann der Morgen graute und es zwei Glasen der ersten Tagwache schlug, die Morgenwache heißt, und als die Sonne rötlich und verschlafen über den Horizont lugte, waren die beiden endlich fertig. Da holte Hannes seine Schnackfass aus ihrer Schlafkiste und versteckte stattdessen die Rübe darin. Dann machte er sich auf den Weg an Deck, um wie an jedem Tag seine Schiffsjungenarbeit zu erledigen, und Moses blieb unten mit Schnackfass zurück und spielte mit ihr das alte Spiel. Nur dass es ihr jetzt auch selbst viel mehr Spaß machte als vorher.

Denn »Rrrrübe ab!«, schnarrte Schnackfass und »Buh! Ich bin das Schiffsgespenst!«, schrie Moses. Aber bevor Schnackfass wieder mit ihrem »Rrrrübe ab!« loslegen konnte, schrie Moses das jetzt selbst und dann antwortete Schnackfass ihr mit aufgeplustertem Gefieder.

»Das Schiffsgespenst, das Schiffsgespenst!«, schnarrte sie. »Buh, ich bin das Schiffsgespenst!« Und wenn Moses ein Vogelleckerli gehabt hätte, hätte sie es ihr bestimmt gegeben, aber so etwas gab es damals ja noch nicht.

Oben an Deck wartete Hannes wie alle anderen Seeräuber auf der »Süßen Suse« währenddessen gespannt auf den Boten von der »Wüsten Walli«. Denn heute musste sich ja entscheiden, ob Käptn Klaas den Schatzplan mit dem Blutroten Blutrubin rausrücken würde, und Hannes wusste schließlich genau, dass Klaas das gar nicht konnte. Was man nicht hat, das kann man auch nicht rausrücken, egal wie doll jemand droht.

Da hörte man von der Landzunge her auch schon lautes Hufgetrappel, das war so ungefähr um vier Glasen der zweiten Tagwache, die Vormittagswache heißt, und auf seinem schnaubenden Pferd mit wehender Mähne und wehendem Schweif und schweißbedecktem Fell und so weiter kam haargenau in diesem Moment der berittene Bote am Strand an, das war natürlich immer noch der Rotzbengel, den wir ja schon kennen, und der hielt dieses Mal die Zügel mit beiden Händen, da konnte man schon sehen, dass er keinen Plan dabeihatte.

»Ich habe nicht, was du willst, Käptn Olle!«, schrie er und sprang dabei vom Pferd. »Aber schickt trotzdem einen eurer Männer her zu mir mit einer Golddublone für mich! Denn sonst kann ich euch leider nicht sagen, was Klaas Klappe euch ausrichten lässt!«

Na, war das nicht wirklich ein gieriger kleiner Kerl? Aber das wussten wir ja sowieso schon.

»Was lässt Klaas das Aas mir denn ausrichten?«, schrie Olle Holzbein zurück und machte keine Anstalten, ihm eine Dublone zu geben.

»Den Schatzplan für den Blutroten Rubin hat er nicht!«, rief der Bote trotzdem. »Aber er bietet euch sein ganzes Schiff, die ›Wüste Walli‹, an, wenn ihr ihm nur sein Balg wiedergebt! Sein Balg, sein Balg! An Bord der ›Walli‹ weinen sie alle Krokodilstränen, und wenn das so weitergeht, schwappt die Ostsee bald über den Rand!«

»Reite zurück und sag ihm, dass ich seine alte Schaluppe nicht brauchen kann!«, brüllte Olle Holzbein. »Wenn ich erst den Blutroten Blutrubin habe, den kostbarsten Schatz der Welt, kann ich mir Schiffe kaufen, so viel ich mag, was soll ich da mit seinem alten Kahn? Und sag ihm, wenn er mir den Plan heute nicht gibt, dann ist es aus mit seinem Balg, dann können er und seine Männer meinetwegen gerne Krokodilstränen weinen, bis die Ostsee überschwappt!« Er holte einmal tief Luft. »Du kriegst deine Dublone erst, wenn du mir frohe Kunde bringst! Darum reite zurück!«

Na, und das tat der Bote dann auch, und an Bord der »Suse« widmeten sie sich alle wieder ihrer Arbeit, bis man von der Landzunge her lautes Hufgetrappel hörte, das war so ungefähr um sechs Glasen der dritten Tagwache, die Nachmittagswache heißt; und auf seinem schnaubenden Pferd mit wehender Mähne und wehendem Schweif und schweißbedecktem

Fell und so weiter kam zum zweiten Mal an diesem Tag der berittene Bote am Strand an, aber wieder hielt er die Zügel mit beiden Händen, da konnte man ja schon sehen, dass er auch dieses Mal keinen Schatzplan dabeihatte.

»Ich habe immer noch nicht, was ihr wollt, Käptn Olle!«, schrie er und sprang dabei vom Pferd. »Aber schickt trotzdem einen eurer Männer her zu mir mit einer Golddublone für mich! Sonst kann ich euch leider nicht sagen, was Klaas Klappe euch ausrichten lässt!«

Ja, ja, langsam kann er einem vielleicht ja sogar leidtun, denn ich fürchte, es sieht nicht so aus, als ob er seine Dublone von Olle Holzbein jemals bekommen wird.

»Was lässt Klaas das Aas mir denn ausrichten?«, schrie Olle Holzbein zurück, und tatsächlich, er machte wieder keine Anstalten, ihm eine Dublone zu geben.

»Den Schatzplan hat er nicht!«, rief der Bote kummervoll. »Aber jetzt bietet er euch auch noch sich selber an und seine ganze Mannschaft dazu! Und er will euch den Seeräuber-Eid des Gehorsams schwören, wenn ihr ihm nur sein Balg wiedergebt! Sein Balg, sein Balg! An Bord der ›Walli‹ weinen sie alle Krokodilstränen, und wenn das so weitergeht, schwappt die Ostsee bald über den Rand!«

Da stampfte Olle Holzbein wütend mit seiner Krücke auf, *tock, tock, tock,* und dann brüllte er mit Donnerstimme: »Dann scher dich zum Teufel, Dummkopf! Von mir wirst du keine einzige Dublone sehen, sowenig wie Klaas das Aas jemals sein Balg wiedersehen wird, richte ihm das aus mit einem schönen Gruß! Schon morgen geht sein Balg über die Planke! Wir lichten den Anker und setzen die Segel, denn ich bin wütend wie ein hungriger Hai, so wütend wie noch niemals in meinem Leben, richte Klaas Klappe das aus!«

Und damit gab er seinen Männern das Zeichen und rief seinen Befehl, und tatsächlich, schon eine kleine Stunde später segelte die »Süße Suse« hinaus auf das Meer, denn es sollte ja richtig schön tief sein, wo Olle Holzbein, der gemeine Kerl, Moses in die Fluten schmeißen würde. Schließlich wollte er sicher sein, dass sie auch wirklich beim Klabautermann ankam, wenn sie über die Planke ging.

21. Kapitel,
in dem Moses und Hannes Olle Holzbein überlisten

Als Dohlenhannes mit der Neuigkeit zu Moses unter Deck kam, hockte die im Käfig wie jeden Tag, und wie jeden Tag brüllte sie mit ihrer lautesten Stimme Schnackfass an. »Rübe ab!«, schrie Moses.

Und »Buh, ich bin das Schiffsgespenst!«, schnarrte Schnackfass zurück, aber als Moses Hannes sah, hielt sie der Dohle den Schnabel zu.

»Klaas Klappe hat den Plan nicht geschickt, Seeräubermoses!«, sagte Hannes düster. »Darum gehst du morgen über die Planke, sagt Käptn Olle. Nein, wie schade das wäre um einen tüchtigen Jungen wie dich!«

»Ja, phhht!«, sagte Moses und warf den Kopf zurück. »Dann muss es heute Nacht passieren, Dohlenhannes. Hast du Säcke und Schnüre bereitgelegt?«

»Alles bereit!«, sagte Hannes, aber seine Stimme zitterte ein bisschen.

»Und den Wassereimer?«, fragte Moses.

»Alles bereit!«, sagte Hannes.

»Und den Rübengeist?«, fragte Moses.

»Alles bereit!«, sagte Hannes.

»Na, dann können wir nur noch warten«, sagte Moses und nickte.

Und das taten sie auch, nur dass Hannes so ungefähr um sechs Glasen der ersten Nachtwache, die Abendwache heißt, gleich neben Moses' Käfig die Rübenlaterne aufstellte mit einem kleinen Talglicht darin, denn Wachskerzen waren schließlich viel zu teuer und so etwas Feines hatten sie nicht an Bord.

»Dunnerlittchen, Hannes, du bist ja ein wahrer Rübenschnitz-künstler!«, sagte Moses andächtig. »Da würde ich ja selbst glatt Angst kriegen, verdammich, wenn ich so leicht Angst kriegen wür-de!«

Und sie starrte den Rübengeist an, der mit seinen spitzen Zähnen und den leeren Augenhöhlen, hinter denen jetzt unruhig die kleine Flamme flackerte, wirklich sehr gruselig zur Laderaumtür hinglotz-te.

Neben der Tür aber hockte Hannes und wartete, einen Wasserei-mer in der einen und einen leeren Linsensack in der anderen Hand. Du weißt ja, davon gab es immer genug an Bord. Moses wartete auch, und vielleicht wartete sogar Schnackfass, die Hannes an diesem Abend ausnahmsweise mal nicht in ihre Schlafkiste gesetzt hatte; jedenfalls war sie still wie selten und sagte keinen Mucks.

Aber dann hörten sie plötzlich die Schritte, *tock, tock, tock,* und Hannes hinter der Tür packte den Wassereimer fester, und Moses im Käfig klammerte sich an die Stäbe, um die noch immer die ei-serne Kette mit dem großen Schloss gewickelt war: Du weißt ja, der Schlüssel dazu hing an Olles Gürtel gleich neben dem Säbel.

Da kam er auch schon wie an jedem Abend zu Moses unter Deck, der fürchterliche, gefährliche Olle Holzbein, um noch ein bisschen mit ihr zu plaudern, bevor er sich zum Schlafen in seine Hängematte legte. Aber heute hatte er ihr ja etwas ganz Besonderes zu sagen, und darum hörten sie auch sein grässliches Lachen schon lange, be-vor er den Laderaum betrat. »Hohoho! Beim Klabautermann! Jetzt hat bald dein letztes Stündlein geschlagen, Klaas Klappe sein Bengel! Morgen gehst du über die Planke!«

War das nicht gruselig? Und *natürlich* hatten die Kinder jetzt ein bisschen Angst – denn wer in so einer Situation keine Angst hat, der kann ja nur ein Dummkopf sein! –, aber sie hatten sich ja was aus-gedacht, keine Sorge. So leicht wollten sie es dem alten Ochsenhirn nämlich nicht machen, das hast du ja schon gemerkt.

»Hohoho!«, brüllte Olle Holzbein also und *tock, tock, tock* machte sein Bein. Und dann sahen sie auch schon den Lichtschein durch den offenen Türspalt fallen; denn wie immer hatte Olle Holzbein seine Fackel bei sich und schwenkte sie durch die Luft, damit die Dunkelheit möglichst wenig dunkel war, so fürchterliche Angst hatte er davor.

»Hinweg, ihr Geister und Gespenster alle! Hinweg!«, rief er auch an diesem Abend, und bestimmt dachte er, dass dann die Geister und Gespenster, die es ja in Wirklichkeit gar nicht gibt, alle verschwinden würden wie an jedem Abend vorher auch. Aber da hatte er sich getäuscht, das dumme Ochsenhirn, denn aus der Dunkelheit kam plötzlich eine Stimme, die war so merkwürdig und so sonderbar und so fremd und die schnarrte: »Buh! Ich bin das Schiffsgespenst!«, und wie eine Menschenstimme klang sie ganz und gar nicht. »Buh! Ich bin das Schiffsgespenst!«

In seinem ganzen Leben hatte Olle Holz-
bein noch niemals so eine merkwürdige
Stimme gehört, und daran, dass sie keine
Menschenstimme war, konnte es wohl
keinen Zweifel geben. Darum lief es Olle
jetzt auch gleich ganz eiskalt den Rücken
hinunter.

»Wie?«, brüllte er erschrocken und
das *Tock, tock, tock* hörte auf einen Schlag
auf. »Wie? Was? Wer ist denn das?« Und er
schwenkte die Fackel wie wild, aber seine Hand
zitterte ganz fürchterlich dabei.

Da kam aus dem Nichts und aus der Dunkelheit auch noch ein richtig wilder Schwall Wasser und löschte das Licht und dazu schnarrte die merkwürdige Stimme immer weiter: »Das Schiffsgespenst! Das Schiffsgespenst! Buh, ich bin das Schiffsgespenst!«

»Zu Hilfe!«, brüllte Olle da, denn jetzt, wo es ganz und gar dunkel war, konnte er das gruselige Schiffsgespenst plötzlich nicht mehr nur *hören*, er konnte es auch *sehen*! Ein gruseliges, düsteres Gespenst war das, mit spitzen, blutdurstigen Zähnen und flackernden Augen, das ruckte und rührte sich nicht; aber schreien tat es die ganze Zeit mit seiner unheimlichen Stimme, dass es das Schiffsgespenst, das Schiffsgespenst, das Schiffsgespenst wäre, und das glaubte Olle Holzbein ihm sofort.

Du weißt natürlich, dass das Gesicht nur der Rübengeist war, den Hannes geschnitzt hatte, und dass die Stimme keinem anderen gehörte als Schnackfass. Aber Olle Holzbein wusste das ja nicht und darum fing er vor lauter Angst an zu schlottern wie ein halb gerefftes Segel im Wind. Na, das war mir vielleicht mal ein tapferer Seeräuber!

»Zu Hilfe! Zu Hilfe!«, brüllte er und drehte sich verzweifelt auf der Stelle, um *tock, tock, tock!* wieder aus dem Laderaum zu verschwinden. »Geister! Gespenster! Nichts tun, bitte, bitte nichts tun!« Und so schnell er konnte, wollte er wieder zur Tür.

Aber den Gefallen konnte ihm Hannes leider nicht tun. Stattdessen warf er dem grässlichsten Seeräuber von allen jetzt sogar auch noch einen Linsensack über den Kopf – du weißt ja, davon hatten sie damals immer genug an Bord – und schnürte ihm ruck, zuck mit einem Tau die Hände auf dem Rücken fest; und während Olle noch zappelte und brüllte und mit seinem Holzbein um sich trat wie verrückt, riss Hannes ihm schon den riesigen Schlüssel vom Gürtel und sprang zum Käfig.

»Na bitte!«, sagte er und drehte den Schlüssel im Schloss.

»Ich bin das Schiffsgespenst!«, schnarrte Schnackfass und »Bitte, bitte, nichts tun!«, schrie Olle Holzbein.

»Dunnerlittchen, war das aber aufregend!«, sagte Moses und kletterte blitzschnell aus dem schmuddeligen Käfig.

Dann verschwand sie mit Hannes aus dem Laderaum, in dem Olle Holzbein noch immer »Zu Hilfe!« und »Nichts tun! Bitte, bitte nichts tun!« schrie; und die Tür schmiss sie ganz fest hinter sich zu.

22. Kapitel,

in dem Hinnerk mit dem Hut sich sehr merkwürdig benimmt

Da war Moses wieder frei und gerettet, und nur weil Olle Holzbein so ein alter Angsthase war. Wer hätte das von dem gefährlichsten Seeräuberhauptmann aller Meere geglaubt? Aber so ist es ja manchmal im Leben, wer sich am meisten aufplustert und anderen Angst macht, ist oft in Wirklichkeit selbst der größte Feigling.

Moses und Hannes jedenfalls schlichen jetzt ganz, ganz leise an Deck. Denn nun mussten sie ja sehen, wie sie von Bord kommen konnten, ohne dass sie irgendwer dabei erwischte, und das war gar nicht so einfach, wie du gleich merken wirst.

Am Himmel funkelten die Sterne und der Mond sah aus wie ein großer angebissener Keks, und Moses, die ja die ganzen letzten Tage im dunklen Laderaum verbracht hatte, fand es geradezu phänomenal hell. An jedem anderen Abend hätten so kurz vor der zweiten Nachtwache, die Hundewache heißt, die Seeräuber längst alle in ihren Hängematten gelegen und geschnarcht, und nur der arme Matrose, der Wache gehen musste, wäre an Deck gewesen.

Aber ausgerechnet in dieser Nacht war es nicht so, und das hörten Moses und Hannes sofort, als sie jetzt vorsichtig aus dem Laderaum gekrabbelt kamen.

»Schnäuz die Nase, Matrose, joho, johoho!
Gleich musst du über die Planke!
Dann fällst du ins Meer, keiner springt hinterher!
Tut uns leid, Matrose, fürchterlich sehr!
Aber Krake und Hai rufen Danke!«,

grölten die Kerle an Deck, und da war ja klar, dass Olle Holzbein ihnen zur Feier des Tages und weil sie am nächsten Tag ihren Gefangenen über Bord schmeißen wollten, einen Krug Schnaps spendiert hatte. Dann sangen diese wüsten Gesellen ja immer und leider immer nur so grässliche Lieder, pfui Teufel!

»Ja, phhht!, Krake und Hai sagen Danke!«, flüsterte Moses. »Krake und Hai müssen morgen leider Hunger leiden! Von diesem Schiff hier geht jedenfalls keiner als Hai- und Krakenfutter über die Planke!«

Aber dann guckte sie erschrocken Hannes an und Hannes guckte sie an, denn wenn die Kerle jetzt alle mitten auf dem Deck saßen und sangen, wie sollten die Kinder denn da wohl das kleine Ruderboot zu Wasser lassen, das am Heck in seinen Tauen schaukelte und im Nachtwind leise vor sich hin knarrte?

»Das hilft nun alles nichts, Hannes!«, flüsterte Moses. »Ans Ruderboot kommen wir nicht ran, darum lass die Jakobsleiter runter! Dann muss ich eben schwimmen, denn von Bord verschwinden muss ich! Aber du, Dohlenhannes, solltest dann vielleicht doch lieber auf der ›Süßen Suse‹ bleiben!« Sie seufzte und schüttelte ihm die Hand zum Abschied. »Du musst ja morgen nicht über die Planke gehen, und dass du es warst, der Olle Holzbein in den Linsensack gesteckt hat, weiß auch kein Mensch. Olle glaubt ja, das war das Schiffsgespenst, darum kann dir gar nichts passieren!«

Und sie zwirbelte ihr Halstuch zwischen den Fingern und sah auf die Planken. Denn eigentlich hätte sie Hannes natürlich lieber dabeigehabt, so ganz alleine sticht ja niemand gern in See. »Also atschüs, Dohlenhannes, und pass auf dich auf! Mir hat Bruder Marten das Schwimmen beigebracht, ich hab keine Angst!«

Und damit kletterte sie auch schon über die Reling und setzte den ersten Fuß auf die Strickleiter, die an Bord, wie du nun weißt, Jakobsleiter heißt. »Atschüs, Dohlenhannes! Bestimmt sehen wir uns mal wieder!«

Aber da packte Hannes sie am Arm.

»Dass du schwimmen kannst wie ein Fisch, will ich dir wohl glauben, Seeräubermoses!«, flüsterte er. »Aber was ist mit den Haien? Und mit den Kraken? Und mit den Seeungeheuern und allem, was es im Wasser sonst noch so gibt?«

»Dunnerlittchen, Hannes!«, sagte Moses und versuchte, ihren Arm aus seiner Hand zu befreien. »Seeungeheuer gibt es nicht, und die Haie und Kraken beiß ich zuerst, bevor sie mich beißen können! Soll ich an Bord bleiben, nur um morgen dann doch gefesselt und mit verbundenen Augen über die Planke zu gehen? Da schwimm ich lieber los, solange wir noch nicht ganz so weit vom Land entfernt sind!«

Da ließ Hannes ihren Arm los. »Wenn du gehen musst, dann musst du wohl gehen, Seeräubermoses«, sagte er. »Aber ich geh jedenfalls mit dir! Ich lass dich nicht allein, so mitten im Meer und in der Nacht!« Und damit war er auch schon hinter ihr her über die Reling geklettert.

Und während die beiden nun leise, ganz leise nacheinander die Jakobsleiter hinunterstiegen, sangen die Kerle an Deck noch immer ihr Lied.

>»Sei kein Feigling, Matrose, joho, johoho!
> Gleich musst du im Wasser versaufen!
> Versuchst du´s auch sehr auf dem pitschnassen Meer
> Zu tun, als ob es die Landstraße wär:
> Auf dem Wasser kann man nicht laufen!«

Da tauchte Moses erst einen Fuß ins Wasser und dann den anderen Fuß, und dann machte sie einen kleinen Hüpfer und schwamm los und dabei hörte sie, wie nun Hannes auch ins Wasser eintauchte. Über ihr funkelten noch immer die Sterne und der Mond sah aus wie ein angebissener Keks, und nach den Tagen im engen Ziegenkäfig fand Moses es so mitten im Meer nun eigentlich ganz schön, nur ein bisschen wärmer hätte es gerne sein dürfen. Und vor Haien und Kraken und Seeungeheuern hatte sie ja sowieso nicht so furchtbar große Angst. Schließlich hatte sie mit Marten Smutje oft genug schwimmen geübt und nie war ihr da ein Hai oder Krake oder Seeungeheuer begegnet.

»Aber dass *du* auch schwimmen kannst, Hannes, verdammich, da staun ich aber!«, flüsterte Moses, denn noch waren sie nicht weit genug von der »Suse« entfernt und es wäre doch dumm gewesen, wenn die Kerle sie jetzt noch gehört hätten. »Sonst kenn ich keinen einzigen Matrosen auf der Welt, der schwimmen kann!« Und sie tat einen kräftigen Zug.

»Ich auch nicht!«, antwortete Hannes, jedenfalls antwortete er das *wahrscheinlich*. Denn eigentlich gurgelte er es mehr, da war es nicht so gut zu verstehen. Sein Kopf war nämlich schon fast ganz unter Wasser verschwunden, und nun war es doch ein Glück, dass er seine Haare so lange nicht mehr geschnitten hatte, da guckten wenigstens die Spitzen noch oben raus und Moses konnte sehen, wo er im Wasser spaddelte.

»Teufel auch, Hannes, du *kannst* ja überhaupt gar nicht schwimmen!«, schrie Moses, und mit zwei kräftigen Zügen war sie jetzt schon bei ihm angekommen und packte ihn unter den Armen. »Warum bist du denn dann mit mir von Bord gegangen?«

»Weil ein Freund einen Freund niemals im Stich lässt, Seeräubermoses!«, prustete Hannes, als sein Kopf pitschnass und tropfend wieder an die Oberfläche kam; und weil Moses ihn jetzt ganz fest unter den Armen gepackt hielt und Rückenschwimmen machte, wie man das als Rettungsschwimmer ja soll, sah er sehr erleichtert aus. »Wenn du von Bord gehst, Moses, will *ich* auch von Bord gehen!«

»Teufel auch, das war vielleicht keine so gute Idee!«, schnaufte
Moses, denn Hannes wurde in ihren Armen langsam immer schwerer. »Wenn wir Pech haben, Hannes, geht es uns gleich wie in Nadel-
Mattes seinem Schlaflied!«, und dann summte sie es ganz leise vor
sich hin. (Denn wenn man gerade jemanden vor dem Ertrinken rettet, hat man wirklich nicht die Puste, auch noch *laut* zu singen):

> »Joho, joho, wir buddeln ab!
> Das Meer wird unser kühles Grab!
> Zum Trost lasst uns schnell einen bechern!

Aber zu bechern haben wir ja leider nichts, Hannes!«, schnaubte
Moses, und jetzt musste sie sich schon richtig anstrengen, um nicht
mit Hannes zusammen unterzugluckern. »Nur das Salzwasser überall, aber davon dafür reichlich, verdammich!«

Und gerade als Moses dachte, dass sie nun aber bald nicht mehr
genug Kraft hätte und dass sie darum der Klabautermann wohl doch
gleich zu sich nach unten in sein feuchtes Reich holen würde, hörte
sie hinter sich plötzlich ein komisches Geräusch. Und sie hatte gerade noch Zeit zu denken, dass sie dann ja auch hätte über die Planke
gehen können, wenn sie nun sowieso ertrinken musste – (oder vielleicht lieber doch nicht, weil es ja eigentlich ganz lustig gewesen war,
wenigstens noch Olle Holzbein zu erschrecken, den alten Schisshasen) –, gerade da platschte ganz dicht hinter ihr etwas so laut aufs
Wasser, dass die Wellen sie fast untergedükert hätten.

»Nun aber nix wie an Bord, Bengels!«, rief gleichzeitig eine Stimme hoch über ihrem Kopf, aber eigentlich flüsterte sie es mehr. »Beim Klabautermann! Bevor die dösigen Saufköppe noch was merken!«

Und als Moses erschrocken nach oben guckte – was nicht besonders schwierig war, denn sie schwamm ja sowieso auf dem Rücken –, da sah sie auf dem Achterdeck eine winzige gebeugte Gestalt, die hätte sie an ihrer riesengroßen Kopfbedeckung sogar dann erkannt, wenn nicht der Mond und die Sterne am Himmel gestanden hätten.

»Hinnerk mit dem Hut!«, flüsterte Moses und fast hätte sie vor lauter Verblüffung Hannes losgelassen. »Hinnerk mit dem Hut hat uns ein Boot runtergelassen!«

Und: »Nix wie rein in den lütten Kahn und kräftig skullen!«, rief Hinnerk von oben.

Na, das ließen Moses und Hannes sich nicht zweimal sagen! Sofort versuchten sie, jeder an einer Seite in das Ruderboot zu klettern, das Hinnerk ihnen zu Wasser gelassen hatte und das da vor ihnen auf den Wellen tänzelte; und weil es gar nicht so einfach ist, mitten auf dem Meer in ein Ruderboot zu klettern, und weil es darum eine ganze Weile dauerte, bleibt mir genug Zeit, dir zu erklären, dass Hinnerk mit dem Hut »Nichts wie rein in das kleine Ruderboot und ordentlich rudern!« gesagt hatte, inzwischen weißt du ja, dass diese Seeleute für alles ihre eigene Sprache hatten.

Aber wieso hatte Hinnerk ihnen das Boot denn überhaupt runtergelassen, verflixt noch mal?

Darüber nachzudenken hatten Moses und Hannes nun wirklich keine Zeit und wir auch nicht; denn kaum hatten sie sich zu zweit hineingequetscht, da hörten sie vom Oberdeck der »Suse« auch schon laute betrunkene Stimmen grölen.

»Was – machssudennda – Hinnerkmitem – Hut?«, schrie eine Stimme, und Moses zog den Kopf ein und schnappte sich die beiden Skulls und legte sich ordentlich ins Zeug.

»Was – issenda – passiert?«, fragte jetzt auch noch eine zweite Stimme.

Und wenn sich nicht gerade in diesem Augenblick eine Wolke vor

den Mond geschoben hätte, der immer noch aussah wie ein angebissener Keks, dann hätte die Sache vielleicht schlimm ausgehen
können. Aber so war das Boot in der Dunkelheit nicht mehr zu sehen und Moses tauchte die Skulls auch nur ganz, ganz vorsichtig ins
Wasser, sodass fast kein Geräusch zu hören war. Und zu sehen waren
sie jetzt ja sowieso nicht mehr.

»Was meint ihr denn wohl, ihr dösigen Saufköppe, was ich hier
mache?«, rief Hinnerk mit dem Hut oben auf dem Achterdeck. »Ich
guck mir die Sterne an, das mach ich hier!«

Und Moses skullte und skullte, was das Zeug hielt, und weil sie
ja ihr Leben lang zur See gefahren war und weil sie darum Übung
hatte, wie du dir vorstellen kannst, flitzte das kleine Boot nur so über
das Wasser.

Und dann kam auch noch ausgerechnet Olle Holzbein den beiden
Flüchtlingen zu Hilfe, wer hätte das gedacht!

Denn plötzlich hörte Moses von der »Suse« her ein lautes Kra-
chen, das konnte ja nur bedeuten, dass irgendwer die Tür zum Lade-
deck mit Schwung aufgeschmissen hatte; und dann brüllte eine
Stimme, vor der sie jetzt ganz bestimmt keine Angst mehr hatte:
»Ihr Männer, zu Hilfe, zu Hilfe! Ein Gespenst, ein Gespenst! Unter
Deck sitzt ein fürchterliches Schiffsgespenst und schreit immerzu
›Buh!‹ und es hat meine Kienfackel mit Wasser gelöscht und gefes-
selt hat es mich auch noch! Zu Hilfe, ihr Männer, zu Hilfe!«

Da sah Moses Hannes an und Hannes sah Moses an und vorsichtshalber lachten sie beide nur ganz leise.

»Ein fürchterliches Schiffsgespenst, so, so, so!«, flüsterte Moses
und legte sich mit aller Kraft in die Skulls. »Na, dann will ich das
Schiffsgespenst mal fix an Land bringen, was?«

»Das mach du mal, Mose mit der Hose!«, sagte Hannes zufrieden.
»Bei dem ollen Holzbein sind wir nun wirklich lange genug gewesen!«

Und das stimmte ja auch.

23. Kapitel,

in dem der Zufall die Kinder genau an der richtigen Stelle an Land spült

Vielleicht hast du dich schon gewundert, wo denn bloß Schnackfass abgeblieben war. Es hat ja schon eine ganze Weile niemand mehr »Rrrrübe ab!« gesagt, und endlich merkte Hannes das auch.

»Schnackfass!«, rief er plötzlich und fiel Moses wild in die Ruder. »Wir haben ja meine kleine Schnackfass an Bord vergessen!«

Und das war die traurige Wahrheit. Als sie vorhin so ruck, zuck vor Olle Holzbein geflohen waren, hatten Moses und Hannes tatsächlich überhaupt nicht an Schnackfass gedacht, und als sie fast ertrunken wären, schon gar nicht. Sie hatten sie einfach unten im Laderaum vergessen! Und Schnackfass konnte ja nicht fliegen, weil Hannes ihr doch die Federn gestutzt hatte, darum hatte sie den beiden auch nicht nachkommen können, egal wie gerne sie das vielleicht gewollt hätte.

»Wir haben Schnackfass an Bord vergessen!«, flüsterte jetzt auch Moses und für einen kleinen Augenblick hörte sie auf zu skullen. »Oh Dunnerlittchen! Was macht Olle Ochsenhirn denn jetzt bloß mit unserer Schnackfass, wenn er merkt, dass sie die ganze Zeit die Gespensterstimme war?«

»Wir müssen zurück!«, rief Hannes und jetzt sah er viel, viel ängstlicher aus als vorhin, als er fast ertrunken wäre, das ist ja zu verstehen. Wenn man ein kleines Haustier hat und hat es lieb und hat es unter Deck vergessen und ein grässlicher Seeräuberkapitän will ihm vielleicht was Gemeines antun, dann ist es ja logisch, dass man sich fürchtet. »Klar zur Wende, Seeräubermoses! Wir müssen zurück und Schnackfass retten!«

Aber wenigstens Moses behielt einen klaren Kopf, wenn sie auch fast so erschrocken war wie Hannes. »Wir können nicht zurück, Hannes!«, sagte sie. »Sonst steckt uns Olle Holzbein glatt *beide* in den Ziegenkäfig, und was er dann mit uns anstellt, will ich lieber gar nicht wissen! Bestimmt ist er fuchsteufelswütend auf uns, weil wir ihn so reingelegt haben, und dann können wir Schnackfass auch nicht mehr helfen!«

Na, das stimmte ja nun ganz bestimmt, auch wenn es vielleicht ein kleines bisschen herzlos klang. Und sogar Hannes sah das ein, und während Moses voller Kummer um Schnackfass mit kräftigen Schlägen auf das Morgenrot zuskullte, saß Hannes zusammengekauert da und schluchzte und schluchzte, dass seine Tränen sich mit dem Meerwasser mischten. Das würde ja wohl jeder tun, wenn er glaubt, er hat sein kleines Tier für immer verloren, ganz egal ob Bengel oder kleine Dame.

Bevor du nun womöglich auch noch traurig wirst, verrate ich dir lieber schnell, dass am Ende doch noch alles gut ausging. Aber Hannes und Moses da in ihrem Boot konnten das natürlich nicht wissen, und darum glaubten sie jetzt, als die Morgensonne langsam über den Horizont gekrochen kam, auch fast, dass sie niemals wieder fröhlich sein könnten. Aber das sollte sich ganz schnell ändern.

Denn als, wie gesagt, allmählich die Sterne verblassten und der Himmel sich am Horizont immer rötlicher färbte, da sahen die Kinder endlich Land.

»Wir haben es geschafft, Hannes, gleich sind wir da!«, schrie Moses und wischte sich mit dem Handrücken den Schweiß von der Stirn. »Nun kannst *du* aber mal ein bisschen skullen.«

Da sah Hannes sie immer noch traurig an, aber dann nahm er die Skulls und legte los; und Moses wunderte sich kein bisschen, wieso denn ein Bauernjunge und eine geborene Landratte das so gut konnte, fast so gut wie sie. Vielleicht dachte sie ja, er hätte es in seiner Schiffsjungenzeit auf der »Süßen Suse« gelernt.

Und während die Sonne immer höher über den Horizont kletterte, kam auch das Land langsam immer näher. Da gab es eine weiße Steilküste mit gelb leuchtenden Kornfeldern und kleinen, gemütlichen Buchten; und irgendwo, nicht weit vom Strand, stand sogar ein hoher, hoher Turm aus Holz, der war so hoch, dass man glatt Angst haben musste, er könnte beim nächsten Sturm umgepustet werden; und was der da nun sollte, konnte Moses sich überhaupt gar nicht vorstellen, so was hatte sie nämlich noch niemals gesehen.

Hannes skullte währenddessen, was das Zeug hielt, darum saß er natürlich mit dem Rücken zum Land, so ist das ja, wenn man rudert. Und ab und zu kullerte ihm immer noch eine Träne über die Wangen, da zog er irgendwann ziemlich laut die Nase hoch, wie man das ja auf keinen Fall soll, aber Taschentücher gab es damals leider noch nicht, und er fragte Moses mit einer ganz tapferen Stimme: »Na, wie ist es denn, Seeräubermoses? Sind wir bald da? Mir fallen sonst gleich die Hände ab!«

»Ja, phhht!«, sagte Moses und guckte gespannt auf das Land. »Stell du dich mal nicht so an! Ich hab ja noch viel länger geskullt! Aber gleich sind wir da, Dohlenhannes, und Dunnerlittchen, sieht das Land hier aber schön aus! Es gibt eine weiße Steilküste mit gelb leuchtenden Kornfeldern und kleine gemütliche Buchten; aber am merkwürdigsten ist der hohe Turm!«

»Der hohe Turm?«, schnaufte Hannes, denn langsam hatte er wirklich keine Kraft mehr in den Armen und genug von der Ruderei. »Was denn für ein hoher Turm?«

»Ist das ein Kirchturm?«, fragte Moses nachdenklich. »Nee, nee, so sieht der nicht aus! Guck doch mal selbst, verdammich!«

Da runzelte Hannes die Stirn und drehte sich um; und vor lauter Verblüffung ließ er doch tatsächlich beide Skulls gleichzeitig los, dass sie fast ins Wasser gerutscht wären, wenn Moses nicht ganz schnell zugepackt hätte. Dann hätten sie jetzt aber in der Patsche gesessen, denn ein Boot ohne Skulls oder Riemen ist ja nicht nützlicher als eine alte Waschbalje, wenn man damit über das Meer schippern will.

»Zu Hause!«, brüllte Hannes, und dafür, dass er eben gerade fast die Skulls über Bord geschmissen hätte, entschuldigte er sich überhaupt nicht. »Wir sind gleich zu Hause!«

»Zu Hause? Wieso denn zu Hause?«, fragte Moses erstaunt. Dabei war das doch eigentlich gar nicht so schwer zu verstehen.

»Zu Hause, zu Hause, zu Hause!«, brüllte Hannes, und von Schnackfass war erst mal nicht mehr die Rede, wie du ja merkst. »Das ist *unsere* Bucht und das ist *unser* Turm und dahinten liegt *unser* Dorf! Zu Hause! Ich bin wieder zu Hause, Mose mit der Hose!«

War das nicht ein komischer Zufall? Aber auch ein schöner Zufall, das muss man schon sagen, die passieren ja öfter, als man denkt.

Und vor lauter Glück fiel Hannes Moses um den Hals, aber weil sie doch jetzt rudern musste, war das überhaupt gar nicht praktisch.

»Lass los!«, schrie Moses darum auch böse; denn als sie sah, wie sehr Hannes sich freute, wieder nach Hause zu kommen, da merkte sie plötzlich, wie gern sie auch wieder zu Hause sein wollte auf der »Wüsten Walli« bei Nadel-Mattes und Haken-Fiete und Marten Smutje und Käptn Klaas, und schon war das Heimweh da und machte sie ganz gnatterig. »Lass mich los, Dohlenhannes! Du willst uns wohl mit Macht zum Klabautermann schicken!«

Aber Hannes war viel zu glücklich, um eingeschnappt zu sein. »Was bist du denn so gnägelig, Mose mit der Hose! Dahinten liegt mein Dorf!«, rief er. »Ich erkenn es am Turm!«

»Was ist das denn wohl für ein dösbaddeliges Dorf, wenn ihr da nur so einen klöterigen alten Kirchturm bauen könnt!«, sagte Moses. Übrigens waren damals ziemlich viele Kirchtürme nur aus Holz, aber das konnte Moses ja nicht wissen. Schließlich hatte sie ihr ganzes Leben auf dem Meer zugebracht, da sieht man nicht so viele Kirchen. Und außerdem sollte sie sich noch wundern.

Aber genau jetzt schwappten die Wellen das kleine Boot endlich an Land und die Kinder zogen es gemeinsam auf den Strand, und die Skulls nahmen sie vorsichtshalber mit, als sie sich nun auf den Weg zum Dorf machten. Damit niemand mit ihrem Boot wegfahren konnte natürlich – denn ohne Skulls, das weißt du ja, war es zum Schippern nicht nützlicher als eine alte Waschbalje.

»Komm mit, Seeräubermoses, jetzt gibt's erst mal ordentlich Frühstück!«, sagte Hannes und schwenkte sein Skull durch die Luft, als wäre es eine Fahnenstange.

Und bei dem Gedanken an Frühstück hellte Moses' Miene sich auf, das kann man sich ja vorstellen nach einer Nacht auf dem Wasser und der ganzen Rübenmus-Esserei vorher. »Na gut!«, sagte Moses. »Na gut.«

Vielleicht dachte sie ja, dass es jetzt endlich mal ein bisschen ruhiger werden würde in ihrem Leben. Sie hatte eben keine Ahnung, wo sie gerade gelandet war.

3. Teil,

in dem erzählt wird,
wie Moses noch mehr neue Freunde
findet und den gefährlichen Seeräuber
zum zweiten Mal überlistet

ROTER FELSEN

DIE WESTSEE

24. Kapitel,
in dem Hannes wieder zu Hause ankommt

Das Dorf, in dem Hannes zu Hause war, lag gar nicht weit hinter dem Strand, deshalb hatte Olle Holzbein ihn damals ja auch schanghaien können, wie du dich erinnerst. Strohgedeckte kleine Bauernkaten kuschelten sich hinter dichten Hecken zusammen, denn an der Küste bläst ja immer ein ordentlicher Wind, da muss man gucken, wie man sich vor ihm versteckt. Und mitten in den Feldern, auf denen gelb das Korn leuchtete und dazwischen rot die Mohnblumen und weiß die Margeriten, erhob sich der Turm, den Moses schon vom Boot aus gesehen hatte, und am Feldrand standen ein paar Frauen zusammen und lachten und redeten.

Das war ja nun erst das zweite Mal in ihrem Leben, dass Moses Damen sah, und gleich musste sie wieder staunen. Denn diese hier sahen wirklich sehr anders aus als die feinen Damen in den finsteren Spelunken der Hafenstadt, überhaupt nicht so bunt und überhaupt nicht so glitzernd, aber dafür waren sie sehr viel gemütlicher; und Moses überlegte, ob *so* eine Dame mit ein bisschen Übung nicht vielleicht doch ein Seeräuberhauptmann werden könnte.

Und wenn du jetzt glaubst, dass die Frauen lauter faule Susen waren, weil sie da alle frühmorgens am Feldrand zusammenstanden und klönten und kicherten, anstatt ihre Arbeit zu tun, von der es im Dorf doch bestimmt auch genug gab, dann kann ich dich beruhigen. Die Frauen waren nämlich überhaupt nicht zum Klönen an den Feldrand gekommen, das taten sie nur nebenbei. Und wozu sie eigentlich gekommen waren, das kannst du dir vielleicht sogar denken, wenn

149

du ein bisschen überlegst, ich will dir das nämlich eigentlich gar nicht erklären, aber na gut.

In den finsteren Zeiten, in denen unsere Geschichte spielt, gab es ja nicht nur noch keine Kühlschränke, wie du weißt: Richtige Klos gab es damals natürlich auch noch nicht und darum mussten die Menschen sich für ihre, sagen wir mal, morgendliche Verrichtung eben etwas anderes überlegen; und das taten sie auch, sie waren ja nicht dumm. Im Winter gingen sie dazu in den Stall zu den Tieren ins Stroh; da müffelte es ja sowieso schon schlimmer als im Mannschaftslogis auf einem Seeräuberschiff, aber wenigstens war es schön warm und gemütlich.

Und wenn dann das Frühjahr kam und die Sonne höherstieg, dann trafen die Frauen aus den Dörfern sich morgens vor der Arbeit irgendwo in den Feldern, denn gemeinsam fanden sie die Verrichtung viel vergnüglicher als alleine; und sie klönten und schnatterten und erzählten sich alle Neuigkeiten, bevor sie sich dann auf den Weg zurück zu ihren Katen und an ihre Arbeit machten, und genau dabei hatten Moses und Hannes sie an diesem Morgen erwischt.

Da standen sie also wie ein Empfangskomitee, als die Kinder sich müde von der durchwachten Nacht langsam vom Strand her näherten, und sahen ihnen gespannt entgegen; bis plötzlich eine von ihnen anfing zu rennen, dass ihre Röcke flatterten, und sie kam genau auf die Kinder zu.

»Hannes, mein Hannes!«, rief die Frau, und Moses sah erstaunt, wie fix sie war, obwohl es eine ganze Menge von ihr gab. »Hannes, mein Jung, bist du wieder zurück!«

Und Hannes rannte auch, der Frau immer entgegen, und sein Skull schmiss er einfach in den Sand. »Mama!«, schrie er. »Mama!«, und da breitete die Frau auch schon ihre Arme aus und Hannes warf sich hinein, und die Frau presste ihn an sich und murmelte immerzu: »Hannes, mein Hannes!«, und die anderen Frauen alle kamen langsam näher, fast auf Zehenspitzen. Dann standen sie um die beiden herum und lachten und klatschten in die Hände.

»Hannes ist wieder zu Hause!«, riefen sie. »Unser Hannes, den der fürchterliche Seeräuber Olle Holzbein schanghait hat, ist wieder zu Hause!«

Und Moses stand ganz alleine mit ihrem Skull in der Hand; und niemand beachtete sie, und sie fühlte sich so einsam und verlassen und so voller Heimweh wie noch niemals in ihrem Leben.

25. Kapitel,

in dem es ein ordentliches Frühstück gibt und Moses begreift, wozu der Turm gut ist

Ja, so war das, als Moses zum ersten Mal eine Mutter sah. Hannes hatte ihr ja erklärt, dass es Mütter gab und dass sie auch eine hatte, und trotzdem hatte Moses immer geglaubt, dass sie ganz gut ohne auskäme, wie du ja weißt.

Aber jetzt spürte sie plötzlich einen kleinen Kloß im Hals, der wuchs und wuchs; und sie dachte, dass sie nun aber gucken musste, dass sie so schnell wie möglich zurück auf die »Wüste Walli« kam, da warteten ja Käptn Klaas und Nadel-Mattes und Haken-Fiete und Bruder Marten der Smutje auf sie; und das Heimweh wuchs in ihr drin, bis schließlich gar kein Platz mehr für irgendetwas anderes war.

Und genau da machte Hannes sich zum Glück plötzlich von seiner Mutter los und drehte sich suchend um.

»Moses?«, rief er, und er sah so glücklich und vergnügt aus. »Wo bleibst du denn, Seeräubermoses! Ich will dich doch meiner Mutter vorstellen!«

Sofort öffnete sich der Kreis der Frauen und alle sahen sie Moses freundlich entgegen, und mit steifen Beinen ging sie auf sie zu. Aber auf dem Weg sammelte sie noch schnell das zweite Skull auf, das Hannes einfach so weggeschmissen hatte.

»Das hier ist Moses!«, rief Hannes. »Der ist mein Kumpel und mein allerbester Freund, und ohne den wäre ich jetzt nicht wieder zu Hause, sondern ertrunken am Meeresgrund bei den Fischen!«

Da nahm seine Mutter ihre Hände von Hannes´ Schultern und

legte sie auf Moses´ Schultern. »Guten Morgen, kleiner Moses!«, sagte sie und dann zog sie Moses an sich, wie sie vorher Hannes an sich gezogen hatte, und Moses merkte erstaunt, wie weich sich so ein Frauenzimmer anfühlte, sogar noch weicher als Marten Smutje. »Sei uns ganz herzlich willkommen! Ein Freund unseres Sohnes ist auch unser Freund, und unser Zuhause soll auch dein Zuhause sein!«

Na, das war ja ein nettes Angebot, aber lieber wollte Moses doch zurück auf die »Walli«.

Und außerdem wusste sie gar nicht, was jemand mit guten Manieren in so einer Situation antworten musste, das hatte Nadel-Mattes ihr nicht beigebracht. Es hätte sie aber sowieso niemand hören können, denn Hannes´ Mutter hatte sie ja gerade ganz fest gegen ihren Bauch und ihre Brust gepresst, da war ihr Mund ganz verschwunden. Und ein kleines bisschen wurde Moses´ Heimweh dadurch besser und ein kleines bisschen wurde es dadurch sogar noch schlimmer, und wie das nun beides gleichzeitig sein kann, kann ich nicht erklären, aber dass es so war, das schwöre ich.

Zum Glück ließ die Mutter sie auch bald wieder los. »Und nun wird es wohl Zeit, dass ihr zwei mal ordentlich was in den Magen kriegt!«, sagte sie und musterte Moses von oben bis unten. »Vor allem du, kleiner Moses! Du meine Güte, was für ein Spiddel und Strich in der Landschaft du bist!«

Dann zogen sie im Triumphzug ins Dorf, wo auch die Männer sie johlend begrüßten; die schlugen Hannes auf *seine* Schultern und hoben ihn auf *ihre* Schultern und Moses boxten sie freundschaftlich gegen die Arme. Und währenddessen tischten die Frauen ein Frühstück auf, das war so riesig und so wunderbar, dass Moses für einen Augenblick ihr Heimweh ganz und gar vergaß: Speck und Schinken und Eier und frisches Brot und cremige Butter aus dem Fass und zwei Sorten Käse, der roch mindestens bis zur nächsten Bucht, und die allerletzten Äpfel vom letzten Herbst, die waren schon ein bisschen schrumpelig.

Da hauten Moses und Hannes rein, als hätten sie seit Tagen nichts zu essen gekriegt. Und immer wenn er einen Happen runterge-

schluckt hatte, erzählte Hannes von seinen Abenteuern auf der »Süßen Suse«, und manchmal redete er sogar mit vollem Mund.

»Dieser Olle Holzbein!«, sagte Hannes´ Vater, als sein Sohn fertig war mit Erzählen, und er schüttelte böse den Kopf. »So ein finsterer, gemeiner Kerl!«

»Na warte!«, sagte Hannes´ Mutter. »Das zahlen wir dem heim!«

»Das zahlen wir dem heim!«, sagten auch die anderen Frauen, und die Männer nickten und schlugen sich mit ihrer rechten Faust in ihre linke Hand. »Das soll der uns büßen!«

Und: »Kalle Guckaus? Sitzt du auf dem

Ausguck?«, schrien sie, und da wusste Moses ja auch endlich, wozu der hölzerne Turm gut war, denn von dort oben beobachteten die Dörfler das Meer.

Aber Moses überlegte keine Sekunde, wie diese armen Bauern so einem gefährlichen Seeräuber wie Olle Holzbein denn wohl etwas heimzahlen wollten oder wozu sie einen Ausguck brauchten wie auf einem Schiff. Ein Dorf segelt ja nicht durch die Gegend, da muss man nicht Kurs halten und kann nicht plötzlich auf ein Riff laufen oder auf eine Sandbank, und ein Ausguck ist da doch eigentlich ziemlich überflüssig. Aber Moses überlegte ja gerade überhaupt nicht viel, nicht mal, wieso denn diese armen Bauern Hannes und ihr so ein fürstliches Frühstück auftischen konnten; denn eigentlich waren Bauern ja damals so arm wie die Kirchenmäuse, das weißt du vielleicht, und dass sie in diesem Dorf mit Butter aus dem Fass und Eiern und Schinken und Speck trotzdem geradezu so um sich schmissen wie auf einer reichen Ritterburg, hätte Moses vielleicht doch wundern sollen.

Aber anstatt sich zu wundern, legte sie sich mit ihrem wohlgefüllten Bauch ganz zufrieden auf ein kuscheliges Strohlager, das hatte Hannes´ Mutter ihr fertig gemacht mit einem frisch gewaschenen Leintuch und allem, und bevor noch wieder das Heimweh kommen konnte, war Moses schon eingeschlafen.

Aber *wir* schlafen ja nicht und darum können wir uns vielleicht schon ein bisschen wundern. Ich finde ja überhaupt, dass es in dieser Geschichte inzwischen ziemlich vieles gibt, worüber man sich wundern muss. Vielleicht solltest du langsam mal eine Liste anlegen.

26. Kapitel,

in dem überraschenderweise aus einem Überfall eine Rettung wird

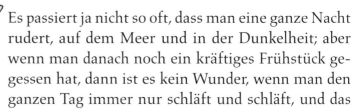

Es passiert ja nicht so oft, dass man eine ganze Nacht rudert, auf dem Meer und in der Dunkelheit; aber wenn man danach noch ein kräftiges Frühstück gegessen hat, dann ist es kein Wunder, wenn man den ganzen Tag immer nur schläft und schläft, und das taten Moses und Hannes denn auch. Und sie hätten bestimmt noch viel länger geschlafen, wenn nicht plötzlich ein lauter Ton sie geweckt hätte, der kam aus einem Horn und klang wie ein Signal.

Da setzte Moses sich erschrocken hin und rieb sich die Augen, und als sie sich gerade fragen wollte, was das Signal denn wohl bedeuten konnte, sprang Hannes auch schon auf.

»Kalle Guckaus auf dem Ausguck hat ein Schiff gesichtet!«, rief er, und tatsächlich: Bevor Moses sich noch den Schlaf aus den Augen reiben konnte, hörte sie die Dörfler auch schon rufen: »Schiff in Sicht! Schiff in Sicht!« Und als sie gerade fragen wollte, was daran wohl so aufregend war, denn schließlich lag das Dorf ja an der Küste, da fuhren doch wohl öfter mal Schiffe vorbei, sah sie verblüfft, wie die Männer überall eilig ihre Öllampen fertig machten. Das war doch merkwürdig, es war ja noch nicht mal dunkel.

Die Frauen allerdings standen ganz vergnügt weiter an den Feuerstellen und kochten und brutzelten, was das Zeug hielt, denn an diesem Abend sollte Hannes' Heimkehr mit einem großen Festmahl gefeiert werden wie die Heimkehr des verlorenen Sohnes, von dem du ja vielleicht schon gehört hast; und den Duft nach gebratenem Fleisch und brutzelnden Zwiebeln, der jetzt durch das ganze Dorf zog, fand Moses um einiges spannender als alle gesichteten Schiffe. Schiffe hatte sie in ihrem Leben wahrhaftig genug zu sehen gekriegt, aber leckeres Fleisch leider nicht so oft. Dabei hätte man ja vielleicht denken können, dass sie vom Frühstück immer noch satt war, aber wer das glaubt, der hat wahrscheinlich noch nie in seinem Leben tagelang nur Rübenmus zu essen gekriegt.

Und als die Dämmerung fiel und auch die Männer ohne ihre Lampen wieder ins Dorf zurückgekehrt waren, da setzten sie sich alle auf dem Dorfplatz zusammen; und so ein Essen hatte Moses auf der »Walli« noch niemals erlebt. Du weißt ja, dass sie da immerzu nur Stockfisch und Schiffszwieback und Linsen gegessen hatte und ab und zu vielleicht noch mal ein bisschen Dörrobst oder an Festtagen auch Sirup und Honig; und darüber hatte sie auch nie gejammert. Aber als sie jetzt den Schweinebraten sah mit seiner glänzenden Kruste und das zarte Rot des Rinderbratens und dazu Hähnchenschenkel und ganze Kaninchen im Tontopf, da begriff Moses plötzlich, dass das Leben auf See natürlich wunderbar war und bestimmt viel aufregender und abenteuerlicher als das Leben in einem langweiligen Dorf; aber zum Essen wollte sie von jetzt an vielleicht doch manchmal an Land kommen.

Und darum langte sie zu, wie sie in ihrem Leben noch niemals zugelangt hatte, und die Dörfler taten das auch; und am Rand standen drei Musikanten und spielten lustige Melodien auf dem Dudelsack und auf der Drehleier und auf dem Trumscheit. Du hättest über diese Musik vielleicht nur gelacht, denn du kennst ja alle möglichen Musikinstrumente und sogar MP3-Player und CDs; aber für Moses, die bisher in ihrem Leben noch nie eine andere Musik gehört hatte als die Seemannslieder, die die wüsten Kerle an Bord der »Walli« aus ihren rauen Kehlen schmetterten, klang diese Musik so lieblich und so schön, dass sie darüber fast ihr Heimweh vergessen hätte.

Und gerade als Moses dachte, dass sie nun aber so pappsatt war, dass sie sicher niemals in ihrem ganzen Leben wieder irgendetwas essen konnte, noch nicht mal Sirup und Honig, und dass außerdem bestimmt gleich ihre Linsensackhose platzen würde, wenn sie auch nur noch das kleinste Fitzelchen runterschluckte, hörte sie wieder das merkwürdige Hornsignal: Das kam von hoch oben vom hölzernen Turm, wo seit der Dämmerung die Ölfeuer blakten, dass es eine Freude war, und wo immer noch Kalle Guckaus auf dem Ausguck saß, der arme Kerl, der hatte sein Essen mit hochnehmen müssen.

Und wenn du jetzt glaubst, Moses hätte mal irgendwen gefragt, was das Feuer da oben denn wohl sollte, dann irrst du dich aber gewaltig. Immer nur gegessen und geschlafen und wieder gegessen hatte sie und zwischendurch mal ein bisschen Heimweh gehabt. Und umso größer war jetzt ihre Überraschung.

»Alle Mann an den Strand!«, brüllte Kalle Guckaus nämlich plötzlich, und da sprangen die Dörfler auf, Männer und Frauen und Kinder, und ihren Schweinebraten und das Hähnchen im Tontopf ließen sie einfach liegen. Nur eine klitzekleine Hähnchenkeule nahmen sie vielleicht mit auf den Weg, die konnten sie ja noch ganz schnell nebenbei verdrücken.

Und weil Hannes wie alle anderen aufgesprungen war und rannte, blieb Moses ja gar nichts übrig, als das nun auch zu tun. Obwohl sie nicht wusste, wohin und warum. Aber dann hörte sie Kalle Guckaus wieder brüllen: »Juhu, die Schaluppe liegt auf der Sandbank! Wir haben Olle Holzbein erwischt, juhu, ich seh seine Seeräuberflagge! Die Seeräuberkogge liegt auf der Sandbank!« Da fiel es Moses wie Schuppen von den Augen, denn schließlich war sie ja ein Seeräuberkind.

Aber weil du ja kein Seeräuberkind bist, das glaube ich wenigstens, und weil es dir darum vielleicht nicht wie Schuppen von den Augen fällt, muss ich wohl lieber noch schnell erklären, was da gerade passiert war.

Die Menschen in den Dörfern, das weißt du ja, waren damals in den finsteren Zeiten meistens sehr, sehr arm und immerzu hungrig, und dass sie so viel zu essen hatten wie bei dem Festessen eben, das war eigentlich ein Wunder. Und wie die meisten Wunder kann man auch dieses ganz leicht erklären.

Den Dörfern an der Küste nämlich ging es manchmal viel besser als all den anderen, denn dort hatten die Dörfler einen feinen Nebenverdienst. Auch wenn der Herr Pfarrer den vielleicht nicht so schön fand, weil er ja nicht so ganz ehrlich war. Aber Not kennt kein Gebot, wie das Sprichwort so sagt, und wenn man immerzu Hunger hat, dass der Magen knurrt, und auf dem Wasser sieht man jeden Tag die stattlichen Kaufmannsschiffe und ab und zu auch die schwer beladenen Seeräuberschiffe vorbeifahren, dann denkt man eben schon mal darüber nach, dass all das Gold und das Essen vielleicht doch nicht ganz gerecht verteilt sind auf der Welt.

Und darum waren die Menschen in Hannes' Dorf am Meer (und nicht nur da) also auf die Idee mit den geschummelten Leuchtfeuern gekommen. Sie bauten den hohen hölzernen Turm, den du ja schon kennst, auf dem setzten sie einen Mann in den Ausguck; und wenn er dann ein Schiff erspäht hatte, dann blies er mit dem Horn sein Signal zum Zeichen, dass die Männer jetzt überall ihre Öllampen aufstellen sollten. Und er stellte oben auf dem Turm auch eine Öllampe auf; denn dann sah die Küste vom Meer her in der Dunkelheit aus wie ein Hafen und der Ausguckturm wie ein Leuchtturm, und die Schiffe steuerten glatt darauf zu; aber wenn sie dem Land zu nahe kamen, liefen sie auf eine Sandbank und saßen fest und konnten nicht mehr vor und nicht mehr zurück.

Dann sprangen alle Männer aus dem Dorf in ihre kleinen Boote und ruderten, was das Zeug hielt; und während das Schiff auf der Sandbank langsam auf die Seite kippte und die Matrosen ins Wasser sprangen und sich auf den Wellen an ihre hölzernen Seekisten klammerten (denn du weißt ja, schwimmen konnten sie nicht), bargen die Dörfler die Ladung und schafften sie in ihren kleinen Booten ins Dorf. Und darum nannte man sie übrigens Strandräuber.

Na, da war ja klar, warum Hannes so gut skullen konnte! Seit er groß genug war, ein Ruder zu halten, hatte er ja mitgeholfen, Ladung zu bergen; und haargenau das hatte er jetzt also auch wieder vor, und Moses stieg zu ihm ins Boot, um in der Dunkelheit zur Sandbank zu rudern, wo sich vor ihren Augen langsam, ganz langsam eine große Kogge mit einer Seeräuberflagge am Mast zur Seite neigte.

»Meine kleine Schnackfass!«, schnaufte Hannes und legte sich ordentlich ins Zeug. »Das ist Olle Holzbein seine Schaluppe! Wir müssen an Bord, bevor der Kahn sinkt, Seeräubermoses! Schnackfass hockt da doch noch unter Deck!«

Guck mal an, jetzt dachte er plötzlich wieder an sie, und dabei hatte ich schon fast gedacht, er hätte sie über all dem leckeren Essen ganz vergessen.

»Dann kriegst du sie jetzt ja wieder!«, sagte Moses und dabei guckte sie verblüfft zu, wie die netten, freundlichen Bauern auf die Kogge zuruderten; aber jetzt waren sie auf einmal gar nicht mehr so nett und so freundlich, und sie schwenkten ihre Sensen mit gefährlichem Gebrüll und auch ihre Dreschflegel und was sie sonst noch so als Waffen gebrauchen konnten, denn Säbel hatten sie natürlich nicht. Und obwohl Moses Olle Holzbein ja wirklich von ganzem Herzen alles mögliche Schlechte gönnte, war sie sich doch nicht sicher, ob sie diese Strandräuberei so ganz besonders schön finden konnte. Denn vom Schiff her hörte sie jetzt die Seeräuber in ihrer Angst jammern und schreien, du weißt ja, sie konnten nicht schwimmen damals. Darum wussten die wüsten Gesellen alle, dass sie gleich zum Klabautermann fahren mussten, wenn ihr Schiff sank; und Moses dachte, dass sie wenigstens Hinnerk mit dem Hut vielleicht doch ganz gerne gerettet hätte, denn um sie herum spaddelten überall schnaufende Seeräuber im Wasser.

»Klar zum Entern!«, brüllte Kalle Guckaus im vordersten Boot, der war der Kogge jetzt so nahe, dass er am Bug sogar die Schrift mit dem Namen erkennen konnte. Aber lesen konnte er sie natürlich nicht. »Olle Holzbein, wir kommen! Jetzt hat dein letztes Stündlein geschlagen!«

Und damit legte er beim Rudern noch einen ordentlichen Schlag zu.

»Olle Holzbein, wir kommen!«,
riefen auch die anderen Männer alle.
»Olle Holzbein, wir kommen!«

Und gerade als Moses endlich mitbrüllen wollte,
hörte sie das Geräusch. Es war ein Geräusch, das sie überall
auf der Welt erkannt hätte, und es fuhr ihr eiskalt durch Mark und
Bein.

»Dunnerlittchen, alle zurück und aufhören!«, schrie sie darum
in allerhöchster Panik; denn Kalle Guckaus verscheuchte schon mit
seiner Sense *zisch!*, *zisch!*, *zisch!* die armen Kerle im Meer um sich
herum, dass sie Wasser spuckten und ihre Köpfe kaum noch über
den Wellen halten konnten. »Zurück, aufhören, verdammich! Das
ist ja gar nicht Olle Holzbein sein Kahn!«

Dann hörte sie zum zweiten Mal das Geräusch und jetzt konnte es
wirklich keinen Zweifel mehr geben. Ein lautes, ängstliches Ziegen-
gemecker hörte Moses vom Achterkastell der Kogge, und natürlich
ahnst du auch schon, wer da oben so meckerte in allerhöchster Not.

»Euter-Klaas!«, brüllte Moses. »Euter-Klaas soll nicht ertrinken!«

Da drehten die Strandräuber sich alle erschrocken zu ihr hin, und Moses schwenkte ihre Arme wild durch die Luft (das konnte sie ja machen, weil Hannes doch ruderte) und brüllte immer wieder: »Das ist ja gar nicht Olle Holzbein sein Kahn! Das ist die ›Wüste Walli‹! Rettet sie, rettet sie doch!«

Und da wäre es ja vielleicht ganz gut gewesen, wenn diese Kerle wenigstens ein kleines bisschen hätten lesen können! Dann hätten sie ja gesehen, dass der Name vorne am Bug »Wüste Walli« hieß und nicht »Süße Suse«, und da sieht man doch mal, wie nützlich das Lesen manchmal sein kann. Sonst versenkt man noch mal ganz aus Versehen das eigene Schiff.

Und während Moses noch schrie und brüllte und Hannes skullte wie verrückt, sammelten die erschrockenen Strandräuber in ihren Ruderbooten jetzt die Seeräuber aus dem Wasser, das waren ja haargenau dieselben Kerle, denen sie eben noch mit ihren Sensen und Dreschflegeln eins über die Rübe hatten geben wollen. Ja, so schnell können sich die Dinge ändern im Leben. Da waren die Ruderboote bald so voller Menschen, dass das Wasser über den Rand schwappte, denn die Strandräuber nahmen auch noch den allerletzten Mann mit an Bord, damit wirklich keiner abbuddeln musste.

Aber hoch oben auf dem Achterkastell der »Walli« stand einsam und stolz immer noch Käptn Klaas und zählte seine Männer, wie sie jetzt in die Boote der Strandräuber kletterten. Und erst als er sah, dass sie wirklich alle gerettet waren, sprang er mit einem beherzten Satz auch selbst ins Wasser. Denn der Kapitän verlässt als Letzter das sinkende Schiff, das ist eine gute Seemannsregel bis heute; und Käptn Klaas hatte ja wohl so viel Ehre im Leib, dass er sich daran hielt. (Was Olle Holzbein, der Schisshase, an seiner Stelle gemacht hätte, wollen wir lieber gar nicht wissen. Bestimmt hätte der sich gleich das Rettungsboot geschnappt und sich vor allen anderen in Sicherheit gebracht, so einer war das doch.)

Und während also alle verzweifelt versuchten, von Bord der sinkenden »Walli« zu kommen, gab es eine tapfere kleine Person, die tat genau das Gegenteil, und das war natürlich Moses, wie du dir denken kannst. Die kletterte jetzt ganz allein mit einem Affenzahn die Jakobsleiter hoch und an Deck, denn oben auf dem Achterkastell meckerte ja immer noch Euter-Klaas in allerhöchster Not. Und als sie bei ihrer Ziege angekommen war, löste sie ruck, zuck den Slip-stek, mit dem sie festgebunden war. Zum Glück funktionieren Seemannsknoten so, dass sie nie und nie und nie von alleine aufgehen wie Schnürsenkel zum Beispiel: Das könnte auf einem Schiff ja leicht mal lebensgefährlich sein. Aber wenn man sie aufknoten will, dann geht das ganz besonders fix, weil es sonst auf einem Schiff nämlich *auch* manchmal lebensgefährlich sein könnte.

Dann schubste Moses Euter-Klaas einfach über die Reling, wo die sich schon bedenklich den Wellen zuneigte, und danach hievte sie sie gemeinsam mit Hannes in ihr Ruderboot; und da meckerte Euter-Klaas nun und schimpfte, dass es eine Freude war. Ich weiß ja nicht, was Ziegen alles gerne tun, aber Bootfahren gehört jedenfalls nicht dazu, das konnte man merken.

»Ach, Euter-Klaas, Euter-Klaas!«, flüsterte Moses und presste ihr Gesicht in Euter-Klaas´ Fell, das roch so gut nach Ziege. »Hab ich dich endlich wieder!«

Und dann weinte sie und weinte, denn sie war so glücklich, dass die Kerle von der »Walli« alle gerettet waren und jetzt auch noch Euter-Klaas; und dass sie kein Heimweh mehr haben musste. Und wer glaubt, dass man nur weinen kann, wenn man traurig ist, der hat wohl noch niemals seine Seeräuberfamilie wiedergefunden, gerade wenn er sich am meisten nach ihr gesehnt hat. Da weinen vor Freude sogar die allerstärksten Kerle.

27. Kapitel,

in dem Moses endlich ihre Seeräuberfamilie wiedertrifft

Aber als Hannes dann das Boot auf den Strand zog und Euter-Klaas über das Dollbord an Land half (und du hast in deinem Leben noch keine so erleichterte Ziege gesehen!), hatte Moses sich zum Glück ausgeweint. Denn da standen schon Nadel-Mattes und Haken-Fiete und Marten Smutje und der stolze Käptn Klaas mit ausgebreiteten Armen und warteten auf sie; und weil es ja nur *eine* Moses gab, aber so furchtbar viele Seeräuber, die sie in ihrer Wiedersehensfreude in die Arme schließen wollten, dauerte die Begrüßung also ziemlich lange.

»Oh Freude, Freude!«, rief Nadel-Mattes und wischte sich vor lauter Rührung die Nase mit dem Ärmel ab. »Unsere Moses ist wieder da!«

»Dem Herrn und all seinen Engeln sei Dank, halleluja!«, rief Bruder Marten der Smutje und wrang seine pitschnasse Schürze aus, die hatte er ja nicht abgebunden, bevor er ins Wasser gesprungen war.

»Oh Freude, Freude, dem Herrn und all seinen Engeln sei Dank!«, rief Haken-Fiete, denn dem fiel ja, wie du weißt, meistens nichts Eigenes ein. Aber freuen tat er sich haargenau so doll wie die anderen alle, das konnte man sehen, so zahnlos glücklich lächelte er jetzt.

Als Letzter schloss Käptn Klaas Moses in seine nassen Arme.

»Wiedersehen macht Freude, wie das Sprichwort so sagt!«, sagte er und räusperte sich. Denn eigentlich hätte er auch gerne ein paar Tränen der Rührung geweint, aber in den Seeräuberregeln stand nichts davon, dass ein Seeräuberhauptmann so was darf. »Was haben wir dich vermisst, Seeräubermoses! Meine Schatzkarte hab ich dem alten Holzbein gegeben und unser Schiff hätte er auch haben können, der alte Raffzahn, mitsamt unserer tapferen Mannschaft, damit er dich bloß wieder rausrückt! Aber der alte Holzfuß wollte ja nichts anderes von mir wissen, als wo er den Blutroten Blutrubin des Verderbens finden kann, und wie sollte ich ihm das denn wohl sagen können?«

Dann hielt er Moses eine Armeslänge von sich weg und musterte sie wohlgefällig von oben bis unten, und dass inzwischen längst alle Leute aus dem Dorf und außerdem auch seine eigenen Männer ungeduldig von einem Fuß auf den anderen trippelten, weil sie nämlich darauf warteten, endlich zurückzumarschieren, um sich an den Feuerstellen mit den Fleischtöpfen aufzuwärmen und ihre nassen Kleider zu trocknen, kümmerte ihn kein bisschen.

»Wie gewonnen, so zerronnen, wie das Sprichwort so sagt!«, sagte Käptn Klaas. »Aber in unserem Fall muss es wohl eher heißen, wie zerronnen, so gewonnen, denn jetzt bist du ja wieder da, lütt Moses! Und übrigens bist du in der Zwischenzeit ordentlich gewachsen, wenn mich nicht alles täuscht! Wir müssen wohl eine neue Kerbe in den Mast machen, was?«

»Das müssen wir wohl, Käptn Klaas!«, sagte Moses, denn das hatten sie ja immer bei Neumond getan, wenn Moses wieder ein Stück gewachsen war. Aber als sie jetzt zu ihrer Seeräuberkogge hinsah, wie die da so armselig schief auf der Sandbank lag, da dachte sie bekümmert, dass in den Mast der »Walli« bestimmt niemand jemals mehr eine Kerbe machen würde. Denn inzwischen lag die »Walli« so schief, dass ihre Rahen fast die Ostsee berührten, und wenn am nächsten Morgen das Morgenrot kam, dann würde von ihr bestimmt nichts mehr zu sehen sein außer vielleicht ein paar kleine Blubberblasen auf der Wasseroberfläche und die eine oder andere Seemannskiste, die auf den Wellen heimatlos in die Welt hinausschwamm: Und das wäre dann das Ende des stolzen Seeräuberschiffs gewesen, das ihr Leben lang Moses´ Zuhause gewesen war.

28. Kapitel,

in dem Moses lauter traurige Sachen erfährt, aber am Ende ist alles gut

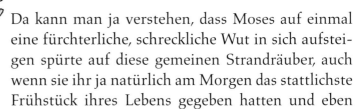

Da kann man ja verstehen, dass Moses auf einmal eine fürchterliche, schreckliche Wut in sich aufsteigen spürte auf diese gemeinen Strandräuber, auch wenn sie ihr ja natürlich am Morgen das stattlichste Frühstück ihres Lebens gegeben hatten und eben gerade das stattlichste Abendbrot, Wahrheit muss Wahrheit bleiben. Und natürlich hatte Moses es außerdem eigentlich nur ihnen zu verdanken, dass sie endlich wieder mit ihrer Seeräuberfamilie vereint war. Wer wusste denn, wann Nadel-Mattes und die anderen sie sonst wiedergefunden hätten?

Aber andererseits waren sie ja jetzt auch schuld daran, dass die »Walli« aussah, als wäre sie für immer dahin, und was aus Käptn Klaas und seinen Leuten werden sollte, wenn sie kein Schiff mehr hatten, darüber mochte Moses gar nicht nachdenken. Denn außer der Seeräuberei hatten die ja nichts gelernt; und Seeräuber ohne Schiff sind nicht zu viel nütze.

Und dann geschah auch noch etwas, das ließ Moses alles andere auf einen Schlag vergessen, so erstaunt war sie darüber und vor allem, das muss ich schon sagen, auch richtig, richtig ärgerlich. Wo sie doch sowieso schon so wütend war!

Denn während Moses am Strand ihren Kumpels einem nach dem anderen in die Arme gefallen war und sie sich gegenseitig die Tränen der Rührung aus den Augen gewischt hatten, hatte Hannes ja, wie gesagt, ganz alleine Euter-Klaas über das Dollbord auf den Strand gewuchtet; und verblüfft sah Moses jetzt, wie ihre Ziege glücklich ihren Kopf an Hannes´ Beinen schubberte und wie sie ihn beschnüffelte rauf und runter; und zuletzt leckte sie ihm mit ihrer rauen Ziegenzunge sogar noch über das Gesicht, als wäre er ein lange verlorener Freund.

»Dunnerlittchen, Euter-Klaas!«, rief Moses darum böse. »Du verwechselst mich ja! Das ist doch Dohlenhannes! *Ich* bin doch Moses! Ich bin doch hier!« Denn dass ihre Ziege plötzlich einem anderen über das Gesicht leckte, als ob sie dem gehörte, das wollte Moses eigentlich nicht. Das will ja keiner gerne, dass sein Haustier ein anderes Kind lieber mag, und außerdem konnte Moses es sich auch gar nicht erklären.

Denn Euter-Klaas war doch immer *ihre* beste Spielgefährtin gewesen und sie hatten zusammen auf dem Achterkastell getobt und sie hatte sie jeden Tag mit Heu gefüttert und ihr manchmal sogar von ihren Trockenpflaumen abgegeben, wenn Marten Smutje welche rausgerückt hatte. Warum tat Euter-Klaas denn also jetzt plötzlich so, als ob sie Hannes´ Ziege wäre?

»Hier bin ich doch, Euter-Klaas!«, rief Moses darum wieder, aber Euter-Klaas schubberte ihren Kopf weiter an Hannes´ Beinen und tat überhaupt so, als ob es nur ihn gäbe auf der Welt.

Ja, wer war denn eben ihre Lebensretterin gewesen, verdammich, und hatte sie von der sinkenden »Walli« gehievt? Und wen hatte sie denn jetzt wohl so lange nicht mehr gesehen, dass es endlich mal Zeit für ein glückliches Wiedersehensgemecker gewesen wäre? Das war doch wohl ganz bestimmt nicht Dohlenhannes, der Strandräubersohn!

Und gerade als Moses Euter-Klaas fest an den Hörnern packen und von diesem gemeinen Verräter wegreißen wollte, kam Kalle Guckaus angerannt, der wollte nur schnell mal nachgucken, warum die Kinder sich nicht längst auf den Weg ins Dorf gemacht hatten wie alle anderen.

Aber als er Euter-Klaas sah, wie sie Hannes da so zärtlich über die Nase leckte, da schlug er sich in seine öligen Hände. »Das ist ja Milchmarie!«, rief Kalle Guckaus verblüfft. »Ich erkenn sie an dem

Fleck über dem Auge!
Ja verflixt, dieses vermaledeite
Schiff hatte unsere geraubte Ziege an Bord!«

»Na, wenn das keine Freude ist!«, rief da Hannes'
Mutter, denn die war jetzt auch noch nachgucken gekommen, wo ihr
Sohn wohl blieb. Vielleicht hatte sie ja Angst, dass ihn schon wieder
jemand schanghait hatte. Aber anstatt einen Sohn weniger hatte sie
jetzt zu ihrer Freude eine Ziege mehr. »Wenn das nicht unsere alte
Milchmarie ist! Ja, bei allen Wassergeistern und Nixen, wo kommst
du denn jetzt her, Milchmarie, meine Schöne?«

Und dabei kraulte sie die Ziege zwischen den Hörnern, und tatsächlich, jetzt leckte Euter-Klaas, die untreue Tante, auch ihr noch
über die Hand, als ob sie ganz glücklich wäre, diese fremde Frau endlich wiederzuhaben. Dabei kannte sie die doch gar nicht!

Aber das tat Euter-Klaas anscheinend doch. »So, so, so, Milchmarie! Da hatten diese Seeräuber dich wohl geraubt?«, sagte Hannes'
Mutter und sie guckte ganz grimmig auf den Weg zum Dorf, wo die
Mannschaft der »Walli« jetzt im Gänsemarsch pitschnass und vor
Kälte schlotternd durch die Dunkelheit marschierte. »Solche gemeinen Kerle! Uns einfach wegzunehmen, was uns gehört! Das ist ja
allerfinsterster Diebstahl und Räuberei!«

Und damit packte sie Euter-Klaas an einem Horn und gab ihr einen
Schubs gegen den Po, und tatsächlich, da tat Euter-Klaas so, als ob
sie überhaupt gar nicht Moses' Ziege wäre, sondern Hannes' Ziege,
und trottete neben ihm und seiner Mutter her ganz zufrieden durch
die Dunkelheit ins Dorf, und Moses beachtete sie kein bisschen.

Was blieb Moses da wohl anderes übrig? Sie trottete hinter den dreien her, aber in ihrem Inneren brodelte und kochte es, das kannst du dir ja vorstellen. Auch wenn sie inzwischen begriffen hatte, dass Euter-Klaas früher mal Milchmarie gewesen war und dass Käptn Klaas und seine Männer sie also sozusagen als Schiffsziege schanghait hatten.

Aber deshalb konnte Moses ja wohl trotzdem wütend auf diese Strandräuber sein! Zuerst hatten diese gemeinen Kerle mit dem Trick mit den falschen Leuchtfeuern die »Walli« auf Grund gelockt und jetzt hatten Hannes und seine Mutter auch noch ihre Ziege weggelockt, die wollten wohl alles weglocken, was eigentlich Moses gehörte, was? Wenn das so weiterging, würden sie ihr womöglich auch noch ihren Kittel wegschnappen und ihre Hose und ihr schmuddeliges Waschbaljen-Halstuch, solche diebischen Kerle waren das doch!

Als sie im Dorf ankamen, war Moses darum so aufgebracht, dass sie glaubte, gleich müsste ihr der Kopf platzen vor lauter Wut, so ein Gefühl kennst du ja ganz bestimmt auch; und darum hielt sie sofort Ausschau nach den Männern von der »Walli«, denn sie wollte partout keine Minute länger mit diesen Ziegendieben zu tun haben, das musste Käptn Klaas doch einsehen.

»Käptn Klaas!«, brüllte Moses darum. »Wo bist du, Käptn Klaas? Komm, lass uns weggehen von hier! Bei solchen Schiffekaputtmachern und Ziegenklauern wollen wir nicht bleiben!«

Aber Käptn Klaas saß längst ganz friedlich am Feuer und aß mit der linken Hand Schweinebraten mit Kruste und mit der rechten zartestes

Rinderfilet, und wenn er noch eine dritte Hand gehabt hätte, dann hätte er bestimmt auch noch Kaninchen im Tontopf geschafft. Und die ganze Zeit unterhielt er sich schmatzend mit Kalle Guckaus, als hätte der nicht gerade eben erst mit seinen falschen Feuern die stolze »Walli« auf die Sandbank gelockt, und übrigens, ich sag das vorsichtshalber mal, damit du nicht erschrickst, war Käptn Klaas dabei von Kopf bis Fuß splitterfasernackt. Na, das gehört sich doch wohl nicht bei einem Festmahl!

Aber all die anderen Kerle von der »Walli« waren das sogar auch! Und natürlich nur, weil ihre Kleider ja zum Trocknen über dem Feuer hingen, verstehst du, sonst behielten auch die Seeräuber die zum Essen immer an; aber etwas so Feines wie eine zweite Garnitur zum Wechseln hatten sie alle nicht dabei, darum musste es jetzt eben mal ohne gehen. Und ich kann dich beruhigen, Schweinebraten und Rinderbraten und Hähnchenkeulen und Kaninchen im Tontopf schmecken ohne Kleider genauso gut wie angezogen, also war es kein Problem. Außerdem hatten die Frauen ihnen aus ihren Häusern Pferdedecken und Linsensäcke und Schaffelle gebracht, da konnten die Kerle sich wenigstens ein bisschen einwickeln. Übrigens dufteten sie alle sehr viel besser als sonst, sie hatten ja schließlich gerade unfreiwillig im Wasser gespaddelt, da war wenigstens ein bisschen von der jahrealten Dreckschicht abgeweicht.

Aber für all das hatte Moses in ihrer Wut und ihrem Kummer (denn die beiden liegen manchmal ganz dicht zusammen, wie du weißt) überhaupt keinen Blick.

»Käptn Klaas!«, schrie sie und zupfte ihren Hauptmann an seiner Pferdedecke. Na, die hielt er lieber ganz schnell fest. »Käptn Klaas, lass uns weggehen! Warum tut ihr alle so, als ob das unsere Freunde wären? Sie haben unsere ›Walli‹ auf dem Gewissen und jetzt haben sie mir auch noch Euter-Klaas weggenommen! Das sind ja alles ganz gemeine Räuber!«

»Ihr habt uns Milchmarie doch zuerst weggenommen!«, schrie da Hannes. War es nicht traurig, dass er die ganze Zeit auf der »Suse« ihr Freund gewesen war, und kaum waren sie an Land, mussten sie sich so doll streiten? »Deine Seeräuberkumpels haben doch unsere Milchmarie zuerst von der Weide gestohlen!«

Käptn Klaas stopfte sich noch eine Scheibe Schweinebraten mit Kruste hinter die Kiemen und leckte sich genüsslich die Finger ab. »Ja, ja, ja, was wahr ist, muss wahr bleiben, wie das Sprichwort so sagt!«, sagte er dann ganz vergnügt mit vollem Mund, wie man das ja niemals soll. Aber ich finde, das muss man ihm verzeihen. Er hatte schließlich schon lange nichts so Leckeres mehr zu essen gekriegt. »Wir haben damals Euter-Klaas von eurer Weide schanghait, und ich hoffe, ihr könnt das vergessen, Kalle Guckaus! Denn unser Findelkind hier wäre uns ja sonst elendiglich verhungert! Wenn der Magen knurrt, schweigt das Hirn, wie das Sprichwort so sagt. Da werdet ihr wohl nicht nachtragend sein.«

»Keineswegs, keineswegs!«, sagte Kalle Guckaus und stopfte sich nun seinerseits ein Stück saftige Rinderlende in den Mund. Na, dafür, dass Kalle Guckaus nicht warten konnte, bis er runtergeschluckt hatte, gibt es jetzt aber keine Entschuldigung. »Und ihr, Käptn Klaas? Ich hoffe, ihr könnt uns verzeihen, dass wir euer stolzes Schiff auf die Sandbank gelockt haben! Aber ihr werdet begreifen, dass das unser Beruf ist, sonst müssten wir elendiglich verhungern! Und außerdem dachten wir ja, es wäre Olle Holzbein seine Schaluppe!«

»Euer Beruf?«, brüllte Moses da wütend. »Was ist das denn für ein verflixter Beruf? Arme Seeleute ins Elend stürzen und ihre Schiffe ausrauben, findet ihr das einen schönen Beruf? Pfui Teufel, Kalle Guckaus, wenn man immerzu Menschen traurig macht, weil man ihre Schiffe versenkt und ihre Ladung raubt und sie selbst zum Klabautermann schickt, dann weinen ja die Engel im Himmel!«

»Dann weinen die Engel im Himmel, das ist gewisslich wahr, amen und halleluja!«, sagte Bruder Marten und schlug das Kreuz; aber dann schwieg auch er ganz erschrocken wie alle anderen da am Feuer übrigens auch, und überhaupt war es jetzt auf einmal so still geworden, dass man es sogar hätte hören können, wenn sich einer der wüsten, ungehobelten Kerle am Kopf gekratzt hätte, wie sie das sonst immer taten. Aber das tat in diesem Augenblick keiner, darum

171

hörte man nur das Knistern des Feuers und das Rauschen der Flammen.

»Was ist denn auf einmal mit euch allen los, verdammich?«, rief Moses, denn allmählich wurde das Schweigen ihr unheimlich. »Hab ich was Dummes gesagt? Dunnerlittchen, ich hab doch wohl nur die Wahrheit gesagt!«

Da räusperte sich der eine oder andere der Männer am Feuer verlegen, aber es war Dohlenhannes, der dann als Erster sprach.

»Natürlich hast du die Wahrheit gesagt, Seeräubermoses!«, sagte er. »Aber was tut ihr Seeräuber auf der ›Wüsten Walli‹ denn anderes? Macht ihr nicht auch immerzu Menschen traurig, weil ihr sie ins Elend stürzt und ihre Schiffe versenkt und ihre Ladung raubt und sie selbst zum Klabautermann schickt?«

Da starrte Moses ihn an und dann flüsterte sie: »Verdammich!«, und ob du es glaubst oder nicht: Darüber hatte sie in ihrem ganzen Leben noch kein einziges Mal nachgedacht. Denn wenn man ein Kind ist, das auf einem Seeräuberschiff aufwächst, dann findet man die Seeräuberei ja das Normalste von der Welt und ganz in Ordnung, weil Kinder immer haargenau das ganz normal und in Ordnung finden, was ihre Eltern so tun, so ist das bei allen Kindern. Und wenn ein Kind ein Seeräuberkind ist, dann denkt es eben, Schiffe überfallen und Ladung rauben und Menschen zum Klabautermann schicken ist ein ganz normaler Beruf, sogar wenn es eigentlich ein ziemlich nettes Kind ist.

Und ein nettes Kind war Moses ja. »Verdammich!«, flüsterte sie darum jetzt also und dann sah sie Käptn Klaas an und Haken-Fiete und Marten Smutje und sogar ihren allerliebsten Nadel-Mattes. »Dann seid ihr ja alle auch nur ganz gemeine Räuber und Ganoven, pfui Teufel! Warum habt ihr mir das denn nie erzählt?«

Na, das war jetzt vielleicht nicht ganz ehrlich von Moses, denn sie war ja schließlich jedes Mal dabei gewesen, wenn die »Walli« mit geblähten Segeln vor dem Wind auf ein Kaufmannsschiff losgezischt war, auch wenn Nadel-Mattes sie dann immer in letzter Minute noch ins Mannschaftslogis gesperrt hatte, bevor die Enterhaken geworfen wurden; darum wusste sie ja eigentlich Bescheid.

»Ach, lütt Moses!«, sagte Nadel-Mattes und streckte die Arme nach ihr aus, und es klang wie ein einziger großer Seufzer. »Ach, lütt Seeräubermoses!«

»Ihr habt mich immer beschummelt!«, schrie Moses da und stampfte mit dem Fuß, und die Wut und die Traurigkeit, die schon die ganze Zeit in ihrem Kopf randaliert hatten, wollten jetzt endlich mal raus mit Macht. »Ihr habt immer so getan, als ob ihr nette Leute seid, dabei seid ihr auch nur ganz gemeine Räuber, Hannes hat recht! Aber ich will kein Seeräuber mehr sein! In meinem ganzen Leben will ich kein Seeräuber mehr sein und Menschen traurig machen, verdammich!«

Dann rannte sie zurück zum Strand und schmiss sich schluchzend in den Sand unter dem hohen Sternenhimmel und dem blassen Mond, der aussah wie ein angebissener Keks. Da wollte Moses jetzt die ganze Nacht über bleiben und sogar ihr ganzes Leben lang und elendiglich verhungern; und weil der Gedanke so traurig war, weinte sie noch schnell ein paar Tränen in den Sand. Denn stell dir mal vor, wie das ist, wenn man plötzlich erfährt, dass die Menschen, die man von allen am liebsten hat auf der ganzen Welt, eigentlich gar nicht so nett sind, wie man immer gedacht hat, da würde ja wohl jeder weinen. Na, das passiert Gott sei Dank ja nicht so oft. Die allermeisten Eltern sind ja zum Glück keine Seeräuber.

Erst als sie fast leer geweint war, spürte Moses plötzlich eine raue Zunge, die leckte ihr über den Nacken, dass es kitzelte, und dabei roch es plötzlich wieder ganz wunderbar nach Ziege.

»Euter-Klaas!«, flüsterte Moses und zog die Nase hoch. »Du untreue Tante! Ist dir jetzt doch wieder eingefallen, zu wem du gehörst?«

Aber Euter-Klaas war nicht allein gekommen.

»Wenn du kein *See*räuber mehr sein willst, will ich auch kein *Strand*räuber mehr sein, Seeräubermoses!«, sagte Hannes und tippte ihr auf die Schulter. »In meinem ganzen Leben will ich kein Strandräuber mehr sein, wenn das Menschen so traurig macht wie dich.«

Da hob Moses den Kopf. »Ja, phhht!«, sagte sie. Hannes sollte bloß nicht denken, dass er so leicht wieder ihr Freund sein konnte. »Ziegenklauer! Euter-Klaas gehört mir!« Aber dann guckte sie doch ein winziges bisschen freundlicher, denn eigentlich war es mit Hannes ja immer ganz schön gewesen.

»Selber Ziegenklauer!«, sagte Hannes und boxte sie gegen den Arm. »Milchmarie gehört mir!« Dann kitzelte er Euter-Klaas unter dem Kinn. »Na, Milchmarie? Wem willst du nun gehören?«

Da meckerte Euter-Klaas sehr laut und sehr fröhlich, und ob sie sich nicht entscheiden konnte oder ob sie die Frage gar nicht verstanden hatte, kann ich leider nicht sagen. Jedenfalls war das Gemecker ja keine richtige Antwort.

»Weißt du was, Hannes?«, sagte Moses und setzte sich auf. »Ich glaube, Euter-Klaas will ganz alleine sich selbst gehören.« Und sie dachte, dass sie nun vielleicht doch nicht mehr ihr ganzes Leben lang hier am Strand bleiben und elendiglich verhungern wollte. Irgendwann musste mit der Traurigkeit auch mal Schluss sein.

»Das darf Milchmarie auch«, sagte Hannes. »Die darf gerne sich ganz alleine selbst gehören. Sind wir nun wieder Freunde fürs Leben, Seeräubermoses?«

Und das war ja wohl klar.

29. Kapitel,

in dem Käptn Klaas von Moses' Entführung
erzählt und sich sehr seltsam benimmt

Darum saßen die Kinder also jetzt gemeinsam am Strand und lauschten den Wellen und sahen hoch zu den Sternen, und schließlich sagte Moses: »Weißt du was, Hannes? Wenn du willst, kann Euter-Klaas dir meinetwegen halb gehören. Sich selber *ganz* und mir halb und dir halb. Schließlich hast du ja nun Schnackfass nicht mehr, da hast du kein Haustier, da können wir teilen. Da kannst du meine halbe Ziege kriegen.«

»Schnackfass!«, rief Hannes und das klang so unglücklich, dass Euter-Klaas ganz mitleidig meckerte. »Niemals, niemals gebe ich Schnackfass verloren, Moses! Wenn der Morgen graut, mach ich mich auf die Suche nach der ›Süßen Suse‹! Wer weiß denn, was Olle Holzbein sonst mit meinem kleinen Sprechvogel anstellt, wenn er ihn findet?«

»Über die Planke«, sagte Moses düster.

»Über die Planke«, bestätigte Hannes.

Dann waren sie eine Weile ganz still, weil der Gedanke ja wirklich viel zu traurig war, aber schließlich sagte Moses: »Wenn du ausziehst, um Schnackfass zu retten, dann will auch ich ausziehen, um Schnackfass zu retten, Hannes! Weil ein Freund einen Freund niemals im Stich lässt.«

Da streckte Hannes ihr seine Hand hin. »Dann schlag ein, Seeräubermoses!«, sagte er. »Es gibt nichts auf der Welt, was zwei Kerle wie wir nicht schaffen können, wenn sie nur fest zusammenhalten, das glaub ich.«

»Hm«, sagte Moses unbehaglich, denn ein Kerl war sie ja eigentlich nicht, und einen kleinen Augenblick überlegte sie, ob sie Hannes das nicht langsam endlich mal sagen sollte. Aber irgendwie passte es gerade nicht so gut. »Dunnerlittchen, Dohlenhannes! Zwei Kerle wie wir!«

»Nun schlag doch ein, Seeräubermoses!«, rief Hannes. »Ja, wenn wir zwei Weiber wären, dann wäre es jetzt wohl aus mit Schnackfass und ihr letztes Stündlein hätte geschlagen! Aber zwei Kerle wie wir ...«

»... die können alles auf der Welt, wenn sie nur fest zusammenhalten, klar!«, sagte Moses und räusperte sich. »Ja, ja, zum Glück sind wir ja keine Weiber und Frauenzimmer oder womöglich kleine Damen!« Und sie nahm seine Hand und schlug ein. »Ich komme mit dir, Dohlenhannes! Gleich morgen früh beim Morgengrauen!«

Dann standen sie auf und klopften sich energisch den Sand von den Hosen und liefen zum Dorf zurück, über dem der Feuerschein noch immer den Himmel erleuchtete, während fröhliche Seemannslieder das Rauschen der Wellen übertönten.

»Wild tost die See und der Sturm braust laut!«,
sangen Seeräuber und Strandräuber gemeinsam. Inzwischen waren sie ja alle pappsatt.

»Männer, wir müssen versinken!

Atschüs, mein Deern, meine kleine Braut!

Zum Trost wolln wir fix noch was trinken!«

Dann schepperten ihre Holzbecher so laut gegeneinander, dass man merkte, auch wenn die Männer ja bestimmt jetzt gerade nicht versinken mussten, was trinken wollten sie trotzdem, und dazu schmetterten sie den Refrain:

»Joho, joho, wir buddeln ab!

Das Meer wird unser kühles Grab!

Zum Trost wolln wir fix noch was trinken!«

Und glaubst du, irgendwer hätte die beiden Kinder vermisst? Dabei ist das ja wohl das Mindeste, was man erwarten kann, wenn zwei Kinder nachts und in der Dunkelheit eins nach dem anderen an den Strand verschwinden, um da ganz allein ihr ganzes Leben lang zu bleiben und zu verhungern; aber stattdessen hatten alle nur gefeiert. Na gut, so lange waren Moses und Hannes ja auch noch nicht weg gewesen. Und bestimmt hätte wenigstens Nadel-Mattes spätestens so ungefähr um fünf Glasen der zweiten Nachtwache, die Hundewache heißt, angefangen, nach ihnen zu suchen.

Aber jetzt jedenfalls saß auch er noch immer mit allen anderen zusammen am Feuer auf dem Dorfplatz und hörte zu, wie sein Käptn die Geschichte von Moses´ Entführung durch den finsteren Olle Holzbein erzählte.

»Teufel auch, und da habt ihr dem ollen Holzfuß wirklich eure Schatzkarte gegeben?«, fragte Kalle Guckaus gerade und guckte Käptn Klaas ganz ungläubig an. »Dass der jetzt alles einsammeln kann, was ihr auf der ›Walli‹ jemals ehrlich geraubt habt?«

»Uuuaaah, ja, das kann er!«, brüllte Käptn Klaas und nickte düster, und mit ihm nickten alle seine Seeräuber. »Was sollten wir denn sonst wohl tun? Wir mussten doch unser Findelkind von ihm zurückhaben, das ist unser größter Schatz auf der Welt!« Er seufzte. »Aber Olle Holzkopf hat Moses trotzdem nicht rausgerückt! Nein, nein, plötzlich hat dem unsere Schatzkarte nicht mehr genügt! Könnt ihr glauben, was er stattdessen von uns haben wollte? Den Blutroten Blutrubin des Verderbens!«

»Den Blutroten Blutrubin des Verderbens?«, flüsterten da alle Strandräuber und eine große Stille fiel über den Platz. »Den Blutroten Blutrubin des Verderbens?«

»Den Blutroten Blutrubin des Verderbens!«, sagte Käptn Klaas und seufzte. »Und niemand weiß, warum der hohle Holzkopf plötzlich geglaubt hat, dass ausgerechnet wir wüssten, wo der zu finden ist! Das Medaillon, immerzu hat er nach dem Medaillon verlangt!«

»Das Medaillon?«, fragte jetzt auch Moses verblüfft und zwirbelte ihr Halstuch. Ein Medaillon ist ja, wie du weißt, so ein hübscher kleiner Kettenanhänger aus Gold oder Silber, den kann man aufklappen und dann ist innendrin ein Bild. Meistens jedenfalls. »Wieso denn jetzt plötzlich ein Medaillon? Ich denke, er wollte den Blutrubin?«

»Weil er dachte, dass der Schatzplan für den Rubin in einem Medaillon versteckt ist, oh Dummheit, Dummheit!«, sagte Nadel-Mattes. »Aber wir haben ja nie so ein Medaillon gesehen! Und übrigens müsste dein Tuch längst mal wieder gewaschen werden, Moses.« Und jetzt klang seine Stimme ganz streng.

»Das ist gewisslich wahr!«, sagte auch Marten Smutje, und ob er damit meinte, dass sie auf der Walli nie ein Medaillon gesehen hatten oder dass Moses´ Halstuch inzwischen wirklich so schmutzig war wie Haken-Fiete hinter den Ohren, das kann ich nicht sagen; aber jedenfalls brummelte genau der jetzt auch noch: »Oh Dummheit, Dummheit! Das ist gewisslich wahr!«, das war ja zu erwarten gewesen.

»Ich glaube, Hinnerk mit dem Hut hat Olle Holzbein eingeredet, dass ihr so ein Medaillon habt!«, sagte Hannes nachdenklich. »Der hat irgendwas durcheinandergekriegt! Ich glaube, er hat uns belauscht, als Moses mir die Geschichte von der Waschbalje erzählt hat …«

»Hinnerk mit dem Hut?«, rief Käptn Klaas und sprang auf. »Hinnerk mit dem Hut?«

War das nicht komisch? Warum war er denn plötzlich so aufgeregt?

»Ja, Hinnerk mit dem Hut, Käptn Klaas!«, sagte Moses und sah ihren Käptn ganz verblüfft an. »Aber woher kennst du den denn, verdammich? Der ist doch Olle Holzbein sein Matrose!«

Käptn Klaas stieß pfeifend die Luft aus und ließ sich langsam wieder auf den Boden sinken. »Ich kenne keinen Hinnerk mit dem Hut, beim Klabautermann!«, sagte er unfreundlich. (Und unfreundlich war er sonst ja eigentlich nie.) »Wie kommst du denn darauf, dass ich den kennen könnte, lütt Moses? Hat dir die Gefangenschaft dein Gehirn ganz muddelig gemacht?«

Aber wenn ich ehrlich sein soll, sah er dabei überhaupt nicht so aus wie einer, der die Wahrheit sagt. Vielleicht kannte er Hinnerk ja doch? Aber woher, das muss wohl erst mal ein Rätsel bleiben, denn er wollte es ja nicht verraten. Na, vielleicht kannst du das ja auch mit auf deine Liste mit Merkwürdigkeiten schreiben.

»Aber wir sprachen gerade vom Medaillon!«, sagte Käptn Klaas

179

jetzt und räusperte sich. »Nun, wie dem auch sei, Kalle Guckaus, wenn ihr uns nicht auf die Sandbank gelockt hättet …«

»Und wenn Hannes und ich nicht von der ›Süßen Suse‹ ausgebüxt wären«, sagte Moses.

»Und wenn wir dann nicht zufällig haargenau hier an dieser Stelle an Land gegangen wären«, sagte Hannes.

»… dann hätten wir unser Findelkind vielleicht niemals mehr wiedergesehen!«, sagte Käptn Klaas. »Der Zufall ist die schönste Verkleidung des Glücks, wie das Sprichwort so sagt.«

»Oh Zufall, Zufall!«, rief Nadel-Mattes. »Glück, Glück!«

»Danket dem Herrn!«, sagte Marten Smutje und faltete die Hände.

»Oh Zufall, Zufall, Glück, Glück, danket dem Herrn!«, sagte auch Haken-Fiete und wandte die Augen zum Himmel.

Aber Moses tat das nicht. »Darum weiß ich ja immer noch nicht, was es mit dem Blutroten Blutrubin eigentlich auf sich hat!«, sagte sie unzufrieden. »Phhht, kann man das vielleicht langsam mal erfahren, wo alle immerzu davon reden?«

»Ja, ich möchte das nämlich auch wissen!«, sagte Hannes und rückte ein bisschen dichter an Moses heran, und beide legten sie einen Arm über Euter-Klaas´ Rücken, da sah man ja, dass sie sich jetzt nicht mehr um sie stritten.

»Ja, ja, wissen, was es mit dem Rubin auf sich hat, das möchten viele«, sagte Käptn Klaas bedauernd. »Denn Wissen ist Macht, wie das Sprichwort so sagt. Aber leider, leider ist darüber nicht viel bekannt.«

Da räusperte sich zur Abwechslung mal Kalle Guckaus. »Nun, vielleicht kann ja ich euch die Geschichte erzählen«, sagte er, »die mir einst ein altes Weiblein berichtet hat, dem wir von unserem Treibholz abgaben, damit ihr armseliges Feuerchen rauchen konnte. Zum Dank sozusagen.«

Und als alle nickten und Hannes »Oh, ja!« sagte und Moses »Ja, bitte!«, da begann, während die letzten Flammen flackerten, Kalle Guckaus seine Geschichte.

30. Kapitel,

in dem Kalle Guckaus anfängt, die Geschichte
des Blutroten Blutrubins zu erzählen,
aber immerzu unterbrochen wird

»Der Rubin«, begann Kalle Guckaus, »ist ja, wie jedermann weiß, der Glücksbringer unter allen Edelsteinen. Er schützt gegen Teufel und Pest, und wer ihn besitzt, dem verheißt er Würde, Macht und Tapferkeit. So gilt der Rubin von alters her als Stein des Lebens und der Liebe.«

»Schön!«, flüsterte Hannes, aber Moses schüttelte böse den Kopf.

»Und warum heißt dieser eine dann Blutrubin des Verderbens?«, fragte sie unzufrieden. »Ja, Dunnerlittchen! Wenn er doch eigentlich Glück bringen soll?«

Käptn Klaas seufzte. »Glück und Glas, wie leicht bricht das«, murmelte er, aber dann räusperte er sich mal wieder. »Wie das Sprichwort so sagt. Nun, vielleicht sollten wir jetzt doch alle langsam in unsere Kojen gehen, Kalle Guckaus.« Und dabei erhob er sich schon mühsam vom Boden.

Aber Kalle Guckaus winkte ab. »Deine Frage ist berechtigt, Moses«, sagte er. »Denn beim Blutroten Blutrubin des Verderbens liegen die Dinge anders, wie ihr gleich hören werdet. Von allen Rubinen auf der Welt ist er der schönste und größte: glitzernd wie der Abendhimmel voller Sterne und groß wie ein Hühnerei! Aber seit er vor Jahrhunderten und Aberjahrhunderten gefunden wurde in seiner Höhle tief im Berg, begleitet ihn eine finstere Verheißung.«

»Eine finstere Verheißung!«, flüsterte Moses und eine Gänsehaut krabbelte ihre Arme hoch. Na, das kam vielleicht auch, weil das Feuer jetzt langsam ausging und es kühler wurde.

181

»Und so lautet die Verheißung des Rubins, die manche auch den Fluch des Rubins nennen!«, sagte Kalle Guckaus. »*Der Blutrote Blutrubin des Glücks wird seine Glück bringende Kraft nur jenem Menschen schenken, der vom Schicksal dazu bestimmt ist! Und dieser wird dereinst eine schöne Prinzessin sein, die den Menschen ihres Landes Glück und Gerechtigkeit bringen wird. Wer immer aber den Blutrubin unrechtmäßig raubt, für den wird er zum Blutrubin des Verderbens werden und das Verderben wird den Räuber einholen in jedweder Gestalt.*«

»Das Verderben in jedweder Gestalt!«, flüsterte Moses. »Oh, wie schön gruselig!« Und sie guckte, ob Nadel-Mattes und Käptn Klaas und alle ihre Seeräuber noch um das Feuer herum saßen, denn solange die da waren, konnte ihr ja nichts allzu Schlimmes passieren.

»In jedweder Gestalt?«, fragte jetzt auch Hannes. »Aber ist es nicht wieder mal typisch, dass der Blutrubin für eine schöne Prinzessin bestimmt ist, findet ihr das nicht ungerecht? Schöne Prinzessinnen haben doch sowieso schon Edelsteine genug!«

Kalle Guckaus winkte ab. »Ja, wie gesagt, so lautet die Verheißung des Rubins, die manche auch den Fluch des Rubins nennen!«, sagte er. »Und wenn du hier rumnörgeln willst, Hannes, dann kannst du dich vielleicht lieber gleich schlafen legen. Denn an der Verheißung kann ich nichts ändern, das konnte bisher niemand, wie das Schicksal all derer bewiesen hat, die den Rubin unrechtmäßig in ihren Besitz gebracht haben: Sie alle hat das Verderben ereilt und sie konnten ihm nicht entkommen.«

»In jedweder Gestalt?«, fragte Moses andächtig.

»Genau so«, sagte Kalle Guckaus. »Was in den Jahrhunderten und Aberjahrhunderten in ferner Vergangenheit geschehen ist, weiß ich nicht zu sagen; aber vor gar nicht langer Zeit, so heißt es, erwarb den Rubin ein wohlhabender Kaufmann, von wem, ist nicht bekannt.«

»Vor gar nicht langer Zeit, was heißt denn das?«, fragte Moses neugierig. »Vorgestern?«

»Vor einem Jahrzehnt vielleicht!«, sagte Kalle Guckaus streng. »Nun unterbrich doch nicht immer!«

»Ja, phhht!«, sagte Moses und schüttelte den Kopf. »Vor einem Jahrzehnt vielleicht, das ist aber eine bannig lange Zeit, Kalle
Guckaus!« Denn wie alle Kinder fand Moses, dass alles, was passiert
war, bevor sie geboren wurde, genauso gut vor tausend Jahren hätte
geschehen sein können.

»Vor einem Jahrzehnt vielleicht also!«, sagte Kalle Guckaus ein
bisschen ärgerlich. »Wollt ihr nun weiterhören oder nicht? Und dieser Kaufmann hatte zwei Söhne, die der Stolz und das Glück seiner
alten Tage waren.«

»Wozu brauchte er denn dann noch den Rubin?«, fragte Hannes.
»Wenn er doch sowieso glücklich war? Und er hat doch wohl außerdem gewusst, dass der Rubin nicht für ihn bestimmt war, denn ein
alter Kaufmann ist ja wohl keine schöne Prinzessin, die den Menschen ihres Landes Glück und Gerechtigkeit bringt!«

»Aber Nadel-Mattes ist fast eine Prinzessin!«, sagte Moses.
»Wusstest du das, Hannes? Fast eine pergyptische Prinzessin, oder,
Nadel-Mattes? Denn er hat mich in einer Waschbalje auf dem Meer
gefunden wie diese Prinzessin diesen Moses, von dem du ja vielleicht
schon gehört hast, Hannes, und er nahm mich zu seinem Seeräuberkind wie diese Prinzessin damals den Moses. Alle Männer auf der
›Walli‹ nahmen mich zu ihrem Seeräuberkind, verdammich!«, sagte
Moses zufrieden. »Darum sind sie ja wohl alle fast wie eine pergyptische Prinzessin. Aber nur fast.«

»Wollt ihr nun die Geschichte hören oder nicht?«, rief Kalle
Guckaus und jeder konnte sehen, dass er jetzt aber langsam wirklich
ungeduldig wurde. »Wollt ihr nun …«

»Ich glaube, wir haben genug gehört, Kalle Guckaus«, sagte Käptn
Klaas und räusperte sich schon wieder. Überhaupt war er schon die
ganze Zeit so unruhig auf dem Boden hin und her gerutscht, dass
Moses es gar nicht mit ansehen mochte. »Hab Dank für deine Erzäh-
lung. Aber wie gesagt, ich glaube, jetzt haben wir genug gehört. Nun
wollen wir doch alle in unsere Kojen gehen.«

183

31. Kapitel,
in dem endlich die traurige Geschichte des Rubins erzählt wird

»In unsere Kojen gehen? Warum das denn?«, rief Moses, und auch die Männer von der »Walli« machten überhaupt keine Anstalten, sich zu erheben. »Wollen wir gar nicht, Käptn Klaas!«

»Warum lässt du ihn nicht weitererzählen, wo es doch gerade am spannendsten ist, Käptn?«, fragte Nadel-Mattes. »Denn jeder von uns weiß ja, dass der Blutrote Blutrubin des Verderbens der größte Schatz auf Erden ist, aber seine Geschichte kennen wir nicht.«

»Seine Geschichte kennen wir nicht, beim Klabautermann!«, sagte Haken-Fiete. »Warum lässt du ihn nicht weitererzählen, Käptn Klaas?«

Kalle Guckaus warf einen Blick in die Runde, und als er sah, dass wieder alle Augen auf ihn gerichtet waren, holte er tief Luft.

»Nun denn und wie dem auch sei«, sagte er. »Jetzt will ich aber nicht mehr unterbrochen werden! Dieser Kaufmann hatte also zwei Söhne, wie gesagt, die das Glück und der Stolz seines Alters waren. Und jetzt hatte er auch noch den Blutrubin.« Er seufzte. »Aber schon bald begriff der Kaufmann, dass er besser dran gewesen wäre ohne, ja, ja, und dass sich auch an ihm die Verheißung erfüllen sollte als ein Fluch. Denn kaum hatte er den Blutroten Blutrubin in sein Haus schaffen und an der allergeheimsten Stelle verschließen lassen, von der nur sein allertreuester Diener wusste, da wurde er krank auf den Tod.«

»Na bitte!«, sagte Moses.

»Selber schuld!«, sagte Hannes.

Und »Pssst!«, sagte Kalle Guckaus. »Ja, wie gesagt, der Kaufmann wurde krank und kränker, und keiner der Ärzte, die zu Hilfe gerufen wurden aus aller Herren Länder, wusste Rat. Da begriff der Kaufmann verzagt, dass seine Krankheit keine gewöhnliche Krankheit war, sondern dass er durch seinen Frevel den Fluch des Blutroten Blutrubins auf sich geladen hatte …«

»Das hätte er ja auch schon vorher wissen können!«, sagte Moses und »Selber Schuld!«, sagte Hannes und »Pssst!«, sagte Kalle Guckaus. »Und darum rief er in seiner Verzweiflung schließlich seinen allertreuesten Diener zu sich an sein Krankenbett.«

»Weil der ja wusste, wo er den Blutroten Blutrubin verborgen hatte!«, sagte Moses.

»Hatte der etwa auch den Schlüssel zum Versteck?«, fragte Hannes.

»Der wusste, wo der Blutrote Blutrubin verborgen war, und er besaß auch den Schlüssel zu seinem Versteck«, sagte Kalle Guckaus. »Und mit seinem letzten Atemzug flehte der Kaufmann seinen allertreuesten Diener an, den Blutroten Blutrubin aus dem Haus zu schaffen, denn nur so, hoffte er, würde er wieder genesen.«

»Und ist er?«, fragte Moses. »Genesen?«

Kalle Guckaus schüttelte den Kopf. »Obwohl sein Diener den Rubin fortbrachte aus dem Haus und sogar fort aus dem Land, starb der Kaufmann noch in selbiger Nacht!«, sagte er. »So wurde der Frevel gesühnt, wie die Verheißung es verheißt.«

»Uuh, wie schön gruselig!«, sagte Moses. »Aber warum wollen denn dann immerzu alle Kerle diesen grässlichen Blutrubin haben, wenn er doch nur Unglück bringt? Soll die schöne Prinzessin ihn doch ruhig kriegen! Die kann ja dann gucken, ob ihr nichts passiert!«

»Na, das solltest du doch verstehen, lütt Moses!«, sagte Haken-Fiete, und guck, jetzt fiel ihm sogar selbst mal was ein. »Wenn der doch der größte Schatz auf der Welt ist? Wenn du den hast, beim Klabautermann! Dann bist du so reich wie die Königin von Saba und kannst jeden Tag einen Humpen trinken!«

»Haken-Fiete hat recht«, sagte Nadel-Mattes. »So dumm sind die Menschen! Wenn irgendwo der Reichtum winkt und ein Humpen voll Trinkerchen, dann vergessen sie ihren Verstand, wie unser Haken-Fiete hier das schon vor Jahren getan hat. Selbst wenn sie so glücklich sind wie der Kaufmann in Kalles Geschichte, wollen sie immer noch mehr und mehr Reichtum und Gold, sogar wenn ein Fluch darauf lastet wie auf diesem Rubin.«

Käptn Klaas nickte. »Unrecht Gut gedeihet nicht!«, sagte er. War das nicht mal ein merkwürdiger Satz von einem, der sein Lebtag nichts anderes getan hatte, als Schiffe auszurauben und ihre Besatzung zum Klabautermann zu schicken? »Wie das Sprichwort so sagt. Und jetzt wollen wir alle in unsere Kojen verschwinden. Es war ein langer Tag!«

Aber Kalle Guckaus hob die Hand und legte den Finger auf die Lippen. »Ich bin ja noch längst nicht zu Ende!«, sagte er. »Denn wie das Weiblein erzählte, hatte sich selbst mit dem Tode des Kaufmanns der Fluch noch nicht erfüllt.«

»Noch immer nicht?«, fragte Moses. Das war ja vielleicht auch ganz gut. Dann musste sie noch nicht sofort ins Bett.

»Auch die Söhne des Kaufmanns nämlich riss der Rubin ins Verderben!«, sagte Kalle Guckaus mit düsterer Stimme. »Denn nach dem Tode des Vaters hatten sie nichts Besseres zu tun, als darüber zu streiten, welcher von ihnen den Blutroten Blutrubin nun bekommen sollte. ›Mir steht er zu, weil ich der Erstgeborene bin!‹, rief der Ältere, der hatte schon immer ein wütiges Temperament bewiesen. ›Nein, mir, denn ich habe Weib und Kinder und darum brauche ich ihn dringender!‹, rief der Jüngere. So ging es eine ganze Weile hin und her.«

»Und dann?«, fragte Moses, denn Hin und Her war ja nun nicht so fürchterlich spannend.

»Schließlich gingen die beiden Brüder gemeinsam zu dem geheimsten Versteck im Haus, um im Angesicht des Rubins weiterzustreiten«, sagte Kalle Guckaus. »Den Schlüssel hatten sie ja natürlich zusammen mit allen anderen Schlüsseln nach dem Tode des Vaters von seinem Gürtel an sich genommen. So öffneten sie gemeinsam das Versteck.«

»Ja, aber das war natürlich leer!«, sagte Moses. »Weil doch der allertreueste Diener den Rubin noch in der Nacht vor dem Tod des Kaufmanns rausgenommen hatte, oder? Warum hat der ihnen das denn nicht gesagt?«

»Weil er selbst noch unterwegs war und den Rubin in ein fernes Land brachte!«, sagte Kalle Guckaus. »Der allertreueste Diener war darum ja gar nicht zugegen, als sein Herr starb, und nicht mal, als er beerdigt wurde; und als er schließlich nach Hause zurückkehrte, war es längst zu spät.«

»Zu spät? Wieso das denn?«, fragte Moses.

»Nun, als also die beiden Brüder das Versteck öffneten und fanden es leer, da beschuldigten sie sich gegenseitig. ›Du hast dir heimlich den Rubin genommen, du räuberischer Kerl!‹, rief der Erstgeborene. ›Damit *du* ihn nicht mit mir teilen musst!‹ – ›Nein, *du* hast dir heimlich den Rubin genommen, damit du ihn nicht mit *mir* teilen musst!‹, sagte der Jüngere.«

»Und so ging es eine Weile hin und her?«, fragte Moses, denn das kannte sie ja nun schon.

Kalle Guckaus nickte. »Aber dann zückte der Erstgeborene, der schon immer ein wütiges Temperament bewiesen hatte, seinen Säbel und bedrohte seinen Bruder«, sagte er. »Und der Jüngere zückte natürlich auch *seinen* Säbel und bedrohte den Älteren, und so kam es zum Kampf Bruder gegen Bruder, na ein Glück, dass der Vater das nicht mehr erleben musste.«

»Und war am Ende einer tot?«, fragte Moses interessiert.

Kalle Guckaus schüttelte den Kopf. »Das hätte leicht geschehen können!«, sagte er. »Aber plötzlich kam auf einem schnaubenden Pferd mit wehender Mähne und wehendem Schweif und schweißbedecktem Fell und so weiter der allertreueste Diener in den Kaufmannshof galoppiert, der warf sich zwischen die beiden Brüder. ›Hört auf, hört auf!‹, rief er. ›So hört doch auf, bevor noch ein Unglück geschieht! Ich muss euch etwas sagen!‹ Da kamen die beiden einen Augenblick lang zur Besinnung und senkten ihre Säbel und ließen sich vom allertreuesten Diener erklären, wohin er den Rubin gebracht hatte; aber so doll zur Besinnung, dass sie die Suche aufgegeben hätten, kamen sie nicht. Stattdessen schwangen sie sich jetzt beide auf ihre Rösser und galoppierten davon und der Ältere schrie: ›Na warte, mein Ross ist schneller als deins und ich bin der bessere Reiter, ich werde vor dir da sein!‹ Und der Jüngere schrie: ›Keineswegs! Denn *mein* Ross ist schneller als *deins* und *ich* bin der bessere Reiter, darum werde *ich* vor *dir* da sein!‹ Und das war es dann.«

»Das war es dann?«, fragte Moses.

»Ja, das war es dann«, sagte Kalle Guckaus. »Denn als der erste Sohn beim Versteck des Rubins ankam – ob das nun der Erstgeborene war oder der Jüngere, weiß ich nicht zu sagen –, war das Versteck so leer wie ein Humpen, nachdem Haken-Fiete ihn in die Finger gekriegt hat, und der Sohn zog weiter, den Rubin überall auf der Welt zu suchen; und als der zweite ankam, war das Versteck immer noch leer und auch er zog aus, den Rubin zu suchen, und jeder von ihnen glaubte, es wäre der Bruder, der ihn besäße. So irrten sie denn von

Stund an beide in der Welt umher auf der Suche nach dem Blutroten Blutrubin des Verderbens, und ihr Vaterhaus verfiel und ihr Besitz wurde in alle Winde zerstreut und sie waren zerstritten bis aufs Blut, und so erfüllte sich auch an ihnen der Fluch des Rubins. Und so sind sie vielleicht noch heute auf der Suche, die beiden dummen Kerle, und nur, weil sie nicht genug kriegen konnten und sich immerzu streiten mussten.«

»Das ist ja traurig!«, sagte Moses. »Aber geschieht ihnen eigentlich recht. Und hat man jemals erfahren, wer den Rubin in Wirklichkeit aus dem Versteck geraubt hat, in das der allertreueste Diener ihn gebracht hatte?«

»Das hat man niemals erfahren«, sagte jetzt zu ihrem Erstaunen Käptn Klaas. »Aber dass er jedem Unglück gebracht hat, der ihn danach in die Hand nahm, das ist gewiss, und dass er dann eines Tages wieder verschwand auf Nimmerwiedersehen, das ist auch gewiss.«

»Hm«, sagte Moses. »Und woher weißt du das? Hat dir das auch das Weiblein erzählt?«

»Ja, ja, das Weiblein«, sagte Käptn Klaas. »Aber jetzt wollen wir doch wohl alle endlich in unsere Kojen gehen.«

32. Kapitel,

in dem alle beschließen, Käptn Klaas' Schatz vor Olle Holzbein zu retten

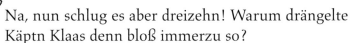

Na, nun schlug es aber dreizehn! Warum drängelte Käptn Klaas denn bloß immerzu so?

»Glaub nicht, dass ich nicht weiß, warum du so drängelst, Käptn Klaas!«, sagte Moses. »Weil es dir peinlich ist, gib es zu! Du bist ja auch selbst auf der Suche nach dem Blutroten Blutrubin, das weiß jeder von uns auf der ›Walli‹, und jetzt schämst du dich, dass du genauso ein dummer Dösbaddel bist wie all die Kerle in der Geschichte! Aber mit der Sucherei muss jetzt endlich mal Schluss sein! Der Blutrubin bringt ja doch nur Unglück! Ich will nicht, dass du des Todes stirbst wie der Kaufmann mit den zwei Söhnen, Käptn Klaas, darum lass Olle Holzbein den verflixten Rubin doch ruhig finden und mit ihm zum Klabautermann fahren, verdammich!«

Das war doch sehr vernünftig gesprochen von Moses, aber wenn du gedacht haben solltest, dass darum alle Männer jetzt nickten und ihr laut johlend zustimmten, dann hast du immer noch nicht begriffen, was für Kerle diese Seeräuber waren und dass Schätze und Reichtümer zu rauben nicht nur ihr Beruf war, sondern auch noch ihr Hobby.

»Aber wenn der doch der größte Schatz auf der Welt ist, lütt Moses?«, sagte Haken-Fiete bittend. »Wenn der dir gehört, beim Klabautermann! Dann bist du so reich wie die Königin von Saba und kannst jeden Tag einen Humpen trinken!«

»Blutrubin hin, Blutrubin her!«, sagte Käptn Klaas. »Darüber können wir ein andermal streiten, aber segeln müssen wir wieder! Denn wenn wir uns nicht beeilen, ist mir nichts, dir nichts Olle Holzbein mit unserer Schatzkarte vor uns am Roten Felsen beim geheimen Versteck all unserer Schätze, und das kann ich nicht zulassen!«

»Nee, verdammich, das können wir nicht zulassen!«, sagte Haken-Fiete.

»Denn jetzt, wo wir unser Findelkind von ihm zurückhaben, gibt es keinen Grund mehr, warum Olle Holzbein sich unseren Schatz unter den Nagel reißen sollte, Männer!«, sagte Käptn Klaas.

»Nee, verdammich, dafür gibt es gar keinen Grund!«, sagte Haken-Fiete.

»Darum lasst uns sehen, dass wir die ›Walli‹ so schnell wie möglich wieder flottmachen, und dann geht es ab in die Westsee zum Schatz im Roten Felsen!«

»Ja, ab in die Westsee, halleluja, und preiset den Herrn!«, sagte Bruder Marten.

»Oh Freude, Freude, zum Roten Felsen!«, sagte Nadel-Mattes, und dabei hatte der gerade eben noch ausgesehen, als ob ihm gleich die Augen zufallen wollten.

Und »Oh Freude, Freude! Preiset den Herrn!«, sagte natürlich jetzt auch noch Haken-Fiete. »Ab in die Westsee zum Roten Felsen!«

»Ja, phhht, mit unserer ›Walli‹?«, rief Moses traurig. Wie hatte sie die »Walli« nur die ganze Zeit vergessen können? »Die liegt ja

dahinten auf der Sandbank und die Fische schwimmen durch ihren Rumpf und die Kraken klettern in ihren Rahen, und beim nächsten Sturm muss sie elendiglich in den Wellen zerschellen!«

»In den Wellen zerschellen?«, fragte Kalle Guckaus und lachte. »Prost, prost, Seeräubermoses! Du vergisst wohl, dass die Strandräu-berei unser Beruf ist seit Jahr und Tag, und keiner kennt sich mit gestrandeten Schiffen so gut aus wie wir Strandräuber und keiner macht sie so schnell wieder flott! Und wo eure ›Walli‹ jetzt schon mal so schön trockengefallen ist, brauchen wir sie gar nicht mehr kielholen, die können wir schnell noch tüchtig kalfatern, dann kann die Reise weitergehen!«

Und weil du ja kein Seeräuberkind bist und darum vielleicht nicht weißt, was das heißt, erkläre ich dir schnell noch ein bisschen aus der christlichen Seefahrt. Nämlich dass »kielholen« nichts anderes bedeutet, als ein Schiff vorsichtig, vorsichtig ganz nah am Ufer auf Grund zu setzen, damit man dann bei Ebbe die Ritzen zwischen sei-nen hölzernen Planken ordentlich mit Werg und Pech verschmieren kann, und das heißt kalfatern. Dann kann kein Wasser mehr rein-sickern, sonst wäre das Schiff ja irgendwann mal vollgelaufen, und du hast jetzt also schon wieder ein bisschen mehr von dieser See-mannssprache gelernt.

Kalle Guckaus nickte energisch. »Wart´s nur ab, Olle Holzbein, kann ich da nur sagen, wart´s nur ab! Auf den Schatz von Käptn Klaas hast du ganz vergebens gehofft!«

»Dunnerlittchen, wirklich ganz vergebens?«, fragte Moses und er-staunt merkte sie, dass sie jetzt wirklich langsam auch müde wurde. »Hast du das gehört, Dohlenhannes? Wenn jetzt Käptn Klaas Olle Holzbein zum Klabautermann schickt, müssen wir beide ja nicht mehr alleine losziehen, um Schnackfass zu retten! Käptn Klaas holt sich von Ochsen-Olle seine Schatzkarte zurück und wir holen uns von Ochsen-Olle Schnackfass zurück, und dann …« Aber mehr konnte sie nicht sagen, so doll musste sie jetzt gähnen.

Und von Hannes übrigens kam zur Antwort sogar nur ein riesen-lauter Schnarcher.

33. Kapitel,

in dem die »Walli« zum Roten Felsen segelt

Und weil sie es so eilig hatten, Olle Holzbein auf seiner »Süßen Suse« einzuholen, bevor der ihnen womöglich noch ihren Schatz vor der Nase vom Roten Felsen wegschnappen konnte, legten Käptn Klaas und seine Leute gleich am nächsten Morgen damit los, die »Walli« wieder flottzumachen; und die Strandräuber halfen ihnen dabei, wie sie es versprochen hatten. Sie kalfaterten den Rumpf mit ihren Eimern voller Pech und sie halfen Nadel-Mattes, die Segel zu flicken, und der Zimmermann leimte den gebrochenen Mast und der Schmied schmiedete ein paar neue Schiffsnägel und Klampen, und am Ende des Tages sah die »Walli« fast wieder aus wie neu.

»Besser als neu!«, sagte Kalle Guckaus zufrieden und klopfte gegen die Reling. »Mit so einem feinen Schiff seid ihr allemal schneller als Olle Holzbein mit seinem ollen Kahn, bei dem das Wasser schon zwischen den Planken durchquillt!«

Na, davon, dass das Wasser zwischen den Planken durchquoll, hatte Moses im Laderaum auf der »Süßen Suse« zwar nichts bemerkt, aber dass die »Walli« schneller war, wollte sie doch gerne glauben.

Da gab es also keinen Grund mehr, warum sie noch länger warten sollten, und am Morgen darauf befahl Käptn Klaas darum seinen Männern, sich von den freundlichen Strandräubern zu verabschieden.

»Denn zwar haben sie unsere ›Walli‹ auf Grund gesetzt und uns einen ziemlichen Schrecken eingejagt«, sagte er, »aber andererseits hat unser alter Kahn so ja auch mal wieder eine dringend notwendige Grundüberholung gekriegt, beim Klabautermann. Und was am wichtigsten ist, wir haben Moses zurück!«

»Darum heißt es: Auf See! Auf See!«, sagte Nadel-Mattes und »Halleluja! Auf See, auf See!«, sagte Haken-Fiete, und langsam habe ich wirklich die Nase voll von seiner ständigen Wiederholerei.

Eine kleine Unruhe gab es nur, als Hannes sich still und leise zu Käptn Klaas und seinen Leuten gesellte.

»Was willst du denn schon wieder auf dem Meer, mein Hannes?«, rief da nämlich seine Mutter ganz verzweifelt und rang die Hände. »Hannes, mein Hannes! So lange Zeit bist du auf einem Seeräuberschiff um die Welt gefahren und vor Angst um dich habe ich mich abends in den Schlaf geweint! Warum willst du nun schon wieder auf einem Seeräuberschiff fahren?«

»Weil ich doch Schnackfass befreien muss!«, sagte Hannes tapfer, aber Moses hörte, dass seine Stimme dabei ein bisschen zitterte. »Ich kann doch meinen kleinen Sprechvogel nicht dem grausamen Olle Holzbein überlassen! Wo Moses und ich dem ohne Schnackfass niemals entkommen wären!«

Und er erzählte noch ganz schnell, wie Moses und er Olle Holzbein mithilfe seiner Rübenlaterne überlistet hatten.

»Beim Klabautermann!«, sagte Käptn Klaas und wischte sich die Lachtränen aus den Augen, obwohl die Geschichte so komisch doch nun wirklich nicht war. »Hat Olle Ochsenhirn also immer noch so große Angst vor Gespenstern?«

»Ja, das hat er!«, sagte Hannes. »Aber wenn Schnackfass uns nicht geholfen hätte, säßen wir trotzdem noch immer auf der ›Suse‹!«

Da zögerte seine Mutter einen Augenblick, aber schließlich nickte sie doch und seufzte und strich ihm über den Kopf. »Dann musst du wohl wirklich gehen, um Schnackfass zu befreien, mein Dohlenhannes!«, sagte sie. »Aber pass auf dich auf! Ich zähle die Tage und schnitze jeden Abend eine Kerbe in den Türstock und warte, bis du wieder zurück bist.« Und sie tupfte sich ihre Augen mit der Schürze ab, denn Taschentücher gab es ja, wie du weißt, noch nicht, damals in den wilden Zeiten.

Dann setzte die »Walli« endlich die Segel und die Kerle holten den Anker ein, und bei gutem östlichem Wind sausten sie nur so über die Wellen, dass es eine Freude war; und die allergrößte Freude war es für Moses, denn sie war ja nun endlich wieder auf ihrem eigenen Seeräuberschiff und musste nicht mehr bei Olle Holzbein im Käfig hocken. Und die zweitgrößte Freude war es für Euter-Klaas, denn die war ja längst eine richtige Seeräuberziege geworden und fühlte sich am wohlsten auf hoher See.

Und das war auch ein Glück, denn ganz so einfach sollte ihre Reise diesmal nicht werden. Um von der Ostsee (wo Käptn Klaas ja, wie du weißt, seine Raubgeschäfte erledigte) in die Westsee zu kommen (wo der Rote Felsen liegt), muss man nämlich um eine Gegend herumsegeln, die heißt Jütland, und um das raue Kap Skagen. Und die Gewässer da heißen Skagerrak und Kattegat, da klingen ja sogar die Namen gefährlich. Denn wo Ostsee und Westsee aufeinandertreffen, da schäumen die Wellen schon bei ruhigstem Wetter und da spritzt die Gischt, das war schon damals so und das ist noch heute so. Wenn das eine Meer von der einen Seite angebraust kommt und das andere Meer kommt von der anderen, dann kannst du dir bestimmt vorstellen, dass es da, wo die beiden zusammentreffen, ganz schön wild zugeht, so ist das nun mal in Kattegat und Skagerrak. Heute haben wir natürlich Schiffe aus Eisen und Stahl mit einem kräftigen Motor und mit Radar und allem möglichen Schnickschnack, und wenn man mit denen fährt, dann lacht man nur über Kap Skagen. Aber damals in den wilden Zeiten, von denen ich gerade erzähle, hatten die Seeleute auf ihren hölzernen Segelschiffen davor schon bannig Respekt.

»Bannig Respekt, bannig Respekt!«, sagte Nadel-Mattes der Segelmacher, und Haken-Fiete war so doll am Ruder beschäftigt, dass er es ihm nicht mal nachsprach, da merkst du schon, wie hoch die Wellen waren und wie wild die See.

Aber sie waren ja tüchtige, erfahrene Seeleute allesamt da auf der »Wüsten Walli«, und darum durchquerten sie also Skagerrak und Kattegat ganz unbeschadet, wenn auch vielleicht mit einem kleinen

Grummeln im Bauch; aber seekrank wurde keiner,
nicht mal Euter-Klaas. Und so kamen sie bei gutem
Wind endlich in den Teil der Westsee, der vor der Mün-
dung des großen Flusses Elbe liegt, und hier war ordentlich Betrieb. Denn diese Gewässer mussten ja all die
vielen England-Segler durchqueren mit ihrer wertvollen
Fracht, und Haken-Fiete sah sehnsüchtig auf die Segel
der Kaufmannsschiffe am Horizont, und dass sie die
nun alle so ganz in Ruhe und ohne einen Raubzug
ziehen lassen sollten, das passte ihm gar nicht.

»Wollen wir nicht wenigstens eine einzige
klitzekleine Schaluppe entern, Käptn Klaas?«,
fragte er darum bittend, nachdem schon wieder ein stolzes Kaufmannsschiff an ihnen vor-
beigesegelt war und die »Walli« keine Anstalten
gemacht hatte, es auszurauben. »Wozu haben
wir denn sonst wohl unseren feinen Kaperbrief,
beim Klabautermann!«

Aber da fiel ihm Bruder Marten auch schon ins
Wort. »Pfui Teufel, bist du dösig, Haken-Fiete!«,
rief er. »Wir müssen uns ja wohl beeilen, um vor
Olle Holzbein am Roten Felsen anzukommen, hast
du das schon vergessen, du Tüffel? Was würde es uns
denn wohl nützen, wenn wir jetzt die Ladung einer
einzigen klitzekleinen Schaluppe gewönnen und verlö-
ren dafür unseren ganzen Schatz, den wir in Jahrzehnten
unehrlicher Arbeit mühsam zusammengeraubt haben?«

»Nicht wenigstens eine einzige klitzekleine Schaluppe?«,
fragte Haken-Fiete trotzdem noch mal betrübt, und daran
merkt man ja, wenn er schon mal was Eigenes sagte, dann
war das meistens ganz besonders dumm.

»Auch keine einzige klitzekleine Schaluppe, Haken-Fiete!«, sagte Käptn Klaas streng. »Und nun kümmer du dich mal um dein Ruder, denn wenn wir noch heute Nacht den Roten Felsen erreichen wollen, dann können wir uns so ein Geschwätz nicht leisten.«

Da schwieg Haken-Fiete ein bisschen beleidigt, aber seinem Seeräuberhauptmann musste er ja gehorchen. Und als das Abendrot den Horizont hinaufkroch und die Wellen in den Strahlen der untergehenden Sonne aussahen wie flüssiges Kupfer, da kletterte Moses in den Ausguck oben am Mast, der Krähennest heißt, um nachzusehen, ob sie den Roten Felsen nicht endlich bald erreichen würden. Ins Krähennest geklettert war sie schon, so ungefähr seit sie laufen konnte, darum wurde es ihr auch niemals schwindelig dabei, nicht mal das winzigste bisschen, auch nicht wenn der Sturm toste und die Wellen die »Walli« hin und her schleuderten. Aber an diesem Abend war sowieso ruhige See, also keine Sorge. Und als Moses oben angekommen war, da entdeckte sie am Horizont tatsächlich einen Punkt, der war zu groß, um ein Schiff zu sein, und auch zu rot (wenn auch die Seeräuber ihre Segel ja manchmal blutrot färbten, wie du weißt), und der leuchtete geheimnisvoll im Abendlicht.

»Der Rote Felsen!«, rief Moses, und kaum hatte sie das gerufen, kam auch schon Hannes den Mast zu ihr hochgezischt und quetschte sich im Krähennest neben sie, na, da wurde es eng. »Der Rote Felsen an Steuerbord querab!« Und das war um ein Glasen der ersten Nachtwache, die Abendwache heißt.

»Der Rote Felsen, endlich!«, sagte Käptn Klaas und zupfte sich seine Augenklappe zurecht. »Nun werden wir ja sehen, wer es zuerst geschafft hat, Olle Holzbein oder wir!«

»Nun werden wir ja sehen, ob Olle Ochsenhirn uns unseren Schatz weggeschnappt hat!«, sagte Moses.

»Aber nicht mehr heute Abend!«, sagte Käptn Klaas streng. »So was Wichtiges machen kluge Seeräuber bei Tageslicht.«

Und dann segelten sie auf den Roten Felsen zu, bis die Dunkelheit der Nacht sie verschluckte.

34. Kapitel,
in dem die »Walli« beim Roten Felsen ankommt

Der Rote Felsen übrigens war eine Insel, die tief in der Westsee und weit vom Land kahl und karg und einsam steil aus den Wellen ragte, und niemand wusste so recht, wie diese leuchtend roten Felsen da mitten ins Meer gekommen waren.

»Die hat der Teufel da hingeschleudert!«, flüsterten die Menschen an der Küste mit bebender Stimme, wenn sie vom Roten Felsen sprachen. »Bleibt weg vom Roten Felsen!« Und wenn sie aufs Meer hinausmussten, fuhren sie einen weiten Bogen.

»Bleibt weg vom Roten Felsen!«, murmelten auch die Kaufleute und bekreuzigten sich, wenn sie daran vorbeisegelten, und die Fischer flüsterten: »Bleibt weg vom Roten Felsen!«, wenn sie ihre Netze flickten. Und sie fischten in anderen Gewässern, und wohnen wollte auf diesem Teufelseiland nun schon erst recht keiner, wie man sich denken kann.

Darum kam der Rote Felsen den vielen Seeräubern, die es damals gab, natürlich gerade recht. Denn wenn sie wieder mal ordentlich geraubt und gebrandschatzt und Kaufleute ins Meer geschmissen hatten, dann schafften sie ihre Beute hinterher über die raue See zu diesem Felsen weit draußen im Meer und dort versteckten sie sie tief in einer Höhle in den Klippen, wo sie kein Mensch jemals finden konnte. So hatte das auch Käptn Klaas jahrelang gemacht in seiner ganz besonderen geheimen Höhle, und wenn du nachgucken willst, ob da vielleicht noch ein paar Seeräuberschätze übrig geblieben sind, dann kannst du das gerne tun und selbst mal hinfahren, denn den

Roten Felsen gibt es ja immer noch, nur dass er heute kein bisschen mehr gruselig ist.

Sobald also die Sonne am nächsten Morgen die Westsee erleuchtete, segelte die »Wüste Walli« mit Haken-Fiete am Ruder ganz nah an den Roten Felsen heran, so nah, wie es überhaupt nur ging; denn anlegen konnte man da natürlich nicht, dann wäre das Schiff an den Klippen zerschellt. Darum rief Käptn Klaas rechtzeitig: »Werft den Anker!«, und als die »Wüste Walli« dann vor der Insel auf Reede lag, so ungefähr zehn Schiffslängen vom rötesten und steilsten aller roten Felsen entfernt, da ließen sie über das Heck ihr Ruderboot zu Wasser, das war nur eine kleine Nussschale, und ruderten los. Und Moses durfte natürlich mit, weil sie ja so gut skullen konnte, und Hannes durfte mit, um sie mal abzulösen, wenn ihr vielleicht die Arme wehtaten.

Da ragten vor ihnen die Felsen so hoch in den Himmel wie die Türme einer Kathedrale, und über ihren Köpfen segelten die Möwen mit klagenden Schreien auf dem Wind, und vom Rand der höchsten Klippe guckten mit neugierigen Augen die frechen, lustigen Lummen auf sie herunter, das sind merkwürdige Vögel, die sehen aus wie kleine Pinguine und die gibt es auch heute noch.

Aber Moses und Hannes und all die Männer ließen sich davon nicht ablenken, sondern suchten mit scharfen Augen die Insel ab, bis Käptn Klaas plötzlich »Halt!« rief. Und wirklich, da klaffte mitten in der schroffen Felswand ein tiefes, finsteres Loch, gar nicht so weit über den Wellen, und daneben hing ein großer, rostiger Eisenring. Und wenn der Teufel ja auch vielleicht den Felsen ins Meer geschleudert hatte, wie die Menschen damals glaubten, den Eisenring hatte er da jedenfalls ganz bestimmt nicht angebracht.

Nein, das war Käptn Klaas mit seinen Leuten gewesen, damit sie ihr Boot vernünftig vertäuen konnten, während sie selbst ihre Beute in die Höhle schafften.

»Oh Elend, Elend!«, sagte Nadel-Mattes und schlug die Hände vor die Augen. »Was werden wir wohl finden, wenn wir in die Höhle sehen?« Denn noch war ja nicht klar, ob der finstere Olle Holzbein vielleicht schon vor ihnen da gewesen war und ihren Schatz womöglich schon geholt hatte, die Schatzkarte hatte er ja.

»Möge der Herr im Himmel unsere Schätze beschützen«, sagte Marten Smutje und bekreuzigte sich flüchtig. »Auch wenn sie ja nicht ganz und gar ehrlich geraubt sind.«

Und bevor sich noch Haken-Fiete einmischen konnte, wie er das sonst immer tat, hob Käptn Klaas zum Glück die Hand. »Ich glaube, es ist am besten, wir lassen lütt Moses mal nachgucken!«, sagte er. »Denn Moses ist von uns allen am kleinsten, das ist bei so einer Höhle ja praktisch.«

»Und ich?«, fragte da Dohlenhannes. »Ich bin ja auch ziemlich klein!«

»Nun denn, in Gottes Namen du auch, Dohlenhannes!«, sagte Käptn Klaas. »Und nehmt eine Fackel mit, damit ihr gucken könnt, denn in der Höhle ist es duster.«

Dann hievten die Seeräuber die Kinder nach oben in die Höhle, Moses zuerst und danach Hannes, und das war gar nicht so einfach, weil doch unter ihnen die ganze Zeit das Boot auf den Wellen auf und ab schaukelte und die Öffnung im Felsen darum mal näher kam und dann wieder verschwand. Aber sie hatten ja schon Übung, und ganz zum Schluss reichte Marten Smutje ihnen noch die Fackel.

»Nun geht mit Gott!«, flüsterte er. »Und passt auf euch auf!«
Aber das hatten die Kinder ja sowieso vor.

35. Kapitel,

in dem die Kerle ihren Schatz wiederfinden

Hatte Käptn Klaas nicht gesagt, dass es in der Höhle duster war? Na, wenn er jemals in seinem Leben recht gehabt hatte, dann jetzt. So duster war es in der Höhle über dem Meer, dass die Kinder nicht mal die Hand vor Augen hätten sehen können, hätten sie nicht ihre Fackel gehabt; aber auch die warf nur einen kleinen, flackernden Lichtschein auf den Boden und die engen Wände, da hätten du und ich uns bestimmt gegruselt. Aber Moses und Hannes hatten ja schon vorher so viele Abenteuer miteinander bestanden, dass sie ein bisschen Übung hatten. Darum holten sie nur einmal ganz, ganz tief Luft und hielten sich an den Händen, und mit der anderen Hand tasteten sie sich an den Wänden entlang tiefer und tiefer in die enge Höhle hinein, und sie versuchten, nicht daran zu denken, wie dunkel es war und wie flackerig der Lichtschein und dass es in der Höhle vielleicht ja auch Höhlengeister geben konnte.

»Ja, phhht! Höhlengeister, Scheibenkleister!«, sagte Moses tapfer. »Die sollen ruhig mal kommen!«

»An Geister glaubt sowieso nur Olle Holzbein!«, sagte Hannes.

Aber dann waren sie doch ziemlich froh, als sich endlich über ihnen die Höhlendecke hob und die Wände sich vor ihnen weiteten, bis die Höhle auf einmal ganz riesengroß wurde und fast aussah wie eine Kirche von innen; nur dass es natürlich keine Fenster gab.

»Beim Klabautermann, Moses!«, flüsterte Hannes, denn er war ja noch nie beim Roten Felsen gewesen und dieser Anblick verschlug ihm fast die Sprache. »Was ist das aber für eine bannig feine Höhle! Die könnte ja glatt unser Geheimversteck werden!«

»Die könnte ja klar unser Geheimversteck werden!«, sagte Moses zufrieden, aber sie hatte die Höhle ja schon öfter gesehen, jedes Mal, wenn sie mit Käptn Klaas hier seine Schätze versteckt hatte, deshalb fand sie sie nicht mehr ganz so aufregend. Und weil sie sich auskannte, leuchtete sie mit ihrer Fackel, bis sie endlich einen Seitengang fand, den hatte sie gesucht und darin glitzerte und funkelte es, dass es fast in den Augen wehtat.

»Er ist noch hier!«, schrie Moses da vor lauter Begeisterung und das Echo hallte gruselig von den Wänden zurück. »Unser Schatz ist noch hier! Olle Holzbein war zu langsam!«

Marten Smutje hätte an dieser Stelle ganz bestimmt »Danket dem Herrn!« gerufen, denn da in dem Seitengang standen Kisten und Kästen und Truhen und Säcke in so großer Zahl, dass es Moses beim Zählen sicher schwindelig geworden wäre, wenn sie zu zählen versucht hätte, sie war ja nie zur Schule gegangen. Und über den Rand der Truhen und Kisten und oben aus den Säcken quollen Gold und Silber und Geschmeide und Edelsteine und Dublonen so reichlich, dass selbst Moses es kaum glauben konnte.

»Dunnerlittchen! Juhu!«, schrie sie darum und boxte Hannes in die Seite. »Siehst du das, Dohlenhannes? Olle Holzbein hat unseren Schatz noch nicht entdeckt, und nun holen wir ihn uns und er kann meinetwegen zum Klabautermann fahren!«

»Du meine Güte, Moses!«, flüsterte Hannes und dann stand er einfach nur da und starrte auf die ganze Pracht. Denn wenn er natürlich auch ein Strandräuberjunge war und darum an Gold und Silber gewöhnt, so viele Schätze hatte er doch noch niemals auf einem Haufen gesehen. »Wozu braucht Käptn Klaas denn dann auch noch den Blutroten Blutrubin? Wenn er doch schon so viel Glitzerkram hat?«

»Keine Ahnung!«, sagte Moses und wühlte mit beiden Händen ein kleines bisschen in den Edelsteinen und den Münzen und all dem Gold, das aus Kisten und Truhen und Kästen gefallen war, bis es ordentlich klirrte und schepperte. »Guck hier, sogar eine Krone!«

Und sie nahm einen goldenen Reif, der war mit so vielen Brillanten und Diamanten und Rubinen und Smaragden und ich weiß nicht, was sonst noch für Edelsteinen, besetzt, dass es nur so funkelte und glänzte, wenn der Fackelschein darauffiel. Und übrigens war es nur ein Diadem und keine richtige Krone, aber den Unterschied kannte Moses nicht, sie war ja keine Prinzessin; und sie setzte sich das Diadem zufrieden auf ihre strubbeligen, ungekämmten Haare, und dazu nahm sie sich noch eine glitzernde Kette aus einer Truhe, die musste sie sich zweimal um ihren Hals mit dem schmuddeligen Tuch schlingen, so lang war sie.

»Wie steht mir das, Hannes?«

Aber Hannes tippte sich nur mit dem Finger an die Stirn und pfiff durch die Zähne.

»Beim Klabautermann, Moses!«, sagte er. »Nun nimm den Tünkram aber mal ganz fix wieder ab! Welcher Bengel will denn so einen Weiberschiet tragen? Man könnte ja glatt glauben, du bist eine alberne kleine Dame!«

»Eine alberne kleine Dame?«, sagte Moses erschrocken und riss sich schon ganz schnell das Diadem wieder vom Kopf. Die Kette hatte sich leider in ihrem Halstuch verheddert, die dauerte ein bisschen. »Nie im Leben! Ich doch nicht, Hannes!« Und dabei versuchte sie, ihre Stimme ganz tief und rau klingen zu lassen.

Aber Hannes hatte sich schon zum Ausgang gewandt. »Dann lass uns jetzt fix Käptn Klaas Bescheid geben!«, sagte er. »Wir haben keine Zeit zu verlieren! Olle Ochsenhirn, der Schisser, hat ja immer noch seine Schatzkarte und jeden Augenblick kann er hier sein! Bis dahin muss die Höhle leer geräumt sein!«

»Wo du recht hast, hast du recht, Dohlenhannes!«, sagte Moses und sah sehnsüchtig noch einmal auf die Kette und auf das Diadem. Natürlich wollte sie nicht, dass Hannes sie für eine alberne kleine Dame hielt, aber ganz schön fand sie all das Geschmeide trotzdem, das muss ich mal sagen, und vielleicht konnte es ja auch kleine Damen geben, die nicht albern waren. Und wenn sie allein in der Höhle gewesen wäre und wenn es da womöglich sogar noch einen Spiegel gegeben hätte, dann hätte sie die Sachen alle mal ausprobiert. Aber das ging jetzt natürlich nicht, sonst hätte Hannes womöglich noch was gemerkt.

»Käptn Klaas!«, brüllte Moses, sobald sie am Höhlenausgang angekommen war. »Es ist noch alles da, Käptn Klaas! Olle Holzbein hat unseren Schatz noch nicht gefunden, darum lasst ihn uns jetzt alle zusammen auf die ›Walli‹ schaffen!«

Und haargenau das taten sie dann auch.

Nur Marten Smutje kletterte nach oben ins Krähennest, um Ausschau zu halten, ob irgendwo am Horizont vielleicht doch ganz plötzlich die »Süße Suse« zu sehen wäre, denn dann hätten sie sich ja noch mehr beeilen müssen. Vielleicht wunderst du dich, dass Käptn Klaas ausgerechnet Bruder Marten den Mast hochschickte, denn der war ja von allen Seeräubern auf der »Wüsten Walli« nicht gerade der Schlankste. In den Wanten klettern wie ein Eichhörnchen konnte er aber trotzdem, das musste ein Seemann damals ja können, moppelig hin oder her. Und beim Schatztransport hätte er ja sowieso nicht helfen können, er hätte mit seinem stattlichen Smutjebauch doch gar nicht durch den engen Höhleneingang gepasst.

Da trugen und schleppten und zerrten die Kerle den ganzen Tag Kisten und Kästen und Truhen und Säcke aus der dusteren Höhle und hievten sie in ihre kleine Nussschale; und immer, wenn die so voll war, dass das Wasser schon fast über den Rand geschwappt kam, ruderten sie zurück zur »Walli«, um ihre Schätze an Bord zu schaffen und im Lagerraum zwischen Linsen und Zwieback und Dörrfleisch und Stockfisch zu verstauen; und als der

Himmel langsam seine blaue Farbe verlor und über dem Horizont begann, sich gelblich zu färben, um sich allmählich auf den Sonnenuntergang vorzubereiten, da lag die »Wüste Walli« von all dem neuen Gewicht mindestens zwei Handbreit tiefer im Wasser, wenn nicht sogar drei, so schwer war der Schatz.

Aber dafür war die Höhle jetzt auch ratzekahl leer und die Kerle hatten von der Schlepperei ganz müde Arme, und Moses und Hannes natürlich auch, so doll hatten sie den ganzen Tag geschuftet.

»Aber hat es sich nicht auch gelohnt, Männer?«, rief Käptn Klaas, als er noch ein letztes Mal gebückt durch die Höhle kroch, um auch im allerhintersten und verstecktesten Winkel noch die allerletzte versteckteste Dublone aufzuspüren; dabei hatten seine Männer vorher sogar schon gründlich ausgefegt. »Von nichts kommt nichts, wie das Sprichwort so sagt! Ohne Fleiß kein Preis! Jetzt haben wir unseren Schatz gerettet, da kann Olle Dummkopf die Schatzkarte von mir aus von rechts nach links und von hinten nach vorne wenden und sich meinetwegen sogar auf den Kopf stellen, wenn er sie studiert, hier wird er keine einzige Perle mehr finden!«

»Hier wird er keine einzige Perle mehr finden, Käptn!«, sagte Haken-Fiete begeistert, und bestimmt hätte er an dieser Stelle am liebsten vor Begeisterung »Jippieh!« geschrien oder »Jabbadabbadu!«, aber die Wörter gab es, wie du dir vielleicht ja denken kannst, damals noch nicht.

Dann segelten sie los. Und das war ungefähr um acht Glasen der vierten Tagwache, die Plattfuß heißt.

36. Kapitel,

in dem zu unserem großen Schrecken die »Süße Suse« auftaucht

Aber sehr weit sollten sie nicht kommen.

Denn gerade als sie so ungefähr eine Seemeile vom Roten Felsen entfernt waren und sich alle gegenseitig gratulierten, dass sie nun ihren Schatz gerettet hatten und Olle Holzbein leer ausging – haargenau in diesem Augenblick ihres größten Triumphes und ihrer größten Freude und übrigens auch ihres größten Hungers, so ist das ja, wenn man einen ganzen Tag geschuftet hat, hörten sie vom Mast her einen erschrockenen Ruf.

»Möge der Herr im Himmel uns beschützen!«, rief Marten Smutje da oben in seinem Krähennest, und wenn man genau hinguckte, konnte man sehen, wie er sich bekreuzigte. »Die ›Süße Suse‹ am Horizont! Wenn mich nicht alles täuscht, Käptn Klaas, kommt da von Nordnordost die ›Süße Suse‹ gesegelt!«

»Beim Klabautermann!«, rief Käptn Klaas und »Beim Klabautermann!«, riefen auch alle seine Seeräuber.

»Hat Olle Holzbein uns doch noch eingeholt!«, sagte Nadel-Mattes düster. »Oh Elend, Elend!«

»Oh Elend, Elend!«, rief da natürlich auch Haken-Fiete, aber das wollen wir ihm mal durchgehen lassen, denn diesmal hatte er ja wirklich recht. »Was können wir jetzt denn nur tun, Käptn Klaas?«

»Ja, was können wir jetzt denn nur tun?«, fragte auch Käptn Klaas und zupfte an seiner Augenklappe. »Fliehen oder kämpfen, Männer! Kämpfen oder fliehen! Eins von beidem können wir tun, aber gewisslich nicht mehr, denn ein Drittes fällt mir nicht ein!«

Und wenn er eben noch fröhlich und zufrieden ausgesehen hatte, jetzt war das auf einen Schlag vorbei.

»Fliehen oder kämpfen! Kämpfen oder fliehen!«,
murmelten die Kerle da auch und keiner von ihnen
sah dabei allzu glücklich aus. Denn Fliehen wäre natürlich feige gewesen, verstehst du, aber ein Kampf
mit Olle Holzbein war bestimmt auch nichts, worauf
sie sich freuen konnten, so was ist ja immer ziemlich
gefährlich.

»Vielleicht suchen wir dann also lieber das Weite,
Käptn?«, fragte Nadel-Mattes darum ganz vorsichtig. »Wer sagt denn, dass Flucht feige ist? Es mag ja
sein, dass Olle Holzbein dumm ist wie Bohnenstroh,
aber kämpfen kann er wie ein Hai! Kann sein, wir
verlieren unsere Ehre, wenn wir fliehen, aber wenigstens behalten wir unseren Kopf und den Rest
von uns auch, oh Jammer, Jammer!«

Und er guckte nachdenklich auf Käptn Klaas' Augenklappe und auf Fietes Hakenhand.

»Und unseren Schatz kann er uns dann auch nicht
wegschnappen, wenn wir so fix vor ihm davonflitzen wie einst die
Kinder Israels vor den Ägyptern, Käptn!«, rief Marten Smutje von
oben aus dem Krähennest. »Darum lasst uns einfach auf unsere Ehre
pfeifen! Denn die ›Suse‹ kommt näher und näher, und wenn ihr mich
fragt, sieht es nicht so aus, als ob unsere arme alte ›Walli‹ im Kampf
gegen sie siegen könnte, nicht mal mit der Hilfe des Herrn!«

Und während Käptn Klaas noch einen Augenblick zögerte und hin
und her überlegte – denn niemand büxt ja gerne aus, auch wenn
der Gegner übermächtig ist und die Flucht darum das Klügste –, da
sprang plötzlich Dohlenhannes vor.

»Wartet einen Augenblick, Käptn Klaas!«, rief er und zeigte auf das
Schiff, das man vom Deck aus am Horizont vor dem roten Abendhimmel heransegeln sah. »Denn auch die Flucht kann uns jetzt nicht
mehr retten! Dafür ist es zu spät!«

»Dafür ist es zu spät?«, fragte Käptn Klaas verwirrt. »Die ›Suse‹ taucht doch gerade erst am Horizont auf, wie sollte sie uns da denn wohl einholen?«

»Einholen muss sie uns ja gar nicht! Sie muss uns nur nahe genug kommen, um ihre Blide auf uns abzufeuern!«, rief Hannes »Und dann ist es aus mit der ›Wüsten Walli‹ und mit uns allen auch!«

»Ihre Blide?«, flüsterte Nadel-Mattes erschrocken. »Wenn Olle Holzbein wirklich eine Blide an Bord hat, dann gnade uns Gott! Oh Hölle, Hölle!«

»Ich seh sie, ich seh sie!«, rief Marten Smutje aus dem Krähennest. »Damit macht er Kleinholz aus unserer ›Walli‹! Der Himmel steh uns bei!«

»Und dann buddeln wir ab mit Mann und mit Maus!«, sagte Haken-Fiete düster. »Oh Hölle, Hölle, der Himmel steh uns bei!«

Und in seinem Schrecken fing er an, laut und falsch Moses´ Schlaflied zu singen, denn das passte ja gerade ganz gut:

> »Wild tost die See und der Sturm braust laut!
> Männer, wir müssen versinken!
> Atschüs, mein Deern, meine kleine Braut!
> Zum Schluss wolln wir fix noch was trinken!«

»Nichts da!«, rief Käptn Klaas und sah Haken-Fiete böse an. »Getrunken wird jetzt nicht, und versunken wird auch nicht! Legt mal lieber alle eure Stirn in Falten, Männer, und grübelt, solange eure Köpfe noch auf euren Schultern sitzen, denn wenn uns jetzt nicht einfällt, wie wir Olle Holzbein und seiner gefährlichen Blide entkommen können, dann gehen wir bald zwischen den Algen am Meeresgrund spazieren!«

Da kratzten die Männer sich am Kopf und starrten auf den Horizont, wo die »Suse« allmählich größer und größer wurde, und Moses zwirbelte wie immer ihr schmuddeliges Halstuch; und sie grübelten und grübelten, dass man ihre Gehirne richtig knirschen hörte, denn an so eine Tätigkeit waren sie ja nicht gewöhnt. Und während sie da alle an Bord der »Walli« noch nachdenken und ihre Bärte zupfen (außer Moses und Hannes natürlich, die hatten ja beide keinen Bart), erkläre ich mal schnell, was so eine Blide überhaupt war, denn die gibt es heute ja nicht mehr.

Die Ritter an Land und die Seeleute auf dem Wasser haben damals in den wilden Zeiten ja noch mit Schwertern und Säbeln und Streitäxten und meinetwegen auch mit Pfeil und Bogen gekämpft; aber Pistolen zum Beispiel gab es noch nicht, wenn auch die aller-, allerersten Feuerwaffen gerade erfunden worden waren, das waren riesige, schwere Gewehre. Aber die waren noch so neumodisch und auch so teuer, dass die Kerle auf der »Walli« nun ganz bestimmt keine bei sich hatten. Und kannst du glauben, dass noch nicht mal Kanonen erfunden waren damals? Stattdessen gab es eben die Bliden, das waren riesengroße Steinschleudern, größer als ein Pferd, mit denen konnten die Ritter oben auf ihren Burgen mächtige Steinbrocken durch die Luft auf ihre Feinde donnern lassen, von denen war selbst der kleinste so schwer wie ein großes Schulkind, und die allerschwersten und allergrößten waren sogar schwerer als Marten Smutje.

Da kannst du dir ja vorstellen, dass so ein Steinbrocken alles zu Klump haute, wenn er irgendwo einschlug. Und wenn ein Seeräuberschiff groß genug war, dann bauten sich auch die Seeräuber neuerdings so eine Blide auf ihr Deck, und das war dann für ihre Gegner überhaupt gar nicht lustig, kann ich dir sagen. Denn noch bevor ein anderes Schiff sich ihnen auch nur auf drei Schiffslängen nähern und Enterhaken werfen oder sie mit Pfeil und Bogen angreifen konnte, hatten die riesigen Steingeschosse längst die Deckplanken durchschlagen oder sogar ein Loch in die Außenwand des Schiffs gerissen, und dann konnte seine Besatzung wirklich nur noch beten.

Und haargenau so eine gefährliche Blide entdeckten die Männer jetzt tatsächlich bei Olle Holzbein an Bord, und darum sah es ziemlich schlecht aus für die »Wüste Walli«, das verstehst du wohl.

»Oh Elend, Elend!«, rief Nadel-Mattes und starrte zitternd auf die »Suse«, die sich vor dem dämmrigen Abendhimmel schwarz und gefährlich näherte und mit jeder Minute größer und größer wurde. »Verzweiflung, Verzweiflung!«

Dabei hatten sie jetzt doch eigentlich lange genug ihre Bärte gezwirbelt und ihre Gehirne knirschen lassen, aber eingefallen, wie sie Olle Holzbein entgehen konnten, war ihnen trotzdem noch nichts.

Und gerade als Haken-Fiete vorschlug, dass sie dann vielleicht am besten wirklich noch schnell einen bechern sollten, bevor Olle Holzbein sie mit seiner gewaltigen Steinschleuder auf den Meeresgrund verfrachtete, verdammich, starrten Moses und Hannes einander plötzlich an, dass ihre Augen Funken sprühten. Dann schnipste Moses mit den Fingern und rief: »Haltstopp! Käptn Klaas! Ich weiß, was uns retten kann!«, und auf einmal sah sie ganz vergnügt aus, obwohl dazu doch nun wirklich gerade überhaupt gar kein Grund bestand.

Und fast hätte man glauben können, dass sie sich mit Dohlenhannes abgesprochen hatte, denn der rief in haargenau demselben Augenblick auch »Haltstopp!«, nur vielleicht eine winzige Sekunde früher oder später, das kann ich nicht so genau sagen. »Ich weiß, was uns retten kann, Käptn Klaas!«

Und wenn du es nun komisch findest, dass beide in haargenau derselben Sekunde haargenau dieselbe Idee hatten, dann kann ich nur sagen, dass so was bei allerbesten Freunden eben manchmal passiert, die finden dieselben Sachen gut und die finden dieselben Sachen langweilig, und manchmal haben sie eben auch dieselbe Idee, das muss uns überhaupt gar nicht wundern.

Dieses Mal war es zum Glück sogar eine Idee, die die »Wüste Walli« und alle ihre Männer noch gerade rechtzeitig rettete, bevor sie der gemeine Olle Holzbein mit seiner Blide auf den Meeresgrund schicken konnte. Und wie diese Idee aussah, das sollst du jetzt gemeinsam mit Käptn Klaas und all seinen Kerlen erfahren.

37. Kapitel,

in dem Olle Holzbein mal wieder einen fürchterlichen Schrecken kriegt

»Wieso: Haltstopp?«, fragte Käptn Klaas nämlich jetzt und wusste gar nicht, wen er dabei angucken sollte, Moses oder Hannes, denn die hatten ja beide gleichzeitig gerufen. »Was kann denn wohl zwei Kindern, die noch nicht mal trocken hinter den Ohren sind, eingefallen sein, wo nicht einmal ein Seeräuberhauptmann eine Lösung weiß? Wo keine Hoffnung mehr ist, da hilft nur noch Beten, wie das Sprichwort so sagt, und etwas anderes wird uns jetzt wohl auch nicht mehr übrig bleiben; denn die ›Suse‹ wird größer und größer, und bald werden wir das Knirschen ihrer Blide hören.«

»Dunnerlittchen, das werden wir nicht!«, rief Moses böse und zwirbelte ihr Halstuch so doll, dass es fast eingerissen wäre. »Ja, phhht, natürlich ist noch Hoffnung, Käptn Klaas! Wir werden dem dösigen Olle den Schrecken seines Lebens einjagen und danach werden wir auch noch seine ›Suse‹ entern, verdammich!«

»Jawohl, das werden wir, Käptn Klaas!«, rief jetzt auch Hannes. »Denn niemand auf der Welt hat ja so fürchterliche, schreckliche Angst vor Geistern …«

»… und Gespenstern!«, rief Moses.

»… und Spuk wie Olle Holzbein!«, rief Hannes und klatschte vor Vergnügen in die Hände.

»Angst vor Geistern und Gespenstern und Spuk, ja, das ist wahr!«, murmelte da Käptn Klaas und riss verwundert sein gutes Auge ganz weit auf. »Beim Klabautermann, da habt ihr recht! Niemand auf der Welt hat ja seit eh und je so große Angst vor Geistern und Gespenstern wie Olle Schisshase!« Und woher er das wusste, könnte man sich doch wirklich fragen, aber weil jetzt alles sehr eilig ist und die »Suse« schon ganz nah, lassen wir das Nachdenken darüber mal lieber sein. Du kannst das ja vielleicht einfach auf deine Liste mit Merkwürdigkeiten schreiben.

»Aber was soll uns das denn nützen, Käptn Klaas?«, fragte jetzt Haken-Fiete, der war ja immer ein bisschen schwer von Kapee, was in der Seeräubersprache nichts anderes heißt, als dass er kein Wort verstand. »Hier gibt es doch gar keine Gespenster! Und wenn es sie geben würde übrigens«, sagte er und guckte ein bisschen verschämt, »dann hätte ich auch Angst vor denen. Ganz bannige Angst.«

Aber Käptn Klaas hatte längst begriffen, was die Kinder vorhatten, der war ja nicht so schwer von Kapee.

»Alle Mann unter Deck!«, zischte er und das war ein Befehl. »Lichter löschen! Und von euch allen will ich keinen Mucks mehr hören, Männer, denn Reden ist Silber, aber Schweigen ist Gold, wie das Sprichwort so sagt!«

Da legten sie alle einen Finger an die Lippen und nickten, weil sie verstanden hatten, nur Euter-Klaas meckerte noch einmal ziemlich verwirrt, aber die hatte ja auch keinen Finger, den sie an die Lippen legen konnte.

Und Haken-Fiete war auch noch nicht still. »Aber warum …?«, flüsterte er und jetzt sah er mindestens ebenso verwirrt aus wie Euter-Klaas.

»Pfui Teufel, bist du dösig, Haken-Fiete!«, rief da Bruder Marten. »Was wird oller Olle sich gleich graulen! Wir tun so, als ob wir ein Geisterschiff sind, Fiete, ein Geisterschiff!« Und damit machte er sich mit wehender Schürze schon auf den Weg unter Deck, und mit ihm verschwanden auch alle anderen Seeräuber *hast-du-nicht-gesehen!* nach unten in den Laderaum, in dem die Ladung sogar jetzt in der Dämmerung noch glitzerte und funkelte im letzten Licht, das durch die wenigen Ritzen im Schiffsrumpf fiel. Natürlich nur Gold, Silber und Geschmeide; Dörrfleisch und Stockfisch glitzerten und funkelten ja nicht.

Aber Haken-Fiete zögerte immer noch verwirrt, bevor er wie die anderen alle das Fallreep nach unten stieg. »Aber warum willst du denn, dass Olle Holzbein glaubt, wir sind ein Geisterschiff, Marten Smutje?«, fragte er. »Beim Klabautermann, das sind wir doch gar nicht!«

Na, das war nun doch wirklich ziemlich dumm von ihm! Geisterschiff nannte man ja, wie du vielleicht weißt, damals ein Schiff, das irgendwo einsam und verlassen auf dem Meer dümpelte ohne einen einzigen Mann Besatzung an Bord, aber heil und ganz: Darum kann man ja verstehen, dass solche Schiffe den Seeleuten unheimlich waren, denn wer sonst außer Geistern und Gespenstern konnte ein Schiff ohne Mann und Maus wohl auf die hohe See hinausgesegelt haben?

Wir lachen ja heute über solche dummerhaftigen Sachen, aber damals in den finsteren Zeiten glaubten die Menschen eben auch an Spuk und Spökenkram. Und Käptn Olle, das hast du ja schon gemerkt, glaubte daran mehr als die meisten.

War darum nicht schlau, was Moses und Hannes sich ausgedacht hatten? Denn wenn die »Walli« nun ohne einen einzigen Seemann an Deck im Abendrot als schwarzer Schatten vor dem glutroten Felsen herrenlos auf den Wellen trieb, was sollte Olle Holzbein da wohl glauben? Natürlich, dass sie ein Geisterschiff war!

Da würde er ganz bestimmt einen großen Bogen um sie machen und entern würde er sie schon gerade nicht; und darum konnte Käptn Klaas und seinen Männern Olles gefährliche Blide auch ganz gleichgültig sein und sie waren gerettet und mussten weder fliehen noch kämpfen. Guck, da hatte Käptn Klaas eben doch nicht recht gehabt, als er gesagt hatte: *Fliehen oder kämpfen, ein Drittes gibt es nicht.* Da hätte er mal lieber gleich die Kinder fragen sollen, die hatten sich ja ein Drittes ausgedacht.

Darum blieb die Besatzung der »Walli« nun auch ganz still unter Deck und wartete, denn irgendwann musste Olle ja sehen, dass ihr Schiff verlassen war, und richtig schön Angst kriegen.

Und richtig: »Ohoho, was ist denn das für ein feiner Kahn?«, schrie tatsächlich Olle Holzbein, der hatte ja so eine dröhnende Stimme, den konnten sie alle gut hören. »Geht uns da vor Klaas Klappes Schatzhöhle sogar noch eine andere fette Beute ins Netz! Macht unsere Blide bereit, ihr Männer! Und dann nichts wie rauf auf die Schaluppe, klarmachen zum Entern!«

Da sahen die Kerle auf der »Walli« sich erschrocken an, denn gerade sah es ja so aus, als ob ihr Plan nun doch nicht klappen würde; aber plötzlich kam von oben aus dem Mastkorb der »Suse« ein erschrockener Schrei.

»Haltet ein, haltet ein! Dieser Kahn torkelt ja auf den Wellen, als ob er ein ganzes Fass Trinkerchen alleine leer gesoffen hätte, und düster ist er dazu! Der ist einsam und verlassen, Käptn Olle! Kein einziger Seemann an Deck!«

»Kein einziger Seemann an Deck?«, fragte Olle Holzbein zurück und seine Stimme klang plötzlich ein kleines bisschen ängstlich. Es war ja übrigens ein Glück, dass er sich ausgerechnet mit dem Mann im Mastkorb unterhielt, da musste er brüllen und darum konnten sie ihn auch auf der »Walli« gut verstehen. »Was kann das denn bedeuten, beim Klabautermann?«

Und genau in diesem Augenblick fing Euter-Klaas auf dem Achterkastell der »Walli« laut an zu meckern. Denn leider hatten die Kerle vergessen, sie mit sich unter Deck zu nehmen, und darum war sie da oben nun ganz alleine und das gefiel ihr wirklich überhaupt nicht. Wo verflixt waren denn all die Leute geblieben, die sie sonst zwischen den Hörnern kraulten und ihr leckere Backpflaumen gaben? Die sollten gefälligst mal zurückkommen, das wollte Euter-Klaas und darum meckerte sie jetzt klagend und laut, und das klang verteufelt unheimlich in der dunklen Nacht mitten auf dem Meer.

Und wirklich kam Olle Holzbein keine Sekunde der Gedanke, dass das Meckern von einer Ziege kommen könnte. »Ein Geisterschiff!«, brüllte er und seine Stimme kippte fast um vor lauter Schreck. »Ich hab es geahnt! Ihr Männer, ein Geisterschiff! Kein Mensch an Deck und Geistergeheul! Klarmachen zur Wende und nichts wie weg!«

»Und jetzt seh ich sogar den Leibhaftigen!«, schrie der Matrose im Mastkorb. Der Leibhaftige, das war ja kein anderer als der Teufel, musst du wissen, so nannten sie den damals. »Der Leibhaftige tanzt auf dem Achterkastell mit Hörnern und Schwanz!«

Da stieß Hannes Moses in die Seite und Moses boxte Hannes gegen den Arm, und beide rollten sie mit den Augen und hielten sich eine Hand vor den Mund, damit man drüben auf der »Suse« ihr Lachen nicht hören konnte. Der Leibhaftige auf dem Achterkastell! Wo das doch nur die freundliche Euter-Klaas war, die durfte ja wohl Hörner haben und einen Schwanz und meckern durfte sie auch! Aber Olle Holzbein war eben so ein fürchterlicher Schisshase, der musste immer gleich denken, dass alles, was er sich nicht erklären konnte, Gespensterkram war.

Da hörten sie auf der »Wüsten Walli« auch schon, wie der Wind in die Segel der »Suse« fuhr, als Olle Holzbein mit seinen Männern eilig das Weite suchte, und am liebsten wären sie in einen lauten Jubel ausgebrochen. Aber das ging ja nicht, dann hätte Olle sie gehört und dann hätte er bestimmt nicht mehr geglaubt, dass die »Walli« ein Geisterschiff war.

»Dunnerlittchen, es hat geklappt!«, flüsterte Moses. »Sie geben Fersengeld! Hab ich's doch gewusst!«

»Es hat geklappt, beim Klabautermann!«, flüsterte jetzt auch Käptn Klaas. »Was bist du doch für ein verteufelt kluges Kind, Seeräubermoses! Ja, ja, Kindermund tut Wahrheit kund, wie das Sprichwort so sagt!«

Aber da legte Moses warnend ihren Finger an die Lippen, denn jetzt redete Olle Holzbein schon wieder zu seinen Männern; und weil die »Suse« doch mit gutem Wind in den Segeln fuhr, mussten sie leise sein, wenn sie ihn noch verstehen wollten.

»Da sind wir ja noch einmal glücklich davongekommen!«, rief Olle Holzbein nämlich und seine Stimme war noch immer ganz klöterig auf den Beinen. »Fast hätte uns auf der ›Walli‹ der Leibhaftige erwischt, Hölle, Tod und Teufel! Und Klaas Klappe hat er wohl schon erwischt, denn wie sonst könnte der Leibhaftige wohl

auf seine Schaluppe gekommen sein?« Er schnaufte. »Darum segeln wir jetzt zu Klaas seiner Höhle, ihr Männer, und holen uns Klaas Klappes Schatz!«

Da hörten die Kerle auf der »Walli«, wie sich auf der »Süßen Suse« irgendwer mit trippelnden Schritten bewegte, und dann räusperte er sich und dann sagte eine kleine alte Stimme voller Verachtung: »Ein Geisterschiff, was für ein Tünkram!«, und Moses und Hannes sahen sich an. Denn die Stimme kannten sie ja, die gehörte keinem anderen als Hinnerk mit dem Hut. »Geisterschiffe gibt es nicht, Klein-Olle! Aber du hast ja schon immer so viel Schiss in der Büx gehabt vor Geistern und Gespenstern, du Tüffel! Das ist eine Falle, das riech ich doch! Lass die Höhle in Ruh! Wir segeln zurück um Kap Skagen!«

Da rissen auf der »Walli« alle Seeräuber ihre Augen weit auf vor Schreck, denn dass irgendeiner von Olle Holzbeins Leuten so schlau sein würde, damit hatten sie nicht gerechnet. Was war denn, wenn Olle nun auf seinen alten Matrosen hörte? Dann würde ihr ganzer Plan nicht funktionieren und die Blide würden sie vielleicht doch noch zu spüren kriegen.

Aber Olle war ja so dumm! »Wie redest du denn mit deinem Käptn und Seeräuberhauptmann, Hinnerk mit dem Hut?«, brüllte er. »Was denkst du

dir denn? Eine Falle, dass ich nicht lache! Das ist ein Geisterschiff, so wahr ich der größte Seeräuberhauptmann unter der Sonne bin! Aber der große Käptn und Seeräuberhauptmann Olle ist ihm entkommen! Und jetzt holt der große Käptn Olle sich auch noch Klaas Klappes Schatz aus der Höhle, denn wenn wir schon den Blutroten Blutrubin nicht kriegen können, so wollen wir wenigstens alles, was Klaas Klappe gehört! Auf zum Roten Felsen, Männer, auf zum Roten Felsen!«

»Du hast ja noch nie auf mich hören wollen, Klein-Olle!«, rief Hinnerk mit dem Hut jetzt ärgerlich. »Und wer hat dann schließlich doch noch jedes Mal recht behalten? Na? Das ist eine Falle, du dummer Bengel, glaub es mir!« Dass er sich traute, zu seinem Seeräuberhauptmann »dummer Bengel« zu sagen!

Aber »Papperlapapp!«, rief Olle Holzbein und dann fuhr die »Suse« vor dem roten Abendhimmel eine sehr elegante Wende und im weiten Bogen an der »Walli« vorbei auf die Höhle zu.

Da boxten Käptn Klaas und seine Seeräuber sich unter Deck vor Vergnügen in die Seiten. »Oh Freude, Freude!«, flüsterte Nadel-Mattes. »Wir haben ihn reingelegt! Jetzt aber nichts wie weg hier, Käptn Klaas, solange Olle und seine Kerle in der Höhle sind und den Schatz suchen und nicht auf uns feuern können!«

Aber da schüttelten Moses und Hannes wieder haargenau gleichzeitig den Kopf, und das Lächeln auf ihren Gesichtern war so zufrieden, als hätten sie gerade den Blutroten Blutrubin entdeckt.

»Oh nein, wir bleiben hier!«, sagte Moses.

»Oh nein, wir segeln nicht weg!«, sagte Hannes.

»Kann doch sein, Hinnerk mit dem Hut hatte recht!«, sagte Moses.

»Kann doch sein, das ist eine Falle!«, sagte Hannes. Und dann guckten die Kinder einander an und zwinkerten sich zu und flitzten nach oben an Deck, wo sie gerade noch sahen, wie der letzte Matrose von der »Suse« in der Höhle verschwand.

38. Kapitel,

in dem Moses und Hannes eine Blide ausprobieren

Denn du hast doch wohl nicht geglaubt, dass es den Kindern genügt hätte, nur Olle Holzbeins Blide zu entkommen? Oh nein, wenn sie nun schon mal dabei waren, ihn reinzulegen, dann wollten sie es aber auch gleich richtig tun.

»Und jetzt nichts wie hin!«, brüllte Moses, und bevor die anderen Seeräuber noch begriffen hatten, was sie meinte, war sie schon oben an Deck. »Jetzt holen wir uns die ›Suse‹! Beeilt euch, Männer! Wir müssen den Kahn entern, solange Olles Männer noch alle in unserer Höhle sind!«

War das nicht ein kluge Idee? So hatten Moses und Hannes sich das nämlich ausgedacht. Sie hatten ja gewusst, dass Olle Holzbein so goldgierig war und dass er darum ganz bestimmt Käptn Klaas′ Schatzkarte nehmen und die Höhle durchstöbern würde, wenn er erst mal dem Geisterschiff entkommen war. Und was war denn dann mit der »Suse«, wenn Olles Seeräuber alle in der düsteren Höhle nach Gold und Silber und Geschmeide suchten? Die lag ganz allein an ihrer Ankerkette und dümpelte auf den Wellen, und da wäre Käptn Klaas doch dumm gewesen, wenn er nicht die Gelegenheit genutzt und Olles Schaluppe geentert hätte. Na, da hatte Hinnerk mit dem Hut doch recht gehabt und es war alles eine Falle, aber Olle Holzbein hatte ihm ja nicht glauben wollen. Guck, so sind sie, die Seeräuberhauptmänner. Sie glauben immer, dass nur sie selbst Bescheid wissen und recht haben, und wenn ein anderer ihnen einen guten Rat gibt, sind sie sogar noch wütend auf ihn. Selber schuld.

»Rahen brassen!«, rief also Käptn Klaas, denn der war ja schnell von Kapee. »Du hast recht, Moses, wir schnappen uns die ›Suse‹!«

»Und ich schnapp mir Schnackfass!«, sagte Hannes zufrieden.

Und »Die ›Suse‹ und Schnackfass, ja wieso das denn nun?«, fragte Haken-Fiete. Aber da waren sie schon fast bei Olles Kahn angekommen und am Heck ließen sie blitzschnell ihre kleine Nussschale zu Wasser. Die hatte ja heute ordentlich zu tun. Dann kletterten Moses und Hannes als Erste die Jakobsleiter runter, weil die sich auf der »Suse« schließlich am besten auskannten, und Nadel-Mattes und Haken-Fiete und Marten Smutje kamen auch noch mit. Denn ein paar Leute braucht man schon, um so eine Kogge zu segeln, das hätten die Kinder nicht alleine geschafft.

Um so eine Kogge zu segeln? Ja, natürlich, genau das hatten sie jetzt nämlich vor. Denn guck mal, solange Olle Holzbein und alle seine Seeräuber in der Höhle waren, konnten Käptn Klaas und *seine* Seeräuber sich ja ganz leicht die »Süße Suse« schnappen, und dann nichts wie weg. Ja, damit hatte Olle Holzbein nicht gerechnet! Vielleicht hätte er doch lieber auf Hinnerk mit dem Hut hören sollen, das hatten wir ja vorhin schon geahnt.

»Was für ein feines Schiff, oh Staunen, Staunen!«, sagte Nadel-Mattes, als sie in der Dunkelheit alle über die Jakobsleiter an Bord gegangen waren. Die Jakobsleiter hing ja noch da, weil die Besatzung der »Suse« an ihr runtergeklettert war, um zur Höhle zu rudern. »Da wurde an nichts gespart!«

Denn sogar jetzt in der schwarzen Nacht konnten sie sehen, dass auf der »Suse« alles viel feiner war als auf der »Walli«, ein richtig prunkvoller Kahn war das, aber Olle zog sich ja auch viel prunkvoller an als Käptn Klaas, da war das nicht erstaunlich. Nur dass ihm all sein Prunk nicht viel nützte, denn jetzt war er seinen Kahn jedenfalls los.

»Lichtet den Anker!«, flüsterte Marten Smutje. »Und dann nichts wie weg!«

Und so machten sie es auch, denn auch die »Walli« zischte längst mit vollen Segeln davon Richtung Norden. Da wollten sie um Kap

Skagen segeln und dann wieder durch Skagerrak und Kattegatt zurück nach Hause in die Ostsee.

Aber kaum hatten sie zur Wende angesetzt, da hörten sie vom Roten Felsen her einen fürchterlichen Schrei. »Die ›Suse‹!«, brüllte Olle Holzbein, der stand jetzt wieder im Höhleneingang. So groß war die Höhle ja nicht, da hatten seine Kerle und er eben ganz schnell gemerkt, dass in ihr auch nicht die winzigste Dublone mehr zu finden war, geschweige denn ein ganzer Schatz, und dass sie zu spät gekommen waren; und darum wollten sie jetzt natürlich zurück an Bord ihrer »Suse«. »Da segelt unsere Schaluppe, beim Klabautermann! Wir sind doch alle hier auf dem Felsen, meine Männer und ich, wer kann denn dann unsere ›Suse‹ segeln?«

»Oh Himmel hilf, die Geister!«, rief der Matrose, der vorhin im Ausguck gesessen hatte, und es war ein Wunder, dass man ihn überhaupt verstehen konnte, so sehr zitterte seine Stimme. »Die Geister und Gespenster vom Geisterschiff!«

»Und der Leibhaftige selbst mit seinen Hörnern!«, schrie ein anderer.

»Geister und Gespenster entführen meine ›Suse‹!«, brüllte Olle Holzbein. »Oh weh, oh weh! Meine ›Suse‹ ist auch ein Geisterschiff geworden!«

Und dann drängten sich Olle und seine Seeräuber vor dem engen Höhlenausgang und schrien und brüllten und jammerten, aber das nützte ihnen jetzt auch nichts mehr. Die »Suse« segelte stattlich und mit guter Fahrt hinter der »Walli« her in die Nacht hinein.

»Aber nun nur einmal die Blide?«, flüsterte Moses und boxte Hannes in die Seite. Der machte sich nämlich gerade auf den Weg nach unten in den Laderaum. Er wartete ja schon die ganze Zeit darauf, dass er endlich seine Schnackfass befreien konnte. »Wollen wir nur ein einziges Mal die Blide abfeuern? Nur um sie mal ganz kurz zu erschrecken?«

Na, das war nun doch wirklich nicht sehr nett von Moses, muss ich sagen. Wenn ein Gegner besiegt ist, sollte man ja eigentlich ehrenhaft sein und ihn nicht auch noch ärgern, das galt damals und das gilt auch noch heute. Aber Moses hatte eben noch nie in ihrem Leben eine Blide abgefeuert, verstehst du, da wollte sie das einfach gern mal ausprobieren. Und Hannes wollte das eigentlich auch, und außerdem waren sie ja schon so weit vom Felsen weg, dass sie mit den Geschossen bestimmt niemanden treffen konnten.

Und während Marten und Mattes und Fiete alle Hände voll damit zu tun hatten, die prunkvolle »Suse« zu segeln, hievten Hannes und Moses heimlich mit viel Geächze und *Hau ruck!* einen Steinbrocken in die Schlinge unter dem Wurfarm der Blide, und schon zischte das Geschoss durch die Luft, wie man es so einem schweren Steinbrocken niemals zugetraut hätte; und als er dicht vor dem Roten Felsen aufs Wasser klatschte, gab es einen so

fürchterlichen Platsch, dass die Gischt hoch-
auf bis zum Höhleneingang spritzte und Olle
und seine Männer pitschnass wurden.

»Sie schießen auf uns! Die Geister und Gespenster schießen auf uns mit unserer eigenen
Blide!«, brüllten da die Kerle in Panik, und
hast-du-nicht-gesehen! verschwanden sie
im Dunkel der Höhle. Und Moses und Hannes, das muss ich jetzt leider sagen, lachten
sich fast kaputt über die alten angeberischen
Schisshasen, das war ja vielleicht ein kleines
bisschen schadenfroh und darum nicht sehr
nett.

Aber dann ließen sie die Blide und Olle
Holzbein in Ruh und machten sich auf den
Weg unter Deck, um endlich Schnackfass zu
befreien.

39. Kapitel,
in dem Moses und Hannes einen alten Freund wiedertreffen

Kaum waren Moses und Hannes im Laderaum angekommen, da umgab sie auch schon die allerfinsterste Finsternis. Oben an Deck hatten über ihnen am Himmel ja noch all die vielen Sterne geleuchtet und der große, weiße volle Mond, der aussah wie – na, wie der aussah, weißt du ja inzwischen; aber hier unten konnte man nun wirklich nicht die Hand vor Augen sehen, nicht mal, wenn man mit den Fingern wackelte; und eine Fackel hatten sie auch nicht dabei. Aber Angst hatten Moses und Hannes trotzdem keine, sie kannten die »Suse« ja gut und außerdem wussten sie, dass Olle und seine Seeräuber alle in der Höhle auf dem Roten Felsen hockten und vor Angst schlotterten, wer sollte ihnen da schon etwas tun? An Geister und Gespenster glaubten sie schließlich ganz bestimmt nicht, vor denen mussten sie sich also auch nicht graulen und darum waren sie ganz vergnügt.

Aber manchmal kommt eben doch alles anders, als man gedacht hat.

»Schnackfass!«, rief Hannes jetzt nämlich und tastete sich vorsichtig durch die Dunkelheit zu der Stelle, wo Schnackfass immer in ihrer Schlafkiste gehockt hatte. »Meine kleine Schnackfass, bist du noch da?«

Und da hörten sie sie auch schon. »Rrrrrübe ab!«, schnarrte es vor ihnen ganz aufgeregt in der Dunkelheit und das Flattern von Flügeln hörten sie auch. »Ich bin das Schiffsgespenst, das Schiffsgespenst! Rrrrrübe ab!«

»Schnackfass!«, flüsterte Hannes und dann hörte Moses, wie er Schnackfass auf seine Schulter hob (sehen konnte sie ihn in der Dunkelheit ja nicht), und Schnackfass war auf einmal ganz still und sagte keinen Ton mehr; und da wusste Moses, dass der kleine Sprechvogel jetzt bestimmt zärtlich an Hannes´ Ohrläppchen knabberte.

»Meine kleine Schnackfass!«, flüsterte Hannes und seine Stimme klang fast so, als ob er gleich weinen wollte, dabei hatte er doch eigentlich allen Grund zur Freude. »Hab ich dich endlich wieder! Ich hab so große Angst gehabt, dass Olle Holzbein dir was tut!«

»Rrrübe ab!«, schnarrte Schnackfass zärtlich und knabberte an seinem Ohr. »Schiffsgespenst, Schiffsgespenst! Rübe ab!«

»Ja, Rübe ab, das hätte Olle Holzbein doch glatt mit dir machen können!«, sagte Moses und eigentlich hätte sie sich von Schnackfass auch ganz gerne mal am Ohrläppchen knabbern lassen. »Oder ab über die Planke!«

Aber in diesem Augenblick hörte sie aus dem hintersten Winkel des Laderaums plötzlich ein Geräusch, das klang, als ob jemand zwischen Kisten und Kästen und Säcken und Truhen hin und her krabbelte; und ein Schnaufen hörte sie auch.

»Hannes?«, flüsterte Moses und erstarrte. Denn dass die Männer von der »Suse« alle in der Höhle hockten, das wusste sie ja, und an Geister und Gespenster glaubte sie natürlich eigentlich nicht, aber wer sonst konnte dann dahinten so rascheln? Für Schiffsratten, das muss ich vielleicht noch erklären, war das Geräusch nämlich viel zu laut. »Hannes, hörst du das auch?«

»Ich hör das auch!«, flüsterte Hannes und »Rrrübe ab!«, schnarrte Schnackfass, und die war im Augenblick vielleicht die Einzige von ihnen, die sich nicht graulte.

Haargenau da hörten sie ein lautes Poltern und danach einen Schmerzensschrei, und dann stöhnte eine Stimme, die Moses nur zu gut kannte: »Verflixt und zugenäht! Mein armes altes Schienbein, verdammich! Warum muss Klein-Olle seinen geraubten Kram auch so dösig und abbeldwatsch hinstellen! Aber er war ja schon immer so ein unordentlicher Kerl!«

»Hinnerk mit dem Hut!«, brüllte Moses, und du kannst dir vielleicht vorstellen, wie erleichtert sie war, dass das Rascheln und Poltern nun doch nicht von einem Gespenst gekommen war. Na, das hatte sie ja auch nicht wirklich geglaubt. Höchstens fast. »Hinnerk mit dem Hut, was machst du denn hier unten! Du solltest doch mit deinem Käptn in der Höhle sein!«

Da stieß Hinnerk einen teuflischen Fluch aus, den will ich lieber nicht aufschreiben, und Moses konnte ganz genau hören, wie er sich immer noch sein Schienbein rieb. »Ich hab doch gewusst, das ist eine Falle!«, stöhnte er. »Hab ich das Klein-Olle nicht gesagt? Und soll ich da sehenden Auges in die Falle gehen, nur weil mein Käptn ein Dösbaddel ist? Ein Geisterschiff, Tünkram! Klein-Olle hatte ja schon immer so viel Schiss in der Büx, der Tüffel!« Er seufzte. »Da bin ich doch lieber an Bord der ›Suse‹ geblieben, besser ist besser! Und recht hab ich gehabt, so trifft man sich also wieder! Ahoi, lütt Moses! Ahoi, Dohlenhannes! Das ist ja bannig fein, dass ihr zwei mir noch mal über den Weg lauft!«

Aber da wurde plötzlich die Niedergangstür aufgerissen und Fakelschein erleuchtete den Laderaum, wenigstens das vorderste kleine Stück. »Oh Faulheit, Faulheit!«, schrie von oben Nadel-Mattes. »Wo stecken diese Kinder denn bloß? Lassen uns die ›Suse‹ ganz alleine flottmachen! He, ihr zwei beiden, nun aber mal hopp, hopp und mit angepackt!« Dann ließ er den Lichtschein der Fackel weiter wandern, und da sah er natürlich, dass noch eine dritte Gestalt unten im Laderaum hockte.

»Ja, Staunen, Staunen!«, schrie Nadel-Mattes. »Wen haben wir denn da? Da ist uns ja ein fetter Fisch ins Netz gegangen! Einer von Olle Ochsenhirns Leuten, wenn mich nicht alles täuscht!« Und dann pfiff er so kunstvoll und laut auf zwei Fingern, wie du bestimmt noch niemanden hast pfeifen hören, nämlich damit Marten Smutje und Haken-Fiete zu ihm kommen und gucken sollten, aber die hatten gerade genug damit zu tun, ganz alleine die Kogge zu segeln. »Einer von Ochsenhirns Kerlen! Na, der muss wohl heute noch über die Planke gehen!«

Aber da hatte er nicht mit Moses gerechnet. Denn »Nein!«, schrie da Moses und drängte sich vor Hinnerk mit dem Hut. »Das ist doch Hinnerk mit dem Hut! Der hat mir das Leben gerettet! Der geht nicht über die Planke!«

»Das Leben gerettet?«, fragte Nadel-Mattes verwirrt. »Einer von Olles Leuten? Ja, wieso das denn, verdammich?«

Dann kletterten sie alle nach oben an Deck, und das war ungefähr um sechs Glasen der ersten Nachtwache, die Abendwache heißt: zuerst Moses und dann Hannes mit seiner kleinen Schnackfass auf der Schulter und als Letzter Hinnerk mit dem Hut. Und weil die »Suse« sowieso gerade über eine Untiefe segelte, beschlossen sie, es für diesen Tag mit der Seefahrt genug sein zu lassen und den Anker auszuwerfen; und danach setzten sie sich alle zusammen und Marten Smutje teilte an jeden ein Stück Stockfisch aus, den hatte er in einer Tonne im Laderaum gefunden.

Und während der Mond über ihnen weiß und groß langsam von einer Seite des Himmels zur anderen wanderte, erzählte Moses, wie

Hinnerk mit dem Hut ihnen damals das Boot zu Wasser gelassen hatte, als Hannes und sie Olle Holzbein mit Schnackfass' Hilfe reingelegt hatten und von der »Suse« fliehen wollten. Und wenn sie etwas vergessen hatte, fiel es Hannes bestimmt ein, und so erzählten sie gemeinsam ihre Geschichte.

»Und darum geht Hinnerk nicht über die Planke, niemals!«, rief Moses am Schluss ganz entschieden. »Wer mir das Leben gerettet und gegen Olle Holzbein geholfen hat, der bleibt mein Freund ein Leben lang und kann sich auf ewig auf mich verlassen!«

»Auf ewig!«, sagte da auch Hannes und legte wie zum Schwur seine Hand aufs Herz; und einen kleinen Augenblick lang war es ganz still und feierlich an Deck.

Aber dann räusperte sich Nadel-Mattes. Man kann ja schließlich vor lauter Feierlichkeit nicht für immer still sein. »Wer Moses gerettet hat, der genießt darum auch unseren Schutz!«, sagte er. »Denn Moses ist ja unser größter Schatz auf der Welt! Aber Wunder, Wunder! Warum hast du Moses denn geholfen, Hinnerk mit dem Hut, wenn du doch einer von Olles Leuten bist?«

Da lupfte Hinnerk ein kleines bisschen seinen Hut, damit er sich darunter am Kopf kratzen konnte, und dann sagte er: »Das ist eine längere Geschichte! Wollt ihr die wirklich hören, Männer von Klaas?«

»Wenn die See so ruhig bleibt und der Herrgott im Himmel uns eine friedliche Nacht schenkt, dann lassen wir uns gewisslich gerne etwas erzählen!«, sagte Marten Smutje. »Darum, Hinnerk mit dem Hut, leg nun los.« Und dann gab er jedem an Deck noch ein Stück Stockfisch, aber damit musste für diese Nacht dann auch Schluss sein mit der Völlerei.

»Ja, leg nun los mit deinem Seemannsgarn, Spannung, Spannung!«, sagte Nadel-Mattes.

Und »Seemannsgarn, Spannung!«, sagte Haken-Fiete.

Da lehnte Hinnerk mit dem Hut sich mit seinem Rücken gegen den Mast, denn kleine alte Leute brauchen ja immer was zum Anlehnen, und begann zu erzählen.

4. Teil,
in dem erzählt wird,
wie Moses den Blutroten Blutrubin
findet und Eltern auch

40. Kapitel,

in dem Hinnerk mit dem Hut eine unglaubliche Geschichte erzählt

»Ihr wollt also wissen, warum ich lütt Moses hier und Dohlenhannes bei der Flucht geholfen habe«, sagte Hinnerk mit dem Hut. »Nun, dann sage ich euch: Es ist sogar schon das zweite Mal, dass ich Moses das Leben gerettet habe, und das erste liegt viele Jahre zurück und geschah zu der Zeit, als Moses noch ein winziger Säugling in Windeln war.«

»Windeln, ja die hatte lütt Moses!«, sagte Haken-Fiete und ein seliges Lächeln verklärte sein Gesicht, vielleicht weil er sich an die Nacht erinnerte, in der sie auf der »Walli« damals Moses gefunden hatten. »Und die waren meistens voll.«

»Das tut doch nichts zur Sache, Haken-Fiete!«, sagte Marten Smutje. »Teufel, bist du dösig! Nun unterbrich mal nicht gleich!«

Da schob Hinnerk sich seinen Hut ein kleines Stück weit nach hinten auf den Kopf, dass man sehen konnte, Haare hatte er nicht so viele, und erzählte weiter. »Ja, wie schon gesagt oder auch nicht«, sagte er. »Es war eine wilde, stürmische Gewitternacht, als ich dir, Moses, zum ersten Mal das Leben gerettet habe. Die Blitze zuckten nur so am Horizont und dazu rollte der Donner über den Himmel mit einem Krachen wie ein rumpeliges Fass, und auf der ›Süßen Suse‹ waren wir alle damit beschäftigt, das Schiff sturmklar zu machen, als unser Käptn …«

»Olle Ochsenhirn!«, sagte Moses, aber Nadel-Mattes schüttelte ärgerlich den Kopf und legte einen Finger auf seine Lippen zum Zeichen, dass sie still sein sollte.

»… als unser Käptn am Horizont plötzlich ein Schiff entdeckte, das sah so stattlich aus und so reich, dass wir wussten: Diese Beute lassen wir uns nicht entgehen.«

»Das hätte Käptn Klaas haargenauso gemacht«, sagte Marten Smutje. »Erzähl weiter, Hinnerk mit dem Hut.«

»Das Schiff zu entern im Sturm und im Gewitter war uns ein Leichtes!«, sagte Hinnerk. »Denn wir waren tüchtige Kerle allesamt und erfahrene Seeräuber dazu. Und als wir also blitzschnell an Deck des Schiffes gelangt waren, sahen wir voller Freude, dass es unsere Erwartungen noch bei Weitem übertraf. Gold und Silber überall und eine Mannschaft, die vor dem Unwetter zitterte, noch mehr aber vor unseren Säbeln.«

»Hm«, sagte Moses.

»Da ließ Käptn Olle sogleich alle Schätze auf die ›Suse‹ schaffen«, sagte Hinnerk mit dem Hut, »und während wir anderen den Laderaum durchsuchten, hörte ich plötzlich ein klägliches Weinen.«

»Oh nein!«, sagte Haken-Fiete. Er war ja immer schnell wütend und schnell froh und schnell traurig eben auch. »Wie traurig!«

»Und als ich dem Weinen nachging, entdeckte ich in der einzigen kleinen Kajüte ein winziges, schreiendes Bündel.«

»Und das war ich!«, sagte Moses andächtig.

»Und das warst du!«, sagte Hinnerk mit dem Hut. »Ein winziges, winziges Bündel, das brüllte wie eine ganze Kompanie königlicher Soldaten.«

»Ja, ja, eine kräftige Stimme, die hatte unser Findelkind!«, sagte Haken-Fiete so stolz, als hätte er selbst gebrüllt. »Erzähl weiter, Hinnerk mit dem Hut.«

»Aber kaum hatte ich mich über das Bündel gebeugt«, sagte Hinnerk, »und es nur ein klitzekleines bisschen unter dem Kinn gekitzelt, da hörte es auf zu schreien und lächelte mich an und griff nach meinem Hut mit seinen kleinen Fingern und zog ihn mir tief ins Gesicht. Da wurde mir das Herz so warm, und ich hob das Kind auf und nahm es auf den Arm; aber dann wurde mir das Herz auch gleich wieder ganz kalt, denn ich wusste ja, was

Käptn Olle mit so einem schreienden, unnützen Bündel anfangen würde.«

»Über die Planke?«, flüsterte Moses.

»Über die Planke!«, sagte Hinnerk. »Und ab zu den Fischen! Aber konnte ich das denn zulassen? So ein armes, unschuldiges Kind? Und so beschloss ich, dich zu retten, wenn es mir denn möglich wäre. Da griff ich mir kurz entschlossen eine leere alte Waschbalje, die neben den Schlafmatten auf dem Boden stand, wickelte dich fester in dein Tuch und legte dich hinein. Und während die anderen Männer alle damit beschäftigt waren, die Mannschaft des stattlichen Schiffes zu fesseln und die Schätze hinüber auf die ›Suse‹ zu schaffen, ließ ich vorsichtig, vorsichtig am Heck die Waschbalje zu Wasser und sagte ein kleines Gebet dazu, denn die Wogen schlugen immer noch hoch und der Sturm tobte und die Wolken jagten über den Himmel, und dass ein winziges Kind in einer armseligen Waschbalje auf dem Meer so ein Unwetter überleben könnte, mochte ich fast nicht glauben.«

»Dann war das aber nicht sehr nett von dir, Hinnerk mit dem Hut!«, sagte Haken-Fiete vorwurfsvoll. »Da hätte Moses ja ertrinken können!«

»Teufel, bist du dösig, Haken-Fiete!«, sagte Marten Smutje. »Sonst hätte der fürchterliche Olle das unnütze Bündel doch einfach so über Bord geschmissen und ganz ohne Balje! Dann

wäre Moses ja ganz bestimmt ertrunken, da war die Balje doch sicherer, halleluja! Erzähl weiter, Hinnerk mit dem Hut.«

Da schob Hinnerk sich seinen Hut noch ein kleines Stück weiter auf dem Kopf zurück, dass man sah, darunter war eine spiegelblanke Kugel, und erzählte weiter.

»Da schippertest du dann also über die Wellen, Moses«, sagte er, »und was aus dir wurde, wusste ich nicht bis zu jenem Augenblick auf der ›Suse‹, als du Hannes berichtetest, dass du von den Männern der ›Walli‹ in einer Sturmnacht in einer Waschbalje gefunden worden warst.«

»Und da wusstest du, dass ich das schreiende Bündel war!«, sagte Moses.

Hinnerk nickte. »Das wusste ich da«, sagte er. »Und ich tat einen heiligen Schwur, dass dir nichts geschehen sollte. Denn wenn man einem Menschen einmal das Leben gerettet hat, dann ist man von dem Augenblick an und für alle Zukunft für ihn verantwortlich.«

»Wie schön!«, sagte Moses.

Aber Hannes schüttelte ärgerlich den Kopf. »Und warum hast du denn dann nichts Besseres zu tun gehabt, als schnurstracks zu Olle Holzbein zu rennen und zu behaupten, Käptn Klaas besäße den Blutroten Blutrubin?«, fragte er böse. »Das versteh ich ja nun gar nicht! Mit dem Blutrubin hat Moses doch gar nichts zu tun!«

Hinnerk kratzte sich am Kopf. »Je nun!«, sagte er. »Dazu muss ich weiter von der Sturmnacht berichten, als wir das stolze Schiff enterten. Nachdem ich die Waschbalje zu Wasser gelassen hatte, gesellte ich mich nämlich wieder zu unseren Leuten und tat, als wäre ich keine Sekunde fort gewesen. Inzwischen aber war die Mannschaft des geenterten Schiffs längst gebunden und in Fesseln, und am Mast stand hoch aufgerichtet ein Seemann, den Käptn Olle als ihren Kapitän erkannt hatte, und der sprach: ›Haltet ein, haltet ein, bevor Ihr uns alle Euren Säbel schmecken lasst! Seid Ihr nicht Kapitän Olle, der weit über alle Grenzen bekannt ist dafür, dass er den Blutroten Blutrubin des Verderbens sucht?‹ – ›Der bin ich!‹, sagte mein Käptn da. »Den suche ich seit Jahr und Tag.‹ – ›Nun, ich könnte Euch hel-

fen! Aber zuerst gebt all meine Männer frei! Mit mir mögt Ihr danach tun, was Ihr wollt!‹«

»Das war tapfer gesprochen«, murmelte Nadel-Mattes.

»Und das hat Olle getan?«, fragte Hannes. »Er hat die Männer alle
freigelassen?«

»Das hat Klein-Olle getan!«, sagte Hinnerk mit dem Hut. »Denn
der Blutrote Blutrubin war ja seit Jahren das Ziel seines Lebens, und
so ließ er die Männer im Beiboot von Bord und behielt nur ihren
Kapitän gefesselt am Mast, dem setzte er die Spitze seines Säbels an
den Hals und sagte: ›Also, was ist? Wo hast du den Blutrubin, Schurke?‹ – ›Ich habe ihn gar nicht‹, sagte da der Kapitän, ›und niemals
habe ich das behauptet. Aber hier an Bord habe ich den Plan, der
zeigt, wo der Rubin verborgen ist.‹ – ›Den Plan?‹, brüllte da Käptn
Olle. ›Dann her damit, ruck, zuck! Wo verflixt noch eins ist dieser
Plan?‹«

»Ja, wo verflixt noch eins war dieser Plan?«, fragte Moses jetzt
auch, denn das Ganze war ja schließlich ihre Geschichte, und darum
war sie auch ganz besonders gespannt.

»›Hier unter Deck in der Kajüte befindet sich ein Kind‹, sagte der
Kapitän, während Olle ihm immer noch die Spitze seines Säbels an
den Hals hielt. ›Bringt mir dieses Kind und ich werde Euch den Plan
geben, denn dieses Kind trägt den Plan bei sich.‹«

»Dunnerlittchen!«, sagte Moses aufgeregt. »Und das Kind war ja
ich! Ich hatte den Plan?«

Hinnerk zuckte mit den Achseln. »Das behauptete damals mit der
Spitze des Säbels an seinem Hals der Kapitän!«, sagte er. »Darum
suchten nun unsere Männer überall auf dem Schiff nach dir. Sie öffneten sogar jede Truhe und sahen in jeden Sack voller Münzen: Aber
nirgendwo warst du zu finden.«

»Kein Wunder«, sagte Nadel-Mattes. »Du hattest Moses ja längst
in der Waschbalje auf die Reise geschickt.«

Hinnerk nickte. »Und wie ich das in diesem Augenblick bereute!«,
sagte er. »Denn ich begriff ja sofort, dass der Schatzplan darum auf
immer für uns verloren war. Der schipperte ja gerade mit Moses in

der Balje über das sturmgepeitschte Meer, und wer wusste denn, ob er nicht längst mit dem Bündel zusammen am Meeresgrund lag?«

»Du meine Güte!«, sagte Hannes.

»Egal wie sehr die Männer also suchten, sie fanden das Kind nicht«, sagte Hinnerk. »Und ich hütete mich, Olle zu sagen, was ich getan hatte. Denn ich wusste ja, dass seine Wut dann grenzenlos gewesen wäre. Fast schon hätten wir den Plan gehabt, mit dem wir den Rubin finden konnten, die Sehnsucht seines Lebens, und nun hatte ich ihn in einer Waschbalje auf die Reise geschickt!«

»Oh Elend, Elend!«, rief Nadel-Mattes. »Was hätte Olle da denn wohl mit dir gemacht, wenn er das erfahren hätte!«

»Über die Planke!«, flüsterte Moses.

»Über die Planke, beim Klabautermann!«, flüsterte Hannes.

»Darum erzählte ich ihm nichts davon, dass ich das Kind entdeckt und auf den Wogen der Güte des Herrn übergeben hatte«, sagte Hinnerk mit dem Hut. »Kein Sterbenswörtchen. Stattdessen sah ich zu, wie meine Gefährten das Schiff durchsuchten vom hintersten Winkel des Laderaums bis oben zum Krähennest, ja ich half ihnen sogar noch dabei! Und als wir das Kind nicht fanden, da glaubte Olle schließlich, dass der Kapitän ihn belogen und betrogen hatte, nur um seiner Mannschaft das Leben zu retten, und dass es dieses Kind gar nicht gab. Darum ließ er den Kapitän ins Meer werfen, den Fischen zum Fraß.«

»Aber warum hatten sie denn wohl das Kind überhaupt an Bord?«, fragte Hannes nachdenklich. »Das finde ich ja sehr, sehr merkwürdig!«

»Vielleicht hatten sie es selbst auch geraubt?«, sagte Hinnerk mit dem Hut und zuckte die Achseln. »Weil es den Schatzplan bei sich trug? Wir fragten nicht danach. Wir suchten nach dem Kind und fanden es nicht.«

»Und warum sollte so ein kleines Kind denn überhaupt einen Schatzplan bei sich tragen?«, fragte Hannes wieder. »Das ist ja noch viel merkwürdiger!«

Und darüber dachten sie jetzt alle zusammen nach.

41. Kapitel,

in dem Moses erfährt, dass sie kein Medaillon bei sich hatte

Und als sie alle eine ganze Weile nachgedacht hatten, sprach endlich Marten Smutje.

»Bei allem, was mir heilig ist, ich schwöre, dass Moses keinen Schatzplan bei sich trug, als wir die Waschbalje in jener Nacht aus dem Meer fischten!«, sagte er. »Und Fiete mit der Hakenhand und Mattes Segelmacher können das bestätigen, denn die waren dabei.«

»Wir waren dabei, wir können das bestätigen!«, sagte Haken-Fiete.

»Heilige Wahrheit, heilige Wahrheit!«, sagte Nadel-Mattes. »Dass Moses keinen Schatzplan bei sich trug, kann ich beschwören, denn ich habe ja sogar die Windeln abgewickelt, da war das Bündel gänzlich nackt und bloß …«

»Dunnerlittchen, Mattes!«, sagte Moses und eine kräftige Röte kroch ihren Hals hinauf und über ihr Gesicht, bis es so leuchtete wie die Abendsonne am Horizont. »Über so was redet man doch nicht!«

»Ach, papperlapapp!«, sagte Nadel-Mattes. »Bei kleinen Kindern darf man darüber reden! Du warst nackt und bloß und du hattest keinen Schatzplan dabei, so wahr ich Nadel-Mattes heiße.«

»Auch kein Medaillon?«, fragte Hinnerk mit dem Hut zweifelnd. »Wir alle glaubten, der Plan wäre in einem Medaillon um seinen Hals versteckt.«

»Absolut kein Medaillon!«, sagte Nadel-Mattes. »Nichts, absolut nichts. Das Kind war nackt und bloß …«

»… und hatte in die Windeln gemacht!«, sagte Haken-Fiete. »Beim

Klabautermann, Moses, in die Windeln machen konntest du, dass es krachte!«

»Ja, phhht!«, sagte Moses und jetzt wurde sie womöglich noch röter. »Sei still, Haken-Fiete! Über so was redet man nicht!«

»Ach, papperlapapp!«, sagte Nadel-Mattes wieder. »Bei kleinen Kindern darf man darüber reden. Und ich schwöre dir, Hinnerk, es gab keinen Schatzplan und es gab kein Medaillon, und wenn du mich fragst, hat dieser Kapitän euch damals alle reingelegt.«

»Mag sein, mag auch nicht sein«, sagte Hinnerk. »Die Frage bleibt: Warum hatte er dann das Kind an Bord?«

»Weil es sein Balg war?«, brummte Marten Smutje. »Wir haben ja zuerst sogar geglaubt, Moses wäre Olle Holzbein sein Balg! Vielleicht war Moses dem Kapitän sein Balg, und er wollte es retten?«

»Dann wäre mein Vater ja ein Kapitän gewesen!«, rief Moses aufgeregt. »Und darum hab ich die Seefahrt im Blut!«

»Du hast die Seefahrt im Blut, weil du ein Seeräuberkind bist, lütt Moses!«, sagte Nadel-Mattes. »Auch wenn dein Vater ein Schäfer gewesen wäre oder ein Kesselflicker, hättest du die Seefahrt im Blut! Denn wer von seinem ersten Jahr an die Meere befährt …«

Aber Moses hörte ihm schon gar nicht mehr zu.

»Und jetzt ist mein Vater tot!«, flüsterte sie. »Der grässliche Olle Holzbein hat ihn den Fischen zum Fraß vorgeworfen, oh, das verzeih ich ihm nie!« Und eine große, schwere Träne kullerte über ihre Wangen.

Haken-Fiete legte seinen Arm um ihre Schultern. »Du hast doch noch uns, lütt Moses!«, sagte er hilflos. »Uns Kerle von der ›Walli‹ hast du doch noch und das ist doch auch kein Schiet!«

Da zog Moses energisch ihre Nase hoch. »Ja, euch alle hab ich noch, Haken-Fiete!«, sagte sie. »Und das ist gewisslich kein Schiet, das ist sogar ein riesengroßes Glück! Aber meinen Vater hätte ich eben trotzdem auch gerne, und niemals, niemals werde ich Olle Holzbein verzeihen, dass er ihn ins Meer geschmissen hat.« Sie sah Hinnerk an. »Erzähl weiter!«, sagte sie.

»Je nu, damit ist die Geschichte auch schon zu Ende!«, sagte der.

»Aber als du dann später auf der ›Suse‹ Dohlenhannes erzähltest, dass du, das Kind von Käptn Klaas, in Wirklichkeit das Kind aus der Waschbalje warst, was sollte ich denn da denken? Natürlich dass Käptn Klaas dich damals aufgefischt hatte und dass er nun den Schatzplan für den Blutroten Blutrubin besaß! Und darum gestand ich Käptn Olle, dass ich dich damals ausgesetzt hatte, und so nahm denn das Schicksal seinen Lauf.«

»So nahm denn das Schicksal seinen Lauf, amen«, sagte Marten Smutje. »Und wir haben Moses zurück, und den Olle Holzbein hat seine gerechte Strafe ereilt und er hockt mit seiner Mannschaft in der Höhle auf dem Roten Felsen und jammert, und damit ist endlich alles gut.«

Aber Moses sah immer noch nachdenklich aus und zwirbelte ihr schmutziges Halstuch. Nein, das hätte jetzt wirklich mal gewaschen gehört.

»Ja, jetzt weiß ich also, woher ich gekommen bin, als ihr mich damals gefunden habt«, sagte Moses. »Aber wer ich wirklich *bin*, das weiß ich ja trotzdem immer noch nicht.«

»Ich bin das Schiffsgespenst!«, sagte Schnackfass und das half Moses doch nun wirklich überhaupt nicht weiter. »Rrrübe ab!«

»Ich glaube, wir sollten uns schlafen legen«, sagte Nadel-Mattes und seufzte. »Kinder und Dohlen brauchen ihren Schlaf.«

Und das taten sie dann auch und das war so ungefähr um drei Glasen der zweiten Nachtwache, die Hundewache heißt.

42. Kapitel,

in dem Käptn Klaas sich bei einem guten Frühstück sehr merkwürdig verhält

Schon früh am nächsten Morgen waren sie alle auf der »Suse« wieder wach und segelten bei gutem Wind und ruhiger See zurück um Kap Skagen und durch Skagerrak und Kattegat in die heimatliche Ostsee, immer mit dem Blick auf die »Wüste Walli«, die nur wenige Schiffslängen vor ihnen die Wellen durchpflügte. Handys gab es damals ja noch nicht, mit denen sie sich von Schiff zu Schiff unterhalten konnten, noch nicht einmal funken konnte man in den finsteren Zeiten; und sogar das Morsealphabet, von dem du bestimmt schon gehört hast und das ein bisschen so ist wie eine Geheimsprache, war noch nicht erfunden. Darum mussten die Seeleute Signale mit ihren Flaggen geben, wenn sie sich etwas mitteilen wollten, zum Beispiel dass es jetzt Zeit zum Ankern wäre; aber für lange Unterhaltungen waren die Flaggen nicht so praktisch, das kannst du gerne mal ausprobieren, und darum erfuhr Käptn Klaas auch bis zum Ende der Fahrt nichts von dem, was Hinnerk mit dem Hut auf der »Süßen Suse« erzählt hatte.

Aber eines Morgens entdeckten sie an Land plötzlich strohgedeckte kleine Bauernkaten, die sich hinter dichten Hecken zusammenkuschelten, denn an der Küste bläst ja immer ein ordentlicher Wind, da muss man gucken, wie man sich vor ihm versteckt. Und zwischen den Feldern, auf denen gelb das reife Korn leuchtete und dazwischen rot die Mohnblumen und weiß die Margeriten, erhob sich ein hoher Turm, und am Feldrand standen ein paar Frauen zusammen und lachten und redeten.

»Dunnerlittchen, Hannes, da ist ja wieder dein Dorf!«, rief Moses und das hatte Käptn Klaas auch gesehen. Auf der »Walli« gaben sie mit ihren Flaggen schon eilig Zeichen, dass sie hier vor dem Strand Anker werfen wollten, und Hannes zappelte ganz aufgeregt, denn jetzt sollte er ja seine Mutter wiedersehen und seinen Vater und Kalle Guckaus und überhaupt all seine Freunde aus dem Dorf, und denen hatte er schließlich einiges zu erzählen.

Aber als Erstes fielen sich die Kerle, die die »Walli« gesegelt hatten, und die Kerle, die die »Suse« gesegelt hatten, glücklich in die Arme; und Euter-Klaas schubberte ihren Kopf abwechselnd an Moses' Beinen und an Hannes' Beinen, denn sie hatte ja auf der »Walli« bleiben müssen, und nun freute sie sich, die beiden Kinder wieder-zusehen, denen sie jedem halb gehörte, und meckerte ihr fröhlichstes Ziegenmeckern. Nur Schnackfass guckte ziemlich eifersüchtig.

Und Käptn Klaas klopfte seinem Schiffsjungen Moses kräftig auf die Schultern. »So sind wir nun alle wieder glücklich vereint und einen zweiten Kahn haben wir auch noch dazu!«, sagte er zufrieden. »Dem Tüchtigen hilft Gott, wie das Sprichwort so sagt, und darum, ihr Männer, haben wir Olle Holzbein auch besiegt und er wird uns niemals mehr Ärger machen! Und seine Schaluppe ist jetzt für im-mer unsere Schaluppe!«

»Seine Schaluppe ist jetzt unsere Schaluppe!«, sagte Haken-Fiete da auch, aber bevor er uns mit seiner ständigen Wiederholerei ner-ven kann, näherten sich vom Dorf her schon eilig die Frauen; und eine von ihnen fing plötzlich an zu rennen, dass ihre Röcke flatter-ten, und sie kam genau auf Moses und Hannes zu.

»Hannes, mein Hannes!«, rief die Frau, und Moses sah zum zwei-ten Mal erstaunt, wie fix sie war, obwohl es eine ganze Menge von ihr gab. »Hannes, mein Jung, bist du wieder zurück!«

Und Hannes rannte auch, der Frau immer entgegen. »Mama!«, schrie er. »Mama!«, und da breitete die Frau auch schon ihre Arme aus und Hannes warf sich hinein, und die Frau presste ihn an sich und murmelte immerzu: »Hannes, mein Hannes!«, und die anderen Frauen alle kamen auch langsam näher.

»Hannes ist wieder zu Hause!«, riefen sie. »Unser Hannes ist wieder zu Hause und Moses dazu! Und all unsere Freunde von der ›Wüsten Walli‹ sind auch wieder hier, na, wenn das kein Grund zum Feiern ist!«

Da kam auch schon Kalle Guckaus angeschnauft, der hatte bis eben noch hoch oben auf dem Turm gesessen, deshalb war er ziemlich aus der Puste. »Willkommen, willkommen!«, rief er und wedelte mit seinen großen Händen. »Ich hab euch schon von meinem Ausguck gesehen! Aber wieso habt ihr denn auf einmal ein zweites Schiff, Käptn Klaas? Mir scheint, da gibt es etwas zu erzählen!«

»Und das gibt es bei einem leckeren Frühstück, denn Essen hält Leib und Seele zusammen!«, sagte Hannes´ Mutter und dem stimmten alle ganz vergnügt zu, und Moses dachte erstaunt, wie schön es sich anfühlte, nach Hause zu kommen, das hatte sie ja vorher noch niemals erlebt.

Nur einer sah nicht ganz so fröhlich aus wie die anderen alle und versuchte sogar die ganze Zeit, sich hinter dem runden Marten Smutje zu verstecken, und das war Hinnerk mit dem Hut. Und weil er so klein war und so mager wie ein Klappergestell, klappte das auch ganz gut, nur sein Hut guckte vielleicht ab und zu mal an der Seite raus. Aber warum er nicht wollte, dass Käptn Klaas ihn sah, weiß ich wirklich nicht. Vielleicht weil er ja eigentlich einer von Olles Leuten war und deshalb Angst davor hatte, was Käptn Klaas mit ihm machen würde, wenn er ihn entdeckte? Na, das werden wir gleich erfahren.

Als sie endlich alle am Dorfplatz angekommen waren – der Weg hatte ziemlich lange gedauert, weil die Männer aus dem Dorf und die Männer von der »Walli« sich zwischendurch immerzu gegenseitig auf die Schultern schlagen mussten vor lauter Begeisterung, sich wiederzusehen –, als sie also endlich am Dorfplatz angekommen waren, da tischten ihnen die Frauen ein Frühstück auf, das war so riesig und so wunderbar, wie man es gar nicht glauben kann: Speck und Schinken und Eier und frisches Brot und cremige Butter aus dem Fass und zwei Sorten Käse, der roch mindestens bis zur nächsten Bucht, und die allerletzten Äpfel vom letzten Herbst, die waren schon ein bisschen schrumpelig, und sogar Schweinshaxe und Hähnchenkeulen.

Da hauten Moses und Hannes rein, als hätten sie seit Tagen nichts zu essen gekriegt, und die anderen Seeräuber alle taten das auch. Aber Hinnerk mit dem Hut konnte sich dabei ja nun nicht mehr so gut hinter dem runden Marten Smutje verstecken, auch wenn er das auf Teufel komm raus weiter versuchte, und darum hielt Käptn Klaas plötzlich mitten im Essen inne und seine Hand mit der Schweinshaxe, von der das Fett einladend auf seine Hose tropfte, schwebte mitten in der Luft.

»Hinnerk mit dem Hut!«, brüllte er und sprang auf. Aber die Haxe ließ er nicht fallen dabei, Gott sei Dank, denn die war sehr lecker. »Was machst du denn hier, Hinnerk mit dem Hut, du Verräter!«

Dabei hatte Hinnerk sich seinen Hut doch schon ganz tief ins Gesicht gezogen, dass man ihn kaum erkennen konnte; aber Käptn Klaas tat das nun eben trotzdem, und da können wir uns ja zum zweiten Mal fragen, woher er Hinnerk denn wohl so gut kannte. Die Frage hattest du ja vorhin schon auf deine Liste mit den Merkwürdigkeiten geschrieben, wenn du dich erinnerst. Aber jetzt kam sogar noch eine neue Merkwürdigkeit dazu, denn warum Käptn Klaas den alten Hinnerk einen Verräter nannte, wo er doch behauptet hatte, dass er ihn überhaupt noch nie getroffen hatte, das ist ja nun wirklich ziemlich geheimnisvoll.

»Ach, sei mir nicht böse, Klein-Klaas!«, sagte Hinnerk da ängstlich und traute sich endlich hinter Marten Smutjes breitem Rücken hervor. »Ich hab ja gewusst, dass du böse sein würdest! Aber ein Verräter bin ich nicht, Klein-Klaas, das lass dir gesagt sein!«

Nanu, nanu? Wieso nannte Hinnerk den Seeräuberhauptmann denn auch noch Klein-Klaas? Das wird ja immer lustiger!

»Lügen haben kurze Beine, wie das Sprichwort so sagt!«, rief da Käptn Klaas, und Moses sah erschrocken, dass er vor Wut richtig schnaubte. »Und jetzt hab ich sogar den Beweis für deinen Verrat! Warst du etwa nicht Olle Ochsenhirns Matrose, Hinnerk mit dem Hut?«

Aber bevor Hinnerk ihm antworten konnte, mischte sich leider, leider Moses ein, und so werden wir die Antwort hier noch nicht erfahren. »Du kennst ihn ja doch, Käptn Klaas!«, rief sie jetzt. »Du kennst Hinnerk mit dem Hut ja doch! Warum hast du denn zu mir gesagt, dass du ihn niemals gesehen hast? Und woher kennst du ihn denn?«

Da holte Käptn Klaas einmal tief Luft und ließ seine Schultern sinken und holte noch mal tief Luft. Das ist ja eine gute Methode, wenn man seine Wut loswerden will.

»Ich kenne Hinnerk mit dem Hut keineswegs!«, sagte er und nun guckten sich auch die Leute aus dem Dorf alle ganz überrascht an. Denn das mochte ihm nun doch keiner mehr so richtig glauben. »Darum sei jetzt mal still, Seeräubermoses, und frag nicht immerzu nach Sachen, die dich nichts angehen. Reden ist Silber, aber Schweigen ist Gold, wie das Sprichwort so sagt.«

»Aber das Sprichwort sagt auch: Kleine Mäuse haben auch Ohren!«, sagte Moses böse. »Und ich bin eine kleine Maus und meine Ohren haben gehört, was du eben zu Hinnerk gesagt hast! Und darum glaub ich dir nicht …«

»Pssst, Moses, psssst!«, sagte da Nadel-Mattes, der wollte keinen Streit. »Wenn Käptn Klaas sagt, dass er Hinnerk mit dem Hut nicht kennt, dann kennt er Hinnerk nicht! Du willst doch wohl nicht behaupten, dass unser Hauptmann und Käptn lügt!«

Da schnaufte Moses noch einmal kurz und sah Nadel-Mattes böse an, und danach sah sie Käptn Klaas böse an und Hinnerk mit dem Hut auch. Und sie setzte sich extra ganz weit weg von ihnen auf den Boden, um ihre Eier mit Speck aufzuessen. Und bestimmt wäre sie noch ziemlich lange böse gewesen – denn beschwindelt wird ja niemand gerne –, wenn jetzt nicht Kalle Guckaus dem Hin und Her ein Ende bereitet hätte.

43. Kapitel,
in dem die Dorfleute von vielen Heldentaten erfahren

»Aber nun wollen wir alle endlich wissen, was Ihr und Eure tapferen Männer auf Eurer Fahrt erlebt habt, Käptn Klaas!«, sagte Kalle Guckaus. »Dass Ihr sogar mit zwei Schiffen wieder zurückkommt!«

Da grübelte niemand mehr darüber nach, was es mit Hinnerk und Käptn Klaas wohl auf sich hatte, denn jetzt wollten die Seeräuber von ihren Heldentaten berichten. Und während die Dorfleute alle noch kauten und schluckten und auch die Matrosen von der »Walli« sich ordentlich ihre Bäuche vollschlugen nach all dem Stockfisch und dem Käferzwieback der letzten Zeit, berichtete Käptn Klaas unter dem Beifall und dem Jubel seiner Zuhörer, wie sie ihren Schatz gerettet und hinterher sogar noch Olle Holzbein in der Höhle festgesetzt hatten. »Und da kann er jetzt meinetwegen sitzen bleiben bis an sein Lebensende und sich mit den Fischen unterhalten!«, sagte Käptn Klaas ganz zufrieden. »Wenn die Lust haben, sich mit ihm zu unterhalten, heißt das.«

»Das kann er, das kann er!«, rief Kalle Guckaus. »Der ärgert keinen Seefahrer mehr!«

Da trat auf einmal Bruder Marten vor und räusperte sich und wischte seine Hände an der Schürze ab. »Über all unserer Freude, dass Olle Holzbein endlich seine gerechte Strafe ereilt hat, wollen wir doch trotzdem nicht vergessen zu erzählen, was wir auf der Überfahrt von Hinnerk mit dem Hut erfahren haben, halleluja!«, sagte er. »Denn nun wissen wir endlich, woher unser Findelkind Moses gekommen ist und warum Olle geglaubt hat, wir hätten den Plan für den Blutrubin.«

»Erzählt, erzählt!«, riefen die Strandräuber da.

»Ja, verflixt noch mal, erzählt!«, sagte Käptn Klaas auch, und ob du es glaubst oder nicht, er war inzwischen schon bei seiner dritten Haxe angekommen. »Denn das will ich wissen und alle anderen hier genauso, will mir scheinen! Wissen ist Macht, wie das Sprichwort so sagt.«

»Wissen ist Macht!«, sagte Haken-Fiete und sah Moses auffordernd an. Und weil das nun alle taten und weil Hinnerk überhaupt keine Anstalten machte, den Mund aufzumachen, begann sie selbst zu erzählen, was sie auf der »Süßen Suse« von ihm erfahren hatten über die Nacht, als er sie in der Waschbalje ausgesetzt hatte. Und nach den ersten Worten ließen die Seeräuber und die Strandräuber ihre Hände mit den Hähnchenkeulen und den Schweinshaxen und den Brotscheiben mit Käse sinken, so spannend fanden sie, was Moses da erzählte. Oder vielleicht waren sie auch einfach schon satt.

Als sie zum Ende kam, stand Käptn Klaas auf und ging zu ihr hinüber auf die andere Seite des Feuers. »Ja, verflixt noch mal, Moses, das ist ja eine bannig spannende Geschichte!«, rief er und da waren sie wieder vertragen. »Nur schade, dass du damals den Plan nicht wirklich bei dir hattest, wie dieser geheimnisvolle Kapitän behauptet hat, denn dann besäßen wir jetzt den Blutrubin und Olle Holzbein würde sich schwarz ärgern!«

»Ja, das ist gewisslich schade«, sagte jetzt auch Marten Smutje. »Denn wenn du wirklich ein Medaillon bei dir gehabt hättest, lütt Moses, wie der Kapitän, dein Vater, behauptet hat, dann hättest du jetzt wenigstens eine schöne Erinnerung an deine Eltern.«

»Dunnerlittchen, ja, eine Erinnerung!«, sagte Moses und auf einmal sah sie ganz traurig aus. »Wenigstens eine kleine Erinnerung an meine Eltern hätte ich schon ganz gerne, das ist wahr.«

Da legte Hannes ihr seinen Arm um die Schultern. »Aber eine kleine Erinnerung hast du doch auch so, Moses!«, sagte er. »Du hast doch dein Tuch!«

»Das Tuch, ja verdammich, Moses, das hast du doch noch!«, sagte Nadel-Mattes. »Auch wenn es ja jetzt nicht mehr ganz so schön aussieht wie in der Nacht, als wir dich aufgefischt haben!«

»Nee, beim Herrn und all seinen Engeln, das tut es gewisslich nicht mehr!«, sagte Marten Smutje und starrte nachdenklich auf den grauen Lappen an Moses´ Hals. »So voller Spitzen und Stickerei war das Tuch, dass wir damals glatt geglaubt haben, es wäre ein allerfeinstes Weibernachthemd, das ist gewisslich wahr!«

»Ein Weibernachthemd!«, rief Kalle Guckaus und klopfte sich auf die Schenkel vor Vergnügen. »Zeig her, Seeräubermoses, das wollen wir sehen!«

Da knotete Moses sich zögernd das Tuch vom Hals, denn ein bisschen peinlich war es ihr ja schon, wie schmuddelig ihr Erinnerungsstück inzwischen geworden war, und dann reichte sie es Kalle Guckaus, der wischte sich vorher an seinem Hemd das Fett von den Fingern. Na, so ganz die feine Art war das ja auch nicht.

Und bevor ich erzähle, was jetzt als Nächstes geschah, solltest du dich vielleicht besser ganz bequem hinsetzen, damit du vor lauter Staunen nicht umkippst. Denn was als Nächstes geschah, das war so erstaunlich und überraschend und verwunderlich und was noch alles, dass alte Leute vor lauter Verblüffung sogar glatt einen Herzschlag kriegen könnten; und auf alle Fälle kannst du hinterher ein paar von den Fragen auf deinem Zettel mit den Merkwürdigkeiten streichen, das garantiere ich dir.

44. Kapitel,

in dem endlich der Plan für den Blutroten Blutrubin des Verderbens auftaucht

»Ein Weibernachthemd!«, rief also Kalle Guckaus und faltete das Tuch auseinander, das hatte Moses ja ziemlich zerkrumpelt um ihren Hals getragen. »Na, dass das kein Weibernachthemd ist, sieht ja ein Blinder!« Und er schwenkte das grau-schmuddelige Tuch in seinen fettigen Fingern hin und her, damit auch jeder in der Runde die vornehme Spitze rings um den Rand und die feine Sticke-rei in der Mitte sehen konnte. »Das ist doch nichts als ein Tuch, ihr Kerle!«

Und damit hatte er recht, das sah jeder sofort: Ein über und über mit Stickerei bedecktes Tuch war das, auf dem zwischen weißem Plattstich und Stielstich und Kettenstich und Hexenstich – na, ganz so weiß waren die inzwischen natürlich auch nicht mehr! – irgend-wo nicht ganz am Rand und nicht ganz in der Mitte ein einsamer kleiner roter Kreuzstich leuchtete.

»Ja, verdammich, aber warum die kein schöneres Muster gestickt haben!«, sagte Kalle Guckaus und drehte und wendete das Tuch in seinen fettigen Fingern. »Denn ein richtiges Muster ist das hier ja nicht, ihr Leute! Das ist ja nur ein einziges Kuddelmuddel!«

»Ein einziges Kuddelmuddel, ja, ja«, sagte Haken-Fiete und starrte auf das Durcheinander aus weißem Plattstich und rotem Kreuzstich. »Was für ein dummes Frauenzimmer das wohl gestickt hat! Das hät-te unser Nadel-Mattes aber schöner gekonnt!«

Denn ein richtiges Muster war in den vielen Stichen auf dem Tuch nun wirklich nicht zu erkennen, da hatten Kalle und Fiete recht, und das lag nicht nur daran, dass alles nicht mehr ganz so sauber war. Keine Bordüren oder Blumenranken oder Sterne, die sich schön gleichmäßig über den feinen Stoff zogen, sondern ein richtiges Durcheinander aus vielen Tausend Stichen und der einzige kleine farbige Punkt saß noch nicht mal genau in der Mitte.

»Vielleicht war das ja nur ein Übungstuch?«, sagte Hannes´ Mutter nachdenklich. Als arme Bauersfrau hatte sie natürlich nie zu sticken gelernt, aber sie wusste schon, dass die feinen Rittersfrauen damit ziemlich viel Zeit verbrachten. »Ein Übungstuch, auf dem ein Burgfräulein gelernt hat, wie man die Stiche setzt?«

»Hm!«, sagte Käptn Klaas und zu so einem Kuddelmuddel fiel ihm nicht mal ein Sprichwort ein. »Hm, hm! Mag sein, mag auch nicht sein. Aber jetzt …«

»Obwohl: Warum irgendwer einen Säugling in ein Stick-Übungstuch wickelt, das darf man wohl fragen!«, sagte Kalle Guckaus, der hielt das Tuch ja noch immer in den Händen. Aber die anderen alle ließ er natürlich auch mal gucken.

»Das darf man wohl fragen, ja, ja«, sagte Haken-Fiete. »Aber wir haben nicht gefragt.«

»Nee, das haben wir nicht!«, sagte auch Nadel-Mattes und ein sehr nachdenklicher Ausdruck schlich sich auf sein Gesicht. »Warum haben wir das eigentlich nicht?«

Und ob du es glaubst oder nicht, auch für Moses war es jetzt eigentlich das erste Mal, dass sie ihr Erinnerungstuch so ganz in Ruhe betrachtete. Sonst hatte sie es ja immer nur um den Hals getragen, das hatte ihr genügt. Aber als sie es jetzt so ansah, da schoss ihr plötzlich eine Idee wie ein Blitz durch den Kopf, und als sie zu Hannes hinüberguckte, da sah sie, dass es ihm eben gerade ganz genauso gegangen war. Das haben wir ja in dieser Geschichte schon öfter erlebt, dass die beiden in haargenau derselben Sekunde haargenau dieselbe Idee hatten. Weil sie Freunde waren.

»Hannes?«, flüsterte Moses darum verblüfft und »Doch, ich glaub schon, Moses!«, flüsterte Hannes zurück. Und dann schnappte er Kalle Guckaus ganz unhöflich das Tuch aus den Händen, denn für gutes Benehmen war jetzt gerade nicht die Zeit, und dann starrte er es mit staunend geweiteten Augen an und Moses starrte es auch an, und dann sahen sie sich wieder in die Augen.

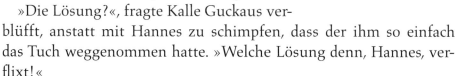

»Ja, phhht! Dunnerlittchen!«, sagte Moses. »Beim Klabautermann, Hannes!«

»Beim Klabautermann, Moses!«, sagte Hannes und dann warf er auch einen Blick in die Runde. »Beim Klabautermann, Männer! Beim Klabautermann, Frauen! Da haben wir ja die Lösung!«

»Die Lösung?«, fragte Kalle Guckaus verblüfft, anstatt mit Hannes zu schimpfen, dass der ihm so einfach das Tuch weggenommen hatte. »Welche Lösung denn, Hannes, verflixt!«

»Den Plan, Kalle Guckaus!«, schrie Moses, riss Hannes das Tuch aus der Hand und schwenkte es so wild, als ob sie eine Stierkämpferin wäre. Aber vom Stierkampf hatte Moses natürlich noch niemals gehört, vielleicht war der damals noch nicht mal erfunden. »Jetzt haben wir endlich die Schatzkarte für den Blutroten Blutrubin!«

Da starrten all die Männer sie an und die Frauen und Kinder natürlich auch, aber verstehen taten sie nichts. Vielleicht hatten sie einfach zu viel gegessen, da funktioniert das Gehirn hinterher ja eine Weile nicht mehr so gut.

»Wieso, woher hast du denn plötzlich das Medaillon?«, fragte Haken-Fiete, der war ja immer der Dösigste von allen. »Ich seh kein Medaillon!«

Inzwischen trippelte Moses vor lauter Aufregung von einem Fuß auf den anderen, als ob sie ganz dringend mal wohin gehen müsste, du weißt schon. »Wer hat denn von einem Medaillon gesprochen, Fiete Dösbaddel? Vom Schatzplan war die Rede, vom Schatzplan, und guckt mal, den haben wir jetzt! Mein Tuch ist der Schatzplan!«

Da wurde es auf dem Dorfplatz auf einmal so still, dass man die Mücken summen hören konnte, und alle Erwachsenen und alle Kinder starrten auf das schmutzige Tuch in Moses´ Hand; und da erkannten sie wirklich, dass die ganze Stickerei nicht einfach nur ein fein gearbeitetes Muster war, sondern ein richtiger Plan mit Wegen und Wasser, und das kleine rote Kreuz sollte wohl zeigen, wo der Blutrubin verborgen war.

»Ja, verdammich!«, rief Käptn Klaas und nun riss er Moses das Tuch unhöflich aus der Hand. »Dann haben wir ja all die Jahre schon immer den Schatzplan gehabt!«

»Wir haben all die Jahre schon immer den Schatzplan gehabt und haben nichts davon gewusst!«, sagte Nadel-Mattes. »Oh Elend, Elend!«

»Halleluja, der Herr sei gepriesen!«, rief Marten Smutje. »Wir hatten den Plan und wir haben den Plan und wir wissen, wo der Blutrote Blutrubin ist!«

»Und Olle Holzbein weiß das nicht, der daddelige Höhlenhocker!«, sagte Haken-Fiete zufrieden, denn so viel hatte sogar er verstanden.

»Du meine Güte, Moses, ich hab doch immer gewusst, dass du uns Glück bringst!«, sagte Käptn Klaas und sah andächtig auf die feine

Stickerei. »Habe ich nicht immer gesagt: Unser Findelkind ist unser größter Schatz?«

»Das hast du, das hast du!«, sagte Haken-Fiete aufgeregt und nickte mit dem Kopf.

»Dann wollen wir uns mal sofort daranmachen, den Plan zu entziffern!«, sagte Käptn Klaas, und dabei breitete er das Tuch auch schon auf dem Boden aus, damit alle es genauer ansehen konnten, und Moses strich es auch noch an den Kanten glatt.

Ich weiß nicht, ob du schon einmal ein Sticktuch entziffert hast, das ein Schatzplan ist, aber das ist gar nicht so einfach, das kann ich dir versichern. Vor allem, wenn die Stiche und der Stoff dieselbe Farbe haben, nämlich Weiß; aber da war es ja nun ganz gut, dass das Tuch nicht mehr ganz so sauber war, da konnte man die Stiche in Dunkelgrau besser auf dem Tuch in Hellgrau erkennen. Und außerdem gab es ja auch noch den kleinen roten Kreuzstich.

»Das ist ja unser Dorf!«, schrie Dohlenhannes plötzlich aufgeregt, und das rief er so laut, dass Schnackfass auf seiner Schulter vor lauter Schreck gleich »Rübe ab!« schnarrte. »Und hier ist die ganze Landzunge und drum rum das Meer und auf der anderen Seite ist schon der Blutrubin versteckt! Das ist ja gar nicht so weit!«

»Das ist ja gar nicht so weit, beim Klabautermann!«, sagte Haken-Fiete, obwohl ich dir ehrlicherweise sagen muss, ich glaube nicht, dass er wirklich verstanden hatte, was Hannes da gerade erklärte. Aber damit du es verstehst, will ich es noch mal ein bisschen genauer erklären.

Über das ganze Tuch nämlich war von einer Ecke zur anderen

in Kettenstich eine dicke, lange Linie gestickt, die machte in der Mitte einen Bogen, der sah aus wie ein langer Finger und zeigte auf die dritte Ecke; und auf der Hälfte des Tuches, in die der Finger ragte, waren kunstvoll ein paar Schiffe gestickt und sogar ein grässliches Seeungeheuer aus Plattstich wie eine riesige Schlange: Da wusste jeder ja gleich, das sollte das Meer sein und die Hälfte hinter der gestickten Linie das Land. Das konnte man übrigens auch daran erkennen, dass es auf dieser Hälfte direkt hinter der Kettenstichlinie ein winzig kleines Dorf gab mit Häusern und einem Turm, daran hatte Hannes natürlich gleich sein Dorf erkannt, wie es auf einer Seite der Landzunge hoch über dem Meer thronte. Und wenn man dann auf die andere Seite der Landzunge guckte, dann saß da der rote Kreuzstich wie ein kleiner unordentlicher Gnubbel: Und wenn sie recht hatten, war das der Blutrote Blutrubin, und zwischen dem Kreuzstich und dem Plattstichdorf verliefen viele dünne Linien in feinem Stielstich, das sollten wohl Wege und Straßen sein.

»Fürwahr, Hannes, du hast gewisslich recht!«, sagte Bruder Marten aufgeregt und beugte sich tief über das Tuch, dass seine Schürze es fast verdeckte. »Der Blutrote Blutrubin liegt nur gerade mal auf der anderen Seite dieser Landzunge, da könnte man ja sogar zu Fuß hinlaufen, gelobt sei der Herr!«

»Zu Fuß hinlaufen, gelobt sei der Herr!«, rief Haken-Fiete, aber Käptn Klaas schüttelte ärgerlich den Kopf.

»Tüchtige Seeleute, die zu Fuß gehen, wo hat man denn jemals von so was gehört!«, sagte er empört. »Meine Heimat ist das Meer, wie das Sprichwort so sagt! Und darum machen wir uns auch gleich morgen mit unserer Schaluppe auf den Weg und segeln um die Landzunge herum und schnappen uns den Blutrubin.«

»Und dann sind wir so reich wie die Königin von Saba und können jeden Tag einen Humpen trinken!«, sagte Haken-Fiete.

»Wir schnappen uns den Blutrubin!«, rief da auch Nadel-Mattes und »Den Blutrubin, gewisslich!«, rief Marten Smutje.

Nur Moses machte auf einmal ein ganz nachdenkliches Gesicht.

45. Kapitel,

in dem ein gefährlicher Beschluss gefasst wird

»Und warum müssen wir uns den denn unbedingt schnappen?«, sagte Moses. »Wir haben doch gerade unseren Schatz aus der Höhle gerettet und der Rumpf der ›Walli‹ ist voll von Gold und Geschmeide! Was brauchen wir da auch noch den Blutrubin!«

»Nee, nun hör aber mal auf, Moses!«, sagte Haken-Fiete empört, aber Moses ließ ihn gar nicht ausreden.

»Man muss nicht immerzu mehr und mehr haben wollen!«, sagte sie. »Olle Holzbein kann den Blutroten Blutrubin doch nun niemals in seinem Leben finden, das wissen wir jetzt, und das sollte doch wohl genügen. Der Blutrubin bringt Unglück, habt ihr das schon vergessen? Der Blutrote Blutrubin des Verderbens!«

»Der Blutrote Blutrubin des Verderbens, ja, ja, so heißt er!«, sagte Kalle Guckaus nachdenklich. »Da ist was dran, Käptn Klaas. Was wollt Ihr Euch also in Gefahr begeben?«

Aber inzwischen war Käptn Klaas so aufgeregt, dass seine Augen funkelten. »Gefahr, Gefahr, was redest du denn, Kalle Guckaus?«, sagte er. »Sind wir Kerle von der ›Walli‹ Schisshasen wie Olle Ochsenhirn? Sind wir Feiglinge? Dem Tapferen gehört die Welt, wie das Sprichwort so sagt!«

»Aber das ist doch keine Tapferkeit, wenn man etwas tut, von dem man weiß, dass es nur schiefgehen kann, Käptn Klaas!«, sagte Moses und so oft wie heute hatte sie ihrem Seeräuberhauptmann in ihrem ganzen Leben noch nicht widersprochen. Aber jetzt war es eben mal nötig. »Das ist nicht Tapferkeit, das ist Dummheit!«

»Du nennst mich einen Dummkopf?«, brüllte da Käptn Klaas und wurde vor Zorn ganz rot im Gesicht. »Was hab ich bei deiner Erziehung bloß falsch gemacht, Moses Findelkind? Kann es sein, dass du die neunschwänzige Katze zu selten geschmeckt hast?«

»Aber vielleicht hat Moses ja recht, Käptn Klaas!«, sagte Nadel-Mattes und drängte sich ganz schnell zwischen Moses und seinen Chef. »Denn guck mal, bisher hat der Blutrubin doch allen Menschen, die ihn gefunden haben, nur Unglück gebracht! Oh Unglück, Unglück!«

»Unglück und Verderben ist über sie alle gekommen wie eine Strafe des Herrn!«, sagte Marten Smutje und seine Stimme klang ein klein wenig bedauernd. Wahrscheinlich hätte er den Blutrubin trotzdem ganz gerne gehabt. »Wie einst in Sodom und Gomorra, Käptn Klaas. Das ist gewisslich wahr!«

»Papperlapapp!«, schrie da Käptn Klaas. »Was wisst denn ihr! Das ist jetzt ein Zeichen des Himmels! Seit Jahren schon besitzen wir den Plan und darum wollen wir nun auch nach ihm segeln!«

»Ja, phhht!, aber der Plan gehört *mir*, der gehört dir ja gar nicht!«, sagte Moses, denn langsam kriegte sie doch richtig Angst. Wie konnte man denn so dumm sein und wirklich nach dem Blutroten Blutrubin des Verderbens suchen, wenn man doch wusste, was mit jedem geschehen war, der ihn jemals besessen hatte! »Und ich geb den Plan nicht raus, und basta!«

»Du gibst ihn nicht raus?«, schrie Käptn Klaas und wedelte mit dem Tuch. »Aber ich hab ihn ja längst, Seeräubermoses Findelkind! Wie willst du mich also daran hindern, zu tun, was ich tun muss?«

Da trat auf einmal Hinnerk vor, Hinnerk mit dem Hut, und stellte sich vor Käptn Klaas, und jeder konnte sehen, dass er ihm sogar mit dem Hut auf dem Kopf nicht mal bis zum Kinn reichte. Aber darum hatte er trotzdem keine Angst vor ihm.

»Du hast schon immer nach dem Golde geschielt, Klein-Klaas!«, sagte er streng. »Und es ist noch niemals gut für dich gewesen! Du bist ja genau wie Klein-Olle! Moses hat recht: Der Rubin bringt nur Unglück! Denk an – den Kaufmann!«

Aber das hätte er vielleicht nicht sagen sollen.

»Den Kaufmann?«, brüllte Käptn Klaas. »Uuuaaahhh! Willst du, dass ich dich mit der Neunschwänzigen auspeitschen lasse, Hinnerk mit dem Hut?«

Na, da können wir doch vielleicht wieder eine Frage auf unsere Liste schreiben. Warum regte Käptn Klaas sich denn bloß so auf, wenn nur das Wort »Kaufmann« fiel? Aber leider lässt er uns keine Zeit, darüber nachzugrübeln, denn jetzt redete er schon weiter. »Sobald die Kogge wieder klar ist, segeln wir, das befehle ich, denn ich bin euer Käptn! Wenn hier einer *basta!* sagt, dann ich! Schon morgen segeln wir und schnappen uns den Blutrubin!«

Ja, so sind sie, die Menschen und nicht nur die Seeräuberhauptmänner. Wenn sie glauben, dass sie sich irgendwo einen Schatz schnappen können, dann vergessen sie sogar ihren Verstand.

Nur Moses tat das nicht, und Hannes übrigens auch nicht.

»Ihr werdet schon sehen, was ihr davon habt!«, sagte Moses und wieder legte ihr Hannes den Arm um die Schulter, und Schnackfass schrie: »Rrrrübe ab!« Aber auf die hörte sowieso niemand.

»Du kannst ja gerne hier im Dorf zurückbleiben, wenn wir nach dem Blutrubin segeln, Seeräubermoses«, sagte Käptn Klaas. »Wenn du Schiss in der Büx hast wie Olle Holzbein! Wir anderen alle, wir segeln!«

»Wir segeln!«, sagte Haken-Fiete.

Da sahen Moses und Hannes einander an und dann zuckten sie die Achseln.

»Wir können sie doch nicht allein reisen lassen, Moses, grade jetzt, wo sie so rammdösig sind und alle Vorsicht sausen lassen!«, sagte Hannes. »Nee, Moses, das können wir nicht!«

»Nee, das können wir wohl nicht!«, sagte Moses und seufzte. »Na gut, na gut, Hannes, dann segeln wir eben mit.«

Und so geschah alles, wie Käptn Klaas es befohlen hatte. Nur einen Tag lang ruhten die Kerle sich noch aus und flickten die Löcher in den Segeln der »Süßen Suse« und in den Segeln der »Wüsten Walli« und gaben diesem und jenem auf den Schiffen einen neuen Anstrich und packten Proviant in wasserdichte Fässer, und am Abend schlugen sie sich auf dem Dorfplatz gemeinsam mit den Dorfleuten wieder die Mägen voll. Darin hatten sie ja jetzt schon Übung.

»Ich habe mir überlegt«, sagte Käptn Klaas nach dem zweiten Humpen, »ich habe mir überlegt, Männer, dass wir diese Reise auf der ›Suse‹ machen werden, nicht auf unserer guten alten ›Walli‹! Denn was immer man von Olle Ochsenhirn halten mag, ein feines Schiff ist seine ›Suse‹ ja, und unsere ›Walli‹ hat eine Pause verdient!«

»Ein feines Schiff, Käptn Klaas, Pause verdient!«, sagte Haken-Fiete.

»Und wozu haben wir die ›Suse‹ denn sonst wohl gekapert, wenn wir jetzt nicht mit ihr fahren?«, rief Käptn Klaas. »Na, Männer, was sagt ihr zu meinem Vorschlag?«

Da legten die Kerle ihre Stirnen zuerst ein bisschen in Falten, aber dann stimmten sie zu. Etwas anderes blieb ihnen ja übrigens auch gar nicht übrig, sonst hätte Käptn Klaas bestimmt doch bloß wieder befohlen und *basta!* gesagt. Und darum legten sie sich jetzt alle schlafen, denn am nächsten Morgen sollten sie ja wieder vor Tau und Tag aufstehen und sich auf die Reise machen, um endlich den Blutroten Blutrubin zu finden.

Nur Moses konnte und konnte nicht einschlafen, und du kannst dir sicherlich auch schon denken, warum.

46. Kapitel,

in dem Moses und Hannes sich auf eine gefährliche Reise begeben

»Bist du wach, Dohlenhannes?«, flüsterte sie mitten in der Nacht. »Wach auf, Dohlenhannes, ich muss dir was sagen!«

»So wach wie du bin ich schon lange!«, flüsterte Hannes zurück und setzte sich auf. »Und was du mir sagen willst, weiß ich auch! Denn haargenau das Gleiche wollte ich dir auch gerade sagen!« Und bestimmt wundert es dich jetzt schon nicht mehr, dass den beiden zur selben Zeit wieder dasselbe eingefallen war.

»Dass wir vor ihnen da sein müssen?«, flüsterte Moses und leise, ganz leise erhob sie sich von ihrem Strohlager. Sie wollte ja niemanden wecken. »Damit wir den Blutrubin wegschaffen können, bevor Käptn Klaas ihn findet und wegschleppt und sich und all seine Leute ins Verderben stürzt?«

»Zu Fuß, Seeräubermoses!«, sagte Hannes. »Denn die Schaluppe können wir zu zweit nicht segeln!«

»Zu Fuß, Dohlenhannes!«, sagte Moses entschlossen. »Über die Landzunge! Und wenn wir uns beeilen, sind wir vor ihnen da. Sie müssen ja einen riesengroßen Bogen segeln!«

»Ich hab die Karte genau im Kopf«, flüsterte Hannes. »Ich hab mir alles gut gemerkt! Und du dir ja wohl auch.«

Moses nickte und kraulte Euter-Klaas zum Abschied noch einmal kräftig zwischen den Hörnern, denn mitnehmen konnten sie sie ja nicht. Schnackfass auch nicht.

»Dann nichts wie los jetzt, Hannes, damit wir einen ordentlichen

Vorsprung haben!«, sagte Moses und schnappte sich noch schnell ein Tau, das ordentlich aufgeschossen auf dem Deck der »Walli« lag. Wer wusste denn, wozu das noch mal gut sein konnte. »Bestimmt werden sie alle morgen früh zuerst noch eine Weile nach uns suchen, bevor sie aufbrechen, da wird unser Vorsprung noch größer.«

Dann gähnten sie alle beide, denn ein bisschen müde waren sie ja doch, und dann machten sie sich tapfer auf den Weg durch die Nacht, um den Blutroten Blutrubin zu suchen. Und über ihnen funkelten all die vielen Sterne der Milchstraße und keine einzige Wolke verdeckte den Mond. Und das war auch ein Glück, denn es gab ja noch keine Taschenlampen damals, mit denen sie sich ihren Weg hätten erleuchten können, und ein bisschen gruselig war es Moses und Hannes vielleicht schon.

Aber dann packten sie sich einfach fester an den Händen und Moses sagte: »Ich hab eigentlich gar keine Angst, wenn du bei mir bist!« Und Hannes sagte: »Wenn du bei mir bist, hab ich auch keine!«, und da konnten sie es beinahe glauben. Und außerdem sind im Sommer die Nächte ja gar nicht so lang, darum wurde der Himmel schon ziemlich bald hell am Horizont und die ersten Vögel begannen zu zwitschern, während die Sonne langsam über den Himmelsrand kroch. Da fielen Moses die Augen zu. Aber schlafen durften sie jetzt nicht. Schließlich mussten sie sich beeilen.

»Lass uns mal singen, dann bleiben wir wach!«, sagte Hannes und also sangen sie zusammen die erste Strophe von »Wild spritzt die Gischt und der Donner rollt!«, das ist wirklich ein guter Trick, wenn man fast eingeschlafen ist. Danach fühlten sie sich schon gleich wieder besser und darum sangen sie auch noch die zweite Strophe und sogar die dritte, und als es Mittag wurde und die Hummeln über ihnen summten, hatten sie das Lied so oft gesungen, dass sie es wirklich langsam nicht mehr hören mochten.

»Aber jetzt sind wir ja bestimmt auch gleich da, Hannes!«, sagte Moses. »Es ist bestimmt nicht mehr weit!«, und dann zogen sie weiter und sangen zur Abwechslung »Schwingt eure Klaue, joho, johoho!«, und immer wenn sie sich nicht ganz sicher waren, ob sie an einer Stelle nun nach rechts gehen mussten oder nach links, zeichnete Hannes mit einem kleinen Stock einfach den Plan vom Sticktuch in den Sand, wie er ihn sich gemerkt hatte, und dann kriegten sie es raus.

Fast wurde es schon wieder Abend, da kamen sie endlich an der Stelle an, die auf dem Stickplan mit einem Kreuz markiert gewesen war: Das war ein großes weites Tal, und zu ihrer Erleichterung sahen sie sofort, dass Käptn Klaas und seine Männer noch nicht da waren. Es gab noch nicht mal Fußspuren auf dem Boden.

»Wir haben es geschafft!«, flüsterte Moses. »Wir haben es geschafft, Dohlenhannes, wir haben die Stelle vor ihnen gefunden!«

Aber Hannes kratzte sich nur am Kopf. »Je nun, Moses!«, sagte er. »Wir haben die Stelle gefunden, das glaube ich auch, denn die Karte sagt, dass er hier ist, der Blutrote Blutrubin. Aber siehst du ihn hier etwa irgendwo?«

Moses schüttelte den Kopf. »Dunnerlittchen, du hast recht!«, sagte sie und sah über die Felder und die Weiden und die Knicks mit ihren Hecken. »Ich seh nicht den Blutrubin, und ich seh auch keine Höhle, in der er versteckt sein könnte! Hier gibt es ja nicht mal einen Felsen, in dem eine Höhle sein könnte!«

Denn dass Schatzhöhlen in Felsen liegen mussten, das wusste sie ja. Schließlich hatte sie Käptn Klaas gerade wieder geholfen, seinen Schatz aus dem Roten Felsen zu bergen.

»Hier gibt es nicht mal einen Felsen!«, sagte Hannes enttäuscht. »Glaubst du, der Schatzplan ist falsch?«

»Vielleicht haben wir ihn uns nur nicht richtig gemerkt, Hannes!«, sagte Moses. »Es waren ja so viele Linien drauf in Stielstich und Weggabelungen und Kreuzungen und ich weiß nicht, was alles! Vielleicht sind wir irgendwo falsch gegangen.«

Hannes nickte. »So wird es wohl sein, Moses!«, sagte er traurig. »Wir waren ja auch so fürchterlich müde! Da kann einem schon mal ein Irrtum passieren.«

»Dann war alles umsonst!«, sagte Moses. »Dann sind wir den ganzen Tag umsonst gelaufen! Denn wir wissen ja nicht, an welcher Stelle wir falsch gegangen sind, und die Landzunge ist groß: Wie sollten wir den Blutrubin da wohl finden? Nun kommt Käptn Klaas doch vor uns an!« Und fast hätte sie geweint, weil Käptn Klaas in seiner Gier nun alle ins Verderben stürzen würde und weil sie die halbe Nacht und den ganzen Tag ganz umsonst gewandert waren und weil sie so fürchterlich, fürchterlich müde war.

»Lass uns jetzt schlafen, Moses!«, sagte Hannes. »Wir können ja sowieso nichts mehr tun.«

Da guckten sie, ob es irgendwo einen Ort gab, an dem sie sich ausruhen konnten, und weil sie so fürchterlich, fürchterlich müde waren, genügte ihnen das erste dichte Gestrüpp, darunter legten sie sich zum Schlafen. Und sie pflückten nicht einmal mehr Gras und Zweige, um sich ein weiches Lager zu bereiten: Sie guckten nur kurz in den Himmel über sich, wo all die vielen Sterne der Milchstraße funkelten; und keine einzige Wolke verdeckte den Mond. Dann gähnten sie beide noch einmal so laut, dass neben ihnen ein Hase erschrocken im Zickzack aus dem Gebüsch flitzte; und dann waren sie schon eingeschlafen.

47. Kapitel,

in dem Hannes überraschend eine Höhle entdeckt

So tief und fest schliefen die Kinder, dass die Sonne schon ein ganzes Stück über den Horizont gewandert war, als Moses endlich die Augen aufschlug.

»Guten Morgen, Hannes!«, sagte sie, und sie merkte, dass sie sich zum Glück wieder sehr frisch und unternehmungslustig fühlte. Da hatte sich ja wieder mal gezeigt, dass nach einer guten Mütze voll Schlaf alles schon gleich viel besser aussieht. »Aufwachen, Schlafmütze!«

Aber dann fiel ihr wieder ein, warum sie in der vorigen Nacht losgewandert waren und dass sie den Blutrubin nicht gefunden hatten, und die ganze Unternehmungslust krachte gleich wieder in sich zusammen.

»Guten Morgen, Moses!«, sagte Hannes und rieb sich die Augen. »Du siehst ja so traurig aus!« Dabei knuffte er sie in die Seite, aber nur ganz freundlich. »Das musst du gar nicht sein! Wer weiß, ob Käptn Klaas den Rubin wirklich gefunden hat, der ihn ins Verderben stürzen wird! Vielleicht war ja das ganze Schatzkartentuch falsch! Wir beiden wandern jetzt an die Küste und halten Ausschau nach der ›Suse‹, und dann sehen wir weiter.«

Moses nickte, denn etwas anderes konnten sie ja nicht tun.

»Aber zuerst will ich noch mal …«, sagte Hannes da, und was er tun wollte, sagte er nicht, weil das ja eigentlich nicht zu den Dingen gehört, über die man so viel spricht; aber Moses wusste trotzdem sofort, was er zuerst noch mal wollte, und du weißt das sicherlich auch. Und darum wunderst du dich bestimmt nicht, dass er, nachdem er sich noch mal ordentlich gereckt und gestreckt hatte, um ganz wach zu werden, einfach ohne ein weiteres Wort hinter dem Gestrüpp verschwand; denn was er zuerst noch mal wollte, das erledigt man ja meistens lieber *hinter* einem Gestrüpp als *davor*.

Und gerade als Moses überlegte, ob es nicht klug wäre, wenn sie auch noch mal schnell das Gleiche wollen würde, bevor sie wieder auf Wanderschaft gingen, hörte sie auf einmal einen Schrei; und der Schrei war so laut und so fürchterlich, dass sich ihr im Nacken alle Haare aufstellten; und die Stimme, die schrie, erkannte sie sofort.

»Moses!«, brüllte Hannes hinter dem Gestrüpp; aber komisch, während er brüllte, wurde seine Stimme immer leiser und leiser. »Zu Hilfe, Moses! Ich falle!«

Na, das war ja vielleicht ein Schreck! Was blieb Moses da anderes übrig, als ihre Erledigung erst mal zu vergessen und stattdessen, so schnell sie konnte, selbst auch hinter das Gestrüpp zu flitzen?

Und da sah sie es auch schon. Wäre Hannes doch ein bisschen vorsichtiger gewesen! Denn auf dem Boden lag ein ganzer Haufen zerbrochene, zersplitterte Zweige, die hatten vorher eine Öffnung verdeckt, die sich gleich hinter den Sträuchern auftat wie die Fallen, die die Jäger damals im Wald für die Tiere gruben; und wenn dann ein Tier auf die dünnen Zweige trat, die darüber ausgebreitet waren, dann stürzte es hinab in die Tiefe. Und genau das war nun also Hannes passiert. Er war in eine Falle gestürzt.

»Hannes?«, schrie Moses erschrocken, und sie steckte ihren Kopf in die Öffnung, durch die ihr von weit, weit unten kühle Luft entgegenschlug. »Hast du dir wehgetan, Hannes?«

Da drang aus der tiefsten Tiefe und aus der dunkelsten Dunkelheit, die Moses jemals erlebt hatte, ein Stöhnen zu ihr herauf. Aber zum Glück war es kein schreckliches schmerzerfülltes Stöhnen, mehr ein ärgerliches. »Ja was glaubst du denn, Seeräubermoses?«, rief Hannes. »Glaubst du, hier unten liegt ein Kissen, auf dem ich weich und gemütlich gelandet bin? Blaue Flecken hab ich überall und das Knie hab ich mir auch ganz erbärmlich aufgeschürft!«

»Blaue Flecken?«, rief Moses zurück, und sie spürte, wie ihr ein

Stein vom Herzen fiel, dass Hannes noch lebte und sogar wohl ziemlich heil geblieben war. »Gib mal nicht so an, Dohlenhannes! Die blauen Flecken kannst du in der Dunkelheit da unten doch gar nicht sehen!«

Da stöhnte Hannes noch mal. »Nee, aber fühlen kann ich sie, verdammich!«, sagte er. »Und wenn du zu mir runterkommst, nimm lieber das Seil!«

»Zu dir runterkommen?«, rief Moses. »Ja, phhht, bist du dumm? Ich klettere doch nicht freiwillig in eine Falle!« Und dabei rollte sie schon das Tau ab, um es nach unten zu lassen; denn Hannes aus der Falle helfen wollte sie ja ganz unbedingt.

»Ich glaube, dumm ist hier jemand ganz anders!«, rief Hannes, als das Tau unten aufschlug; und er machte keinerlei Anstalten, zu ihr nach oben zu klettern. »Verstehst du denn nicht, Moses? Ich glaube, wir haben unsere Höhle gefunden!«

Moses schlug sich die Hand vor den Mund, dass sie fast den Tampen hätte fallen lassen, so verblüfft war sie. »Dunnerlittchen, wir haben unsere Höhle gefunden!«, flüsterte sie, und guck, da war der gestickte Schatzplan mit dem roten Kreuzstich ja doch ganz richtig gewesen und durcheinandergebracht hatten sie auch nichts.

Darum knotete Moses also jetzt das Tau ganz schnell an einen kräftigen Ast und ließ sich langsam, Hand über Hand und Fuß über Fuß, in die Tiefe und die Dunkelheit hinab, denn sie wollte schließlich nicht, dass Hannes den Blutrubin ohne sie fand. Und Hannes hockte unten auf dem Boden und erwartete sie schon. Ein bisschen jammerte und stöhnte er übrigens nach seinem Sturz immer noch.

»Ja, du meine Güte, wie sollen wir denn hier bloß den Blutrubin finden?«, sagte Moses, als sie bei ihm angekommen war. »Hier ist es ja so dunkel wie in einem Ziegenpopo!«

»Sag nicht solche Wörter, Moses!«, sagte Hannes streng. »Aber wo du recht hast, hast du recht. Wie wir in dieser Dunkelheit jemals den Rubin finden sollen, weiß ich auch nicht.«

»Das hilft nun alles nichts!«, sagte Moses tapfer. »Denn wenn wir durch Zufall schon mal die Höhle gefunden haben, müssen wir

es auch versuchen! Versuch macht klug, wie das Sprichwort so sagt.«

Und damit machten die beiden sich auf den Weg. Und die Erledigung, das hast du dir wohl schon gedacht, musste darum leider noch ein bisschen warten.

48. Kapitel,

in dem Moses und Hannes den Blutrubin finden

Die Kinder machten sich also so klein, wie sie nur konnten, denn nur so passten sie durch den Tunnel, der von dem tiefen Schacht an einer Seite abging; und kaum waren sie in der finstersten Finsternis ein paar Meter gekrochen, da merkten sie schon, dass es nicht mehr ganz so dunkel war. Das kam, weil sie plötzlich in einem großen Höhlenraum waren, wie sogar Moses in ihrem Leben noch keinen gesehen hatte.

Um sie herum hingen von der kirchenhohen Decke lange Steinzapfen herab, die sahen ein bisschen aus wie Säulen, die es nicht ganz geschafft hatten, den Boden zu erreichen; und von unten wuchsen ihnen andere Zapfensäulen entgegen und manchmal trafen die beiden irgendwo in der Mitte aufeinander und manchmal nicht, und Moses blieb vor lauter Staunen der Mund offen stehen. Denn in der Höhle im Roten Felsen gab es so etwas Merkwürdiges ja nicht, und dass man die Zapfen, die von oben wachsen, Stalaktiten nennt und die von unten Stalagmiten und so eine Höhle Tropfsteinhöhle, wusste Moses darum auch nicht, aber dir sage ich es trotzdem.

Das kleine bisschen Helligkeit übrigens kam natürlich von winzigen Ritzen und Rissen in der hohen Decke, durch die das Tageslicht fiel; und das war auch ein Glück, denn sonst hätten Moses und Hannes den Blutrubin ja ganz bestimmt nicht finden können. Aber so sahen sie es vor sich auf dem Boden auch schon funkeln und glitzern, kaum dass sie sich umgeguckt hatten. Sie mussten gar nicht erst suchen, und sogar in dem wenigen Licht war das Funkeln so stark, dass Hannes fast die Augen schließen musste, so sehr blendete es ihn.

»Moses!«, brüllte er darum. »Seeräubermoses, wir haben ihn!«

Aber das sah Moses jetzt auch selbst, und übrigens finde ich es sehr gerecht, dass sie nach der anstrengenden Wanderung jetzt nicht auch noch unter der Erde erst lange suchen mussten.

»Dunnerlittchen, Hannes, da ist er ja!«, flüsterte Moses. »Der Blutrote Blutrubin des Verderbens! Beim Klabautermann und allen seinen Nixen, dass so ein alter Stein so schön sein kann!«

Und darüber staunte Hannes jetzt auch, denn der Edelstein, der da vor ihm auf dem Boden lag und funkelte, was das Zeug hielt, war so schön und so groß und so rot wie nichts anderes, was er auf der Welt jemals gesehen hatte; und auf einmal verstanden die Kinder auch, warum so viele Menschen für den Blutrubin ihr Leben aufs Spiel gesetzt hatten, obwohl sie doch wussten, dass er der Blutrubin *des Verderbens* hieß. Er war schöner als alle Schätze, die Käptn Klaas jemals gestohlen hatte, und röter als die Abendsonne über dem Meer und größer als ein Hühnerei, und das ist für einen Edelstein schon eine ganze Menge.

»Dunnerlittchen, Hannes!«, flüsterte Moses darum noch mal. »Der Blutrote Blutrubin des Verderbens!«

»Der Blutrote Blutrubin des Verderbens!«, flüsterte Hannes auch, und dann beugte er sich über den großen schimmernden Karfunkel, denn dahinter hatte er, eingeritzt in den weichen Sandstein der Höhle, gerade eine Schrift entdeckt. »Verflixt noch mal, Moses, jetzt wäre es aber gut, wenn man lesen könnte!«

Und das dachte Moses sich auch, denn was hinter dem Rubin in den Stein gemeißelt war, musste ja seine finstere Verheißung sein, die manche auch den Fluch des Rubins nannten und von der Kalle Guckaus ihnen erzählt hatte:

»Der Blutrote Blutrubin des Glücks wird seine Glück bringende Kraft nur jenem Menschen schenken, der vom Schicksal dazu bestimmt ist! Und dieser wird dereinst eine schöne Prinzessin sein, die den Menschen ihres Landes Glück und Gerechtigkeit bringen wird.

Wer immer aber den Blutrubin unrechtmäßig raubt, für den wird er zum Blutrubin des Verderbens werden, und das Verderben wird den Räuber einholen in jedweder Gestalt.«

Aber lesen konnten Moses und Hannes das beide eben nicht und die meisten anderen Menschen damals konnten das ja auch nicht; und wer weiß denn, ob der Blutrote Blutrubin des Verderbens vielleicht gar nicht so vielen Menschen das Verderben gebracht hätte, wenn sie die Warnung gelesen hätten, die hinter ihm in den Stein gemeißelt war.

Hannes sah nachdenklich auf die Schrift. »Und was machen wir jetzt, Moses?«, fragte er. »Wo wir doch wissen, dass er jedem, der ihn sich nimmt, das Verderben bringt?«

Denn jetzt, wo er den Blutrubin sah, wurde es ihm doch ein wenig unheimlich zumute. Man kann ja leicht in der Nacht aufbrechen, um einen Rubin zu finden, bevor Käptn Klaas das tut; aber wenn man dann wirklich angekommen ist, ist es eben manchmal doch ein bisschen schwieriger, als man es sich vorher vorgestellt hat, das ist ja öfter so im Leben und nicht nur, wenn es um Blutrubine geht.

»Mitnehmen müssen wir ihn!«, sagte Moses tapfer. »Denn bald sind bestimmt Käptn Klaas und alle meine Freunde um die Landzunge gesegelt und legen an und finden die Höhle — weil sie doch den Schatzplan haben, Hannes! —, und wenn sie diesen Edelstein hier sehen und wie wunderschön und funkelig der ist, dann schnappen sie ihn sich ganz gewiss, das glaub mir mal, Hannes!« Sie seufzte. »Und dann stürzen sie ins Verderben in jedweder Gestalt!«

»Ja, das tun sie dann wohl«, sagte Hannes. »Aber wenn *wir* ihn wegschaffen, Seeräubermoses, du und ich, wir beide, dann stürzen vielleicht *wir* ins Verderben in jedweder Gestalt! Das wäre ja auch nicht so schön.«

Da waren sie beide ganz still und starrten auf das blutrote Leuchten. Und nachdem sie ein Weile nur so dagesessen und gegrübelt hatten, fasste Moses schließlich einen Entschluss.

»Hör mir zu, Dohlenhannes!«, sagte sie. »Erinnerst
du dich noch daran, was uns Kalle Guckaus erzählt hat in der
Nacht, als wir zum ersten Mal bei euch im Dorf gelandet waren?
Vom Blutroten Blutrubin?«

»Natürlich erinnere ich mich!«, sagte Hannes. »Dass ihn ein reicher Kaufmann gestohlen hatte und dann …«

»Das meine ich doch nicht!«, sagte Moses. »Sei doch nicht so dösbaddelig, Hannes! Wem gehört denn der Blutrubin in Wirklichkeit,
weißt du das noch?«

Da kratzte Hannes sich am Kopf und versuchte sich zu erinnern,
und dann schnipste er auf einmal mit den Fingern. »Der Prinzessin
des Landes!«, sagte er. »Die dereinst kommen wird, um den Menschen Glück und Gerechtigkeit zu bringen, so lautet die Verheißung,
und bestimmt steht es auch so da auf dem Felsen! Aber die hat ihn
sich ja nie abgeholt, die dumme Trine. Wahrscheinlich hat sie sowieso schon mehr Gold und Geschmeide, als sie brauchen kann.«

»Ja, phhht, und da haben wir das Malheur!«, sagte Moses nachdenklich. »Aber wenn diese verflixte Prinzessin ihn nun endlich
kriegen würde, Hannes, dann hätte das ganze Elend doch ein Ende!
Denn dann wäre der Blutrubin endlich bei seiner wahren Besitze-

rin, für die er bestimmt ist, und bei der wäre er endlich der Blutrote Blutrubin des Glücks und niemandem würde er mehr Verderben bringen, amen. Ist doch wahr!«

»Ja, das ist wahr«, sagte Hannes. »Aber sie hat ihn sich ja nie abgeholt, die hochnäsige Kuh.«

Moses war schon aufgesprungen. »Nun sei doch nicht so dösbaddelig, Hannes!«, sagte sie wieder. »Wenn sie ihn sich nicht holt, dann bringen wir ihn ihr eben! Dann hat der ganze Spuk endlich ein Ende.«

»Dann hat der ganze Spuk ein Ende«, murmelte Hannes, als ob er Haken-Fiete wäre, aber er sprach Moses nur nach, um noch ein bisschen länger über den Vorschlag nachzudenken. »Aber wenn wir beide, du und ich, den Blutrubin nun aus der Höhle stibitzen, Moses, glaubst du nicht, dass er dann auch über uns sein finsteres Verderben bringen wird wie über jeden zuvor, der ihn aus der Höhle stibitzt hat?«

Moses zuckte die Achseln. »Wer nicht wagt, der nicht gewinnt, wie das Sprichwort so sagt«, sagte sie, und guck, da siehst du mal, wie nützlich es jetzt war, dass sie Käptn Klaas immer gut zugehört hatte. »Wir wollen den Rubin ja nicht rauben, Hannes! Wir wollen ihn doch nur seiner wahren Besitzerin bringen, für die er bestimmt ist! Das ist ja ganz was anderes.«

»Hm«, sagte Hannes und das klang nicht sehr überzeugt.

Du hättest ja vielleicht auch »Hm« gesagt und ich womöglich auch. Denn so ganz sicher konnten die Kinder schließlich nicht sein, dass der Rubin sie nicht ins Verderben stürzen würde, wenn sie ihn aus der Höhle mitnahmen. Aber das ließ sich dann eben nicht ändern. Wegschaffen mussten sie ihn, wenn sie Käptn Klaas vor einem großen Unglück bewahren wollten, und da war Moses´ Idee eben das Einzige, was ihnen einfiel.

Darum zog sich Hannes jetzt also sein Hemd aus, da legten sie den Blutrubin hinein und wickelten ihn ein und verknoteten die Ärmel, und hinterher schnauften sie ganz schön, denn er war ordentlich schwer. Danach kletterte Moses am Seil aus der Höhle, und dann knotete Hannes den Blutrubin am Seil fest (das ging mit den Hemdsärmeln ganz gut) und Moses zog ihn nach oben, und danach warf sie das Seil noch einmal hinunter, damit auch Hannes zu ihr nach oben klettern konnte.

Hinterher saßen die beiden neben dem Gestrüpp in der Sonne auf dem Boden und versuchten, nicht auf den Blutrubin zu gucken, dessen Gefunkel sogar durch das Hemd hindurch im hellen Tageslicht so stark war, dass es sie fast geblendet hätte.

»Wir haben es geschafft, Hannes!«, sagte Moses. »Wir haben den Blutroten Blutrubin des Glücks!«

»Und damit er nicht wieder zum Blutrubin des Verderbens wird, bringen wir ihn jetzt seiner wahren Besitzerin, für die er bestimmt ist«, sagte Hannes. »Dann aber mal nichts wie los! Auch wenn wir ja übrigens gar nicht wissen, wo sie wohnt.«

»Wenn die wahre Besitzerin, für die er bestimmt ist, die Prinzessin dieses Landes ist, dann muss sie ja wohl in einem Schloss wohnen«, sagte Moses. »Und ein Schloss kann doch nicht so schwer zu finden sein.«

Das glaubte Hannes auch. Darum packten sie also jetzt jeder das Bündel an einem Ärmel, und so machten sie sich auf den Weg zum Schloss, um aus dem Fluch des Blutrubins seine Verheißung zu machen und dem Spuk des Verderbens endlich ein Ende zu setzen.

»Aber weißt du was, Hannes?«, sagte Moses und blieb noch einmal kurz stehen, um zu verschnaufen. »Weißt du, was komisch ist?«

Und natürlich dachte Hannes wieder haargenau das Gleiche wie sie.

»Dass Käptn Klaas und seine Männer noch nicht angekommen sind! Wo bleiben die denn bloß? Die hätten doch auch schon längst hier bei uns bei der Höhle sein müssen!«

»Genau, das hätten sie«, sagte Moses. »Aber vielleicht haben sie sich ja verfahren. Na, da haben wir Glück gehabt. Und jetzt los, Dohlenhannes! Wir bringen der Prinzessin ihren Rubin und alles wird gut.«

»Das wollen wir hoffen«, sagte Hannes.

49. Kapitel,

in dem Moses und Hannes eine traurige Nachricht erhalten

Ich weiß nicht, ob du schon mal versucht hast, in einem Land das Königsschloss zu finden, das muss man ja nicht so oft. So viele Könige kennen die meisten von uns ja eigentlich nicht. Aber wenn du es schon einmal versucht haben solltest, dann weißt du, es ist kein großes Problem. Wo das Königsschloss liegt, weiß schließlich jeder im Land, und darum kann einem auch jeder den Weg zeigen und verlaufen muss man sich nicht.

So ging es bei ihrer Suche auch den beiden Kindern und darum kamen sie gut und schnell voran. Nur manchmal fragte sie ein Hufschmied vor seinem Amboss oder ein neugieriges Kind mit einer Rotznase oder meinetwegen auch eine Bauersfrau auf dem Weg zum Feld, was sie denn da Schweres in ihrem Bündel mit sich schleppten; aber dann zuckten die beiden nur mit den Schultern und sagten, das wären Brot und Käse für ihre Wanderschaft; denn sie glaubten nicht, dass es gut war, wenn jemand wusste, was sie wirklich bei sich trugen. Womöglich wären sonst selbst die ehrlichsten Bauern und die tüchtigsten Handwerker noch auf den Gedanken gekommen, ihnen ihren Schatz zu rauben! Da waren sie lieber vorsichtig.

Zum Glück lag das Schloss auch gar nicht so furchtbar weit von der Schatzhöhle entfernt, denn es war nur ein kleines Land; und darum war es gerade erst Mittag, als die Kinder hinter einem Hügel die Schlosstürme mit der Fahne darauf aufragen sahen. Das war so ungefähr um zwei Glasen der dritten Tagwache, die Nachmittagswache heißt, aber weil sie jetzt ja an Land waren und nicht mehr auf dem Meer, maßen sie die Zeit nicht in Glasen. Sie guckten einfach, wie lang ihr Schatten war, dann wussten sie auch ungefähr Bescheid; so machte man das damals und du kannst es gerne mal ausprobieren.

Und je näher sie dem Schloss kamen, desto erleichterter fühlten sich die beiden. Denn bisher hatte ihnen der Blutrubin ja zum Glück noch kein Verderben gebracht, obwohl sie ihn aus seiner Höhle geraubt hatten; und nun waren sie bald angekommen und konnten ihn der Prinzessin übergeben, für die er bestimmt war, und dann waren sie ihn endlich los.

Aber als dann schließlich hinter einer Wegbiegung das Schloss in seiner ganzen Pracht vor ihnen aufragte mit seinen hundert Fenstern, in denen sich die Sonne spiegelte, und mit zwanzig Türmchen und fünfzig Erkern und mit seinen Gärten voller wunderschöner Blumen und exotischer Bäume und plätschernder Springbrunnen, da ließ Moses ihren Ärmel plötzlich sinken, dass der Rubin fast auf den Boden geplumpst wäre, und sie sah Hannes nachdenklich an.

»Warum sind die Fahnen auf den Türmen denn schwarz, Dohlenhannes?«, fragte sie. »Und warum spaziert kein Mensch durch die wunderschönen Gärten? Da stimmt doch was nicht!«

Hannes nickte. »Ja, warum …«, sagte er.

Aber dass kein Mensch durch die Gärten spazierte, stimmte nun doch nicht ganz. Denn haargenau in diesem Augenblick trat plötzlich eine Palastwache hinter einem Rosenstrauch hervor und stellte sich ihnen in den Weg, und anstatt sie mit seinem Schwert zu bedrohen oder sogar mit seiner Hellebarde, legte der Wachmann den Finger auf die Lippen.

»Pssst!«, flüsterte die Palastwache. »Wisst ihr nicht, dass ihr das Gebot der Königin verletzt? Wie könnt ihr denn reden und noch dazu im Garten des Schlosses! Habt ihr vergessen, dass jeder Bürger unseres Landes an diesem Trauertag wie in jedem Jahr gemeinsam mit dem Königspaar trauern und schweigen muss?«

»Trauern und schweigen?«, fragte Moses verblüfft und da hatte sie das Gebot der Königin ja schon wieder verletzt. Darum streckte

die Palastwache ihr jetzt doch warnend die Hellebarde
entgegen, also flüsterte Moses lieber nur noch. »Wir sind aber
keine Bürger des Landes, darum wussten wir nichts von dem Gebot!
Wir sind doch nur hier, um eurer Prinzessin ihren rechtmäßigen
Besitz zu überbringen, den Blutroten Blutrubin, und dem Fluch des
Verderbens endlich ein Ende zu bereiten!« Und sie zeigte auf das
Bündel, das jetzt zwischen Hannes und ihr knapp über dem Boden
baumelte.

Da kratzte der Palastwächter sich am Kinn und senkte grunzend
die Hellebarde, und dann gab er wortlos ein Zeichen, dass
die beiden den Weg verlassen und zu ihm hinter den Rosenstrauch kommen sollten. So konnte man sie vom
Schloss aus ja hoffentlich nicht mehr sehen.

»Unserer Prinzessin wollt ihr den Blutrubin
bringen?«, flüsterte er wieder. Guck, so ganz
hielt er sich also auch selbst nicht an das
Schweigegebot. »Ausgerechnet unserer Prinzessin? Aber sie ist doch der
Grund dafür, dass jedermann hier
im Land an diesem Tag gemeinsam mit dem Königspaar

trauert und schweigt! Denn heute jährt sich wieder der Tag, an dem König und Königin ihre kleine Tochter verloren, den Augenstern der Königin und die Freude des ganzen Landes!«

»Die Prinzessin ist tot?«, fragte Moses erschrocken. »Das ist aber traurig!« Und jetzt verstand sie auch, warum die Fahnen auf den Türmen schwarze Trauerfahnen waren und der Garten so leer. »Siehst du, Hannes, dann wissen wir jetzt auch, warum sie sich ihren Glücksstein niemals abgeholt hat! Aber was sollen wir denn jetzt bloß damit machen?«

»Ihr bringt den Blutrubin, der unserer kleinen Prinzessin gehören sollte?«, fragte die Wache. »Nun, vielleicht kann ich dann eine Ausnahme machen und euch doch zu König und Königin vorlassen. Es könnte ja sein, dass der Rubin ihnen eine Erinnerung und ein Trost ist in ihrem Kummer, wer weiß?«

»Ja, genau, eben!«, sagte Moses und fühlte sich nun doch ganz erleichtert. Denn den gefähr- lichen Rubin hatte sie eigent- lich auf keinen Fall noch länger mit sich herumschleppen wollen.

50. Kapitel,

in dem Moses und Hannes ein echtes Königspaar kennenlernen

Und tatsächlich gab die Wache den Kindern da wieder ein stummes Zeichen, und Moses und Hannes packten ihr Bündel jeder an einem Ärmel und dann folgten sie gemeinsam der Wache über die stillen Wege durch den Garten zum Schloss, und niemand begegnete ihnen und kein Vogel sang in den Zweigen, nur der Kies knirschte unter ihren Füßen und die schwarzen Fahnen knatterten im Wind.

Und dann kamen sie zum Schloss.

Als sie durch die hohe Eingangstür in die Vorhalle traten, hielt Moses erst mal für einen Augenblick verblüfft die Luft an. Sie war ja noch nie in ihrem Leben in einem Schloss gewesen, immer nur auf der »Walli«, und darum war sie ganz erschrocken, wie riesengroß und golden und schön hier alles war. Aber dann straffte sie energisch ihre Schultern und warf Hannes einen schnellen Blick zu, denn wer nicht mal Angst vor Olle Holzbein hat, der wird sich ja wohl auch nicht vor einem König und einer Königin fürchten.

Die Palastwache legte wieder einen Finger auf die Lippen und leise, ganz leise stiegen sie zu dritt die geschwungene weiße Marmortreppe hinauf. Dann öffnete die Wache lautlos eine Tür, die war so hoch, dass Moses nicht mal mit dem Kopf oben angestoßen wäre, wenn sie bei Marten Smutje auf den Schultern gesessen hätte, und die führte direkt in den Thronsaal.

»Königliche Hoheit! Majestät!«, sagte die Palastwache entschuldigend und räusperte sich. Denn eigentlich war ja nicht erlaubt, was

276

sie jetzt gerade taten. »Vergebt, dass ich an diesem Trauertag Euer Gebot übertrete! Aber hier bringe ich Euch zwei Kinder, die eine Erinnerung an unsere kleine Prinzessin bei sich tragen! Und darum dachte ich …«

»Eine Erinnerung an unsere Tochter?«, fragte erstaunt der Mann, der an der Stirnseite des Saales neben einer wunderschönen Dame auf einem goldenen Thron saß. Das war natürlich der König. »Wie kann das sein?« Aber seine Stimme klang freundlich und ein kleines bisschen müde, und er sah auch nicht so aus, als ob er der Wache gleich befehlen würde, die Kinder zur Strafe in den Kerker zu werfen, na Gott sei Dank.

Da schöpfte Moses Mut und trat einen Schritt vor, und weil sie das Bündel dabei ja immer noch an einem Ärmel trug, kam Hannes gleich mit, der trug das Bündel ja am anderen Ärmel.

»Wir bitten viele Male um Entschuldigung, Majestät!«, sagte Moses, denn Nadel-Mattes hatte sie ja, wie du dich erinnerst, ziemlich gut erzogen. »Aber wir konnten doch nicht wissen, dass heute so ein trauriger Trauertag ist! Ich heiße Seeräubermoses und das da ist mein Freund Dohlenhannes. Und wir sind eigentlich gekommen, um Eurer Tochter, der Prinzessin, den Blutroten Blutrubin zu bringen, der alle Welt immerzu ins Unglück und ins Verderben stürzt! Denn sie allein ist ja die wahre Besitzerin, für die er bestimmt ist, und nur in ihren Händen würde er endlich zum Blutrubin des Glücks!« Moses seufzte. »Aber das klappt ja nun nicht!«, sagte sie traurig. »Leider. Und nun wissen wir auch gar nicht mehr, was wir mit dem Blutrubin anfangen sollen.«

Die Königin, die ja, wie ich schon gesagt hatte, eine wunderschöne Dame war, hatte Tränen in den Augen. »Wir haben nie mehr nach dem Blutrubin gesucht!«, flüsterte sie. »Denn schon bald nachdem wir die Verheißung erhalten hatten, dass unsere Tochter seine wahre Besitzerin sei …«

»Wahrscheinlich von einem alten Weiblein?«, fragte Hannes, denn von einem alten Weiblein hatte ja Kalle Guckaus von der Verheißung erfahren, wenn du dich erinnerst.

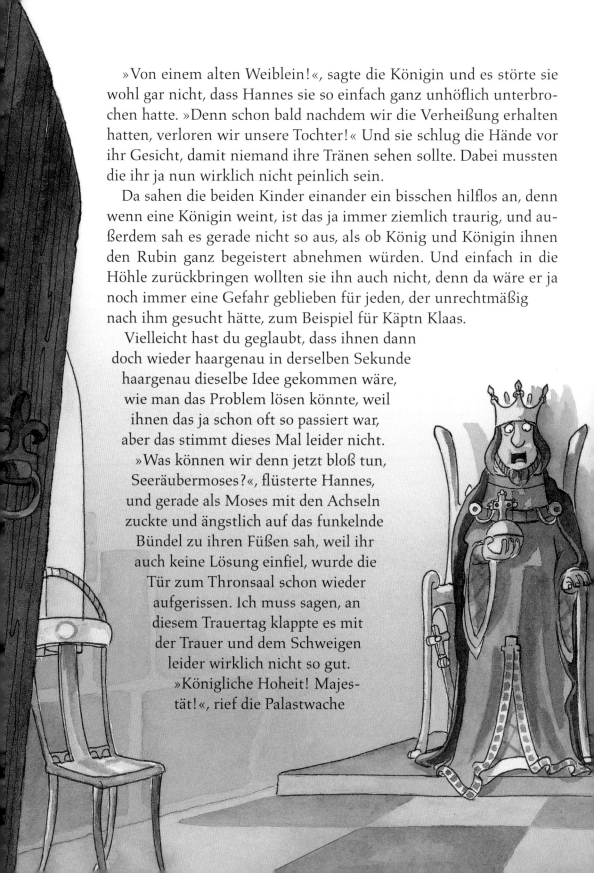

»Von einem alten Weiblein!«, sagte die Königin und es störte sie wohl gar nicht, dass Hannes sie so einfach ganz unhöflich unterbrochen hatte. »Denn schon bald nachdem wir die Verheißung erhalten hatten, verloren wir unsere Tochter!« Und sie schlug die Hände vor ihr Gesicht, damit niemand ihre Tränen sehen sollte. Dabei mussten die ihr ja nun wirklich nicht peinlich sein.

Da sahen die beiden Kinder einander ein bisschen hilflos an, denn wenn eine Königin weint, ist das ja immer ziemlich traurig, und außerdem sah es gerade nicht so aus, als ob König und Königin ihnen den Rubin ganz begeistert abnehmen würden. Und einfach in die Höhle zurückbringen wollten sie ihn auch nicht, denn da wäre er ja noch immer eine Gefahr geblieben für jeden, der unrechtmäßig nach ihm gesucht hätte, zum Beispiel für Käptn Klaas.

Vielleicht hast du geglaubt, dass ihnen dann doch wieder haargenau in derselben Sekunde haargenau dieselbe Idee gekommen wäre, wie man das Problem lösen könnte, weil ihnen das ja schon oft so passiert war, aber das stimmt dieses Mal leider nicht.

»Was können wir denn jetzt bloß tun, Seeräubermoses?«, flüsterte Hannes, und gerade als Moses mit den Achseln zuckte und ängstlich auf das funkelnde Bündel zu ihren Füßen sah, weil ihr auch keine Lösung einfiel, wurde die Tür zum Thronsaal schon wieder aufgerissen. Ich muss sagen, an diesem Trauertag klappte es mit der Trauer und dem Schweigen leider wirklich nicht so gut. »Königliche Hoheit! Majestät!«, rief die Palastwache aufgeregt, und du merkst schon, dieses Mal gab sie sich nicht mal mehr Mühe, leise zu sprechen. »Verzeiht die erneute Störung! Aber unsere Seefahrer haben endlich, endlich den fürchterlichen Seeräuber Olle Holzbein gefasst, der so viel Unglück über uns und unser Königreich gebracht hat, und führen ihn in diesem Augenblick zum Palast!«

»Den fürchterlichen Olle Holzbein?«, flüsterte die Königin und sah starr zur Tür, wo sie gleich den Seeräuber und seine Kerle erwartete.

»Den fürchterlichen Olle Holzbein!«, sagte der König tonlos. »Den fürchterlichen, grausamen Olle Holzbein. Endlich.« Er sah zu seiner Frau. »Nun, auch wenn heute unser Trauertag ist: Er möge vor unseren Thron geführt werden!« Er nickte der Wache zu. »Aber zuvor geleitet die Kinder hinaus.«

Da gab die Wache den Kindern wieder wortlos ein Zeichen, das waren sie jetzt ja schon gewöhnt, und dann öffnete sich eine kleine Tapetentür, die hatte Moses vorher noch gar nicht entdeckt. Dahinter lag ein schäbiges enges Treppenhaus, das war längst nicht so schön wie die große Marmortreppe, über die sie vorher in den Thronsaal gekommen waren. Aber solche verborgenen Treppenhäuser hatten damals fast alle Schlösser und sie waren für die Dienstboten da. Die durften das große Marmortreppenhaus nämlich nicht benutzen, falls du das bisher vielleicht geglaubt haben solltest.

»Und ihr zwei wartet jetzt hier!«, sagte die Wache.

51. Kapitel,

in dem Moses Käptn Klaas vor dem Kerker bewahrt

Das wollten Moses und Hannes ja auch gerne tun, aber vorher hatten sie doch noch eine Frage.

»Was hat Olle Holzbein dem König und der Königin denn getan?«, fragte Moses. »Wenn sie ihn den Fürchterlichen nennen? Wir kennen den nämlich auch.«

Da schnaubte die Palastwache voller Zorn. »Er ist schuld an dem größten Unglück ihres Lebens!«, flüsterte der Mann. »Er war es doch, der ihnen ihre kleine Tochter Isadora Felicia Beata Bianca geraubt und die Zeit unserer Trauer eingeläutet hat!« Und damit drehte er sich auf dem Absatz um und verschwand, um Olle Holzbein und seine Seeräuber vor den Königsthron zu führen.

Moses und Hannes starrten sich nur wieder an.

»Ja, Dunnerlittchen, Hannes!«, sagte Moses. »Jetzt schlägt's aber dreizehn! Dieser Olle Holzbein hat ja wohl nichts als schlimme Sachen gemacht in seinem Leben!«

Hannes nickte. »Immerzu Kinder geklaut!«, sagte er. Dann ließ er seinen Ärmel sinken, dass das Bündel mit dem Rubin auf dem Boden lag, und winkte Moses zur Tapetentür. Da stellten sie sich jetzt beide hin und legten jeder ein Ohr an die Tür, Moses das rechte und Hannes das linke; und auch wenn es natürlich nicht sehr gut erzogen ist, an Türen zu lauschen, und du es ihnen darum nie und niemals nachmachen solltest: Haargenau das taten die beiden jetzt. Und gleich wirst du merken, dass es in diesem Fall sogar sehr nützlich war.

Denn kaum hatten sie ihre Ohren gegen die dünne Tür gepresst, da hörten sie auch schon ein ziemliches Getrampel, als ob viele Männer in Seestiefeln über den edlen Marmorboden stapften, und ein Gerassel von Ketten hörten sie auch, als ob diese Männer gebunden wären, und dann rief eine laute Stimme in vornehmem Ton:

»Halt! Ihr Männer alle: Halt! Verneigt euch vor König und Königin!«

Ob die Männer das jetzt taten, konnten die Kinder natürlich nicht sehen, aber dafür hörten sie etwas, das klang genau wie ein Ziegenmeckern, und das war nun doch sehr unhöflich, wenn man eigentlich ein Königspaar begrüßen soll.

»Stille!«, rief die vornehme Stimme da auch schon wieder, die gehörte nämlich dem Oberhofzeremonienmeister, das ist der Mann, der sich mit den Spielregeln bei Hofe am besten von allen auskennt. »Psst! Psst! Seine Majestät, der König, will etwas sagen!«

Da pressten die Kinder ihre Ohren nur noch fester gegen die Tür.

»Du bist also der fürchterliche Olle Holzbein?«, sagte der König nachdenklich. »Nun, du hast dich verändert in all den Jahren! Und wo ist denn dein Holzbein geblieben?«

»Sein Holzbein?«, flüsterte Moses hinter der Tür. »Hat Olle etwa sein Holzbein in der Höhle vergessen?«

Aber da legte Hannes ihr seinen Finger auf die Lippen, damit sie weiter zuhören konnten.

»Majestät!«, sagte jetzt nämlich eine Stimme, und plötzlich hatte Moses das Gefühl, dass sie die von irgendwoher ganz genau kannte, aber bestimmt nicht von Olle Holzbein. »Ich bin nicht Olle Holzbein, der Grausame! Mein Name ist vielmehr …«

»Ruhe!«, schrie der Oberhofzeremonienmeister. »Ruhe, Ruhe, Ruhe! Wer wagt es, dem König zu widersprechen? Wenn der König sagt, dass du Olle Holzbein bist, dann bist du auch Olle Holzbein!«

»Du hast uns das Wertvollste genommen, was wir auf dieser Welt besaßen, Olle Holzbein!«, sagte der König. »Unsere kleine Tochter, die Prinzessin Isadora Felicia Beata Bianca hast du in einer wilden, stürmischen Gewitternacht den Fluten des Meeres übergeben! Seitdem ist unser Leben nur noch ein Schatten und das ganze Volk leidet mit uns. Und darum soll dich jetzt auch deine gerechte Strafe ereilen und all deine Männer mit dir.«

»Aber ich bin doch gar nicht …!«, sagte da wieder die Stimme, die Moses so bekannt vorkam, und dieses Mal war es nicht der Oberhofzeremonienmeister, der ihr das Wort abschnitt.

Denn »Rrrrübe ab!«, schnarrte jetzt eine andere genauso bekannte Stimme. »Rrrrübe ab!«, und Moses sah Hannes an und Hannes sah Moses an und beide kniffen sie die Augen zu vor lauter Überraschung.

»Ja, Rübe ab, wenn das selbst euer eigener Vogel schon fordert!«, sagte der König müde. »Das wäre wohl die gerechteste Strafe für euch Kerle! Aber euer Ende brächte mir meine kleine Tochter auch nicht zurück. Und ich will nicht schuld sein am Tod so vieler Männer, darum will ich Gnade vor Recht ergehen lassen. Palastwachen, führt diese Seeräuber in den finstersten Kerker unter dem mächtigsten Turm meines Schlosses! Dort sollen sie den Rest ihres Lebens verbringen bei Wasser und Brot.«

»Den Rest unseres Lebens!«, sagte da düster eine dritte Stimme, und jetzt konnte es doch wohl gar keinen Zweifel mehr geben. »Bei Wasser und Brot!«

»Hannes?«, flüsterte Moses da. »Hannes, glaubst du nicht auch das sind gar nicht …«

Aber da hatte Hannes schon die Tapetentür aufgerissen und war

einfach in den Thronsaal gestürzt. Das war ja nun ein noch viel schlechteres Benehmen als Lauschen!

»Nein, nicht in den Kerker, Majestät!«, rief er und stürzte auf den König und die Königin zu. »Sie sind es ja nicht! Sie sind es ja nicht!«

Eigentlich hätte er natürlich vor ihnen auf die Knie fallen müssen, denn das machte man damals so, aber Hannes hatte davon keine Ahnung. Und ich muss dir auch sagen, vor einem Menschen niederzuknien finde ich sowieso keine so gute Idee.

»Ich bin das Schiffsgespenst!«, schnarrte da ganz aufgeregt die Stimme von vorhin, und natürlich weißt du längst, wem sie gehörte. »Rrrrübe ab! Rrrrübe ab!« So doll freute sich Schnackfass, dass sie endlich ihren Hannes wiedergefunden hatte.

Und Hannes freute sich mindestens genauso doll. »Schnackfass!«, flüsterte er, und ohne zu fragen, nahm er seine Dohle behutsam von Martens Smutjes breiter Schulter und setzte sie sich auf seine schmale Schulter. »Meine Schnackfass! Hab ich dich wieder!«

»Und hab ich dich wieder, Euter-Klaas!«, sagte Moses und kraulte ihre Ziege zwischen den Hörnern. »Majestät, das hier ist ja gar nicht Olle Holzbein mit seinen Männern! Das ist doch Käptn Klaas!«

»Käptn Klaas?«, fragte der König verwirrt und sah die Kinder an, die jetzt allen Seeräubern nacheinander die Hände schüttelten, dass deren Ketten rasselten. »Wieso denn Käptn Klaas? Habt Ihr nicht gerade gesagt, Oberhofzeremonienmeister, meine Seefahrer hätten diese Kerle auf der ›Süßen Suse‹ gefangen genommen? Und ist die ›Süße Suse‹ nicht Olle Holzbeins Schiff?« Na, da klärte sich der ganze Irrtum ja zum Glück ziemlich schnell auf!

»Aber Käptn Klaas hat die ›Süße Suse‹ doch vor dem Roten Felsen gekapert!«, rief Moses aufgeregt und Euter-Klaas meckerte dazu. »Olle Holzbein sitzt da doch in der Höhle fest! Dies hier sind Käptn Klaas und seine guten Männer, und die haben Eurer Tochter ganz bestimmt nichts getan!«

Der König sah von Moses zu Käptn Klaas und von Käptn Klaas zu Marten Smutje und dann auch noch zu Schnackfass und zu Euter-Klaas. »Ja, wenn da so ist, Seeräubermoses!«, sagte er. »Dann muss ich dir wohl glauben. Denn der Seeräuberkapitän, der damals unser Schiff überfiel und meine kleine Tochter ins Meer werfen ließ, sah anders aus als dieser Käptn hier, das habe ich gleich gedacht. Er hatte ein Holzbein und das hat dieser hier nicht, und wie könnte das wohl möglich sein?«

»Ja, genau, das ist ja auch gar nicht möglich!«, rief Moses. »Darum nehmt den Männern die Ketten ab, Majestät, denn sie sind unschuldig am Tod Eurer Tochter!«

»So seid Ihr wirklich nicht Olle Holzbein?«, fragte die wunderschöne Dame, die die Königin war. »Dann verzeiht uns, ihr Herren, dass wir euch gefangen nahmen. Nehmt ihnen die Ketten ab, Palastwachen.«

Da lösten ihnen die Wachen die Ketten von Händen und Füßen, und Käptn Klaas´ Kerle schüttelten zuerst ihre Hände aus und dann ihre Füße, damit das Blut in den Adern wieder ordentlich fließen konnte, und dann stürzten sie sich alle gleichzeitig auf Moses und wollten sie alle gleichzeitig in die Arme nehmen und sich bedanken, denn schließlich hatte Moses sie ja vor dem Kerker bewahrt.

»Lütt Moses, lütt Moses!«, sagte Nadel-Mattes und wischte sich eine Träne der Rührung aus dem Augenwinkel. »Wer hätte wohl geglaubt, dass du uns dereinst vor dem Kerker bewahren würdest, damals, als ich dich jeden Abend über unsere Suppenschüssel gehalten habe!«

»Ja, wer hätte das wohl geglaubt, halleluja!«, sagte Marten Smutje. »Die Wege des Herrn sind unergründlich und wunderbar!«

Aber wie unergründlich und wunderbar die Wege des Herrn waren, das sollten sie alle erst gleich noch erfahren.

52. Kapitel,

in dem etwas ganz Unglaubliches passiert, aber das musst du selbst lesen

Inzwischen war der König von seinem Thron ge-stiegen. »Dann bitte auch ich euch um Verzei-hung!«, sagte er. »So nehmt doch Platz!«, und er zeigte auf die feinen goldenen Stühle, die rings um den Thronsaal überall an den Wänden aufgereiht standen. »Verzeiht, ihr Herren, dass wir euch ausgerechnet an unse-rem Trauertag in Ketten gelegt haben!«

Da suchten sich die Kerle verlegen jeder einen Stuhl, denn Herren hatte sie vorher noch niemand genannt. Aber sehr bequem fanden sie die feinen Stühle nicht und außerdem hatten sie auch Angst, dass die zarten goldenen Dinger unter ihrem Seeräubergewicht vielleicht zusammenkrachen würden. Marten Smutje blieb deshalb vorsichts-halber lieber gleich stehen.

Aber dass auch Hinnerk mit dem Hut stehen blieb, konnte doch wohl nichts damit zu tun haben, dass er fürchtete, einen Stuhl unter seinem Gewicht zu zerbrechen. Er war ja wirklich nur ein Fliegen-gewicht.

»Ja, verzeiht, wenn ich noch einmal nachfrage, Majestät!«, sagte er und verbeugte sich tief vor dem König. Dabei zog er natürlich seinen Hut. »Aber Ihr sprecht davon, dass Olle Holzbein Euch Eure Tochter genommen und ins Meer geworfen hat ...«

»Ja, langsam könnte man doch wirklich glauben, so was hat der jeden Tag gemacht!«, sagte Moses empört. »Das ist ja ein richtiger Kinder-ins-Meer-Schmeißer! Mit mir wollte er das schließlich auch so machen, der finstere Kerl!«

285

Hinnerk mit dem Hut räusperte sich. »Ich will meinen früheren Kapitän gewiss nicht in Schutz nehmen, wo er Schlimmes getan hat!«, sagte er und drehte den Hut vor seiner Brust. »Aber verzeiht, Majestät: Was Ihr erzählt, kann ja nicht stimmen! Es muss ein anderer Seeräuber gewesen sein, der Euch Eure Tochter nahm! Denn ich bin ja mit Käptn Olle zur See gefahren vom ersten Tag an, seit er ein Seeräuber ist! Nicht eine Fahrt hat er ohne mich gemacht! Und nur ein einziges Mal haben wir jemals ein Schiff mit einem kleinen Kind gekapert, das setzte ich aus in einer Waschbalje, und wie sich herausgestellt hat, war das dieser Knabe hier, Käptn Klaas´ Schiffsjunge, dieser Moses! Aber Eure Tochter haben wir nicht auch noch ausgesetzt oder gar ins Meer geworfen, Majestät, das müsst Ihr mir glauben!«

Der König sah ihn nachdenklich an. »Als ich Käptn Klaas vorhin sah«, sagte er, »da dachte ich gleich, er wäre nicht der grausame Olle Holzbein: Denn kein bisschen sah er ihm ähnlich. Aber an dich, Matrose mit dem Hut, erinnere ich mich gut! Die Blitze zuckten in jener Nacht nur so am Horizont und dazu rollte der Donner über den Himmel mit einem Krachen wie ein rumpeliges Fass: Darum erzähl mir keine Lügen! Du bist auf dem Schiff gefahren, das uns damals überfiel und auf dem unsere Tochter …«

»Erinnerst du dich denn auch noch an den Herrn König, Hinnerk mit dem Hut?«, fragte Hannes. Langsam musste er sich das ständige Unterbrechen aber wirklich mal abgewöhnen.

Hinnerk mit dem Hut kratzte sich am Kopf. Das ging jetzt, wo er den Hut in der Hand hielt, ja endlich mal gut. »Wir haben so viele Schiffe überfallen, Dohlenhannes«, sagte er. »Wie sollte ich mich da wohl an einen einzelnen Menschen erinnern? Mag sein, ich kenne ihn, mag sein, ich kenne ihn nicht, aber ich habe es doch schon gesagt: Der König irrt sich! Nur einmal haben wir ein Kind dem Meer übergeben, und das war der kleine Moses hier!«

»Und ich schwöre, das Schiff damals hieß ›Süße Suse‹!«, sagte der König streng. »So lautete der Schriftzug an seinem Bug! Denn ich bin schließlich König und kann lesen!«

Na, das war ja jetzt wohl ein Beweis. Aber Hinnerk gab sich noch immer nicht geschlagen. »Majestät, Majestät!«, rief er, und du weißt bestimmt auch, dass man so mit Königen eigentlich nicht reden soll. Aber jetzt musste es mal sein. »Wenn ich es Euch doch sage! Nur einmal haben wir ein Kind den Fluten überantwortet, das wickelte ich in ein Tuch und legte es in eine Waschbalje, und das ist dieser Junge hier! Und dass er es wirklich war, ist gewiss! Denn er trug bis heute das Tuch bei sich, in das ich ihn damals gewickelt habe!«

»Das Tuch?«, flüsterte die Königin. Inzwischen hatte sie sich auch von ihrem Thron erhoben, aber leider schwankte sie plötzlich ganz fürchterlich. »Was für ein Tuch?«

»Ach, das ist nur so ein altes besticktes Tuch!«, sagte Moses und gab Käptn Klaas ein Zeichen, es zu zeigen. »Und ganz sauber ist es leider auch nicht mehr! Aber könnt Ihr es glauben? In Wirklichkeit ist es der Schatzplan für den Blutroten Blutrubin! Ich hab all die Jahre den Schatzplan um meinen Hals getragen!«

Der König erstarrte. »Den Schatzplan?«, flüsterte er. »Du warst in ein Tuch gewickelt, das der Schatzplan war?«

»Ja, Dunnerlittchen, da staunt Ihr wohl!«, sagte Moses zufrieden. »Darum haben Hannes und ich den Rubin jetzt ja auch gefunden! Ihr wisst doch, nur darum sind wir zu Euch gekommen, Herr König! Wir wollten Eurer Tochter ihren Rubin überbringen!«

Aber der König antwortete nicht. Er starrte Moses nur an und seine Lippen zitterten, und auch die Königin starrte Moses jetzt ungläubig an.

»Mein Kind!«, flüsterte sie dann plötzlich und streckte die Arme aus und tat einen Schritt auf Moses zu. Aber dann wäre sie fast in Ohnmacht gefallen und Marten Smutje konnte sie gerade noch rechtzeitig mit seinen starken Armen auffangen. »Meine geliebte Tochter!«

»Isadora Felicia Beata Bianca!«, flüsterte jetzt auch der König, aber den musste trotzdem niemand auffangen. Und vielleicht kannst du dir vorstellen, was für einen fürchterlichen Schrecken Moses gerade bekam.

Und Hannes übrigens auch. »Nein, nein, nein, halt!«, rief er und trat ganz schnell dazwischen. »Ihr täuscht Euch, Königliche Hoheit! Ihr täuscht Euch, Majestät! Moses kann ja gar nicht Euer Kind sein! Eure Tochter war ja ein Mädchen, und Moses ist doch ein Junge!«

Da guckte Moses betreten vor sich auf den Boden und wurde rot vom Hals bis zu den Ohren. »Ja, Dunnerlittchen, phhht, ein Junge, Hannes!«, sagte sie kleinlaut. Aber irgendwann hätte sie es ihm ja schließlich sowieso gestehen müssen. »Ein Junge bin ich nun eigentlich nicht.«

»Ein Junge bist du nun eigentlich nicht?«, brüllte Hannes. »Du bist der Gefährte meiner gefährlichen Abenteuer! Natürlich bist du ein Junge! Ein Mädchen wäre dabei ja immerzu in Ohnmacht gefallen! Natürlich bist du ein Junge!«

Aber da trat Nadel-Mattes vor und legte Hannes seine Hand auf die Schulter. »Doch, doch, Dohlenhannes, unsere Moses hier ist fürwahr ein Frauenzimmer und eine kleine Dame!«, sagte er. »Das kann ich beschwören, denn ich hab ihr ja jeden Tag die Windeln gewechselt und sie über unsere Suppenschüssel gehalten! Unsere Moses ist ein Frauenzimmer und eine kleine Dame, aber ein tüchtiger Schiffsjunge ist sie trotzdem, verdammich, der beste, den wir jemals hatten, und sie wird einmal ein mindestens ebenso guter Seeräuberhauptmann wie unser Käptn Klaas, wenn nicht ein besserer.«

»Ein Mädchen!«, flüsterte Hannes, und »Ein Mädchen!«, flüsterten auch der König und die Königin, und wer von den dreien am verblüfftesten war, kann ich nicht sagen. Vielleicht war Hinnerk mit dem Hut ja sogar noch verblüffter.

Inzwischen hatte Käptn Klaas endlich das Tuch von seinem Gürtel losgeknotet und es Moses gegeben. »Also, hier ist es, Herr König!«, sagte sie darum, denn sie war ganz froh, dass sie ein bisschen ablenken konnte. »Könnt Ihr Euch gerne mal angucken, mit rotem Kreuzstich und allem. Aber wiedergeben.«

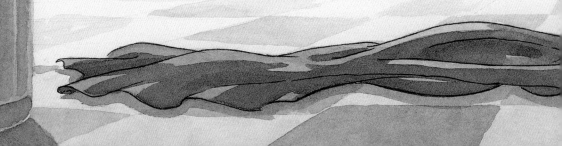

Da warf die Königin nur einen ganz kurzen Blick auf das Tuch, aber der genügte, dass sie sich von Marten losriss und der erschrockenen Moses um den Hals fiel. »Mein Kind, meine Tochter«, schluchzte sie. »Oh, meine wiedergefundene Tochter Isadora Felicia Beata Bianca!«

»Nee, aber Moses will ich trotzdem heißen!«, murmelte Moses, aber das konnte niemand so richtig hören, denn sie murmelte es ja in die Kleider ihrer Mutter, der Königin, hinein.

»So ist dieser Trauertag heute also zu einem Freudentag für uns geworden!«, rief der König und wischte sich mit dem schmuddeligen Schatzplan eine Träne aus dem Auge. Und das war ihm auch kein bisschen peinlich, Gott sei Dank. »Unsere Tochter Isadora Felicia Beata Bianca, die wir all die Jahre tot geglaubt haben, ist heute heimgekehrt!«

Da hatten selbst die hartgesottenen Kerle von der »Walli« Tränen in den Augen, und Moses lag in den Armen ihrer Mutter, der Königin, und dachte, dass es sich also so anfühlte, wenn man eine Mutter hatte, und dass sie wirklich ganz wunderbar duftete. Und ein bisschen weinte Moses auch vor Glück.

»Oberhofzeremonienmeister!«, rief der König, nachdem er sich die Nase geschnäuzt hatte. »Lasst ein Festmahl richten! Denn unsere Tochter, die Prinzessin, ist endlich heimgekehrt, und das ganze Land soll mit uns feiern!«

53. Kapitel,
in dem ordentlich gefeiert wird

Na, das wurde aber vielleicht ein Fest!

Als Erstes wurden auf den Türmen alle schwarzen Trauerflaggen eingeholt und bunte Flaggen in den leuchtenden Farben des Landes aufgezogen. Dann galoppierten berittene Boten in alle Teile des Landes – das ja zum Glück nicht sehr groß war, wie ich schon gesagt hatte –, um allen Bürgern die freudige Nachricht zu überbringen, dass der Trauertag vorbei und zu einem Freudentag geworden war.

Da kamen die Menschen aus ihren Häusern heraus auf die Straßen und freuten sich, dass sie nicht mehr trauern und schweigen mussten; und sie jubelten und feierten und sangen und tanzten, und im ganzen Land herrschte eine Stimmung, als ob es gerade eben die Fußballweltmeisterschaft gewonnen hätte, aber die gab es damals ja noch nicht. Und weil es auch keine Autos gab, mit denen man hupend und Fahnen schwenkend durch die Straßen fahren konnte, um seine Freude zu feiern, kamen die Menschen eben mit Rasseln und mit Tröten, das war kein bisschen weniger fröhlich, und viele hatten auch Topfdeckel mitgebracht, die sie gegeneinanderschlugen, das gab ein schönes Scheppergeräusch.

Am allermeisten aber feierten die Menschen im Schloss, das kannst du dir ja vorstellen. Alle Köche drängten sich in der Küche, um das größte und wunderbarste Mahl zu bereiten, das das Schloss je gesehen hatte; und währenddessen nahm ihre Mutter, die Königin, Moses mit in ihre goldenen Gemächer, um ihr das wunderschönste Prinzessinnenkleid anzuziehen und die Prinzessinnenkrone aufzusetzen. Da sah Moses auf einmal wirklich aus wie ein ganz vornehmes Frauenzimmer und eine feine kleine Dame. Sogar sie selbst kam sich ganz fremd vor, als sie nun in den kleinen Spiegel mit dem goldenen Rahmen sah, den ihr eine Hofdame gegeben hatte, damit sie sich angucken konnte. Aber ihre Haare übrigens waren so zipfelig wie immer, da war nichts zu machen.

Und als sie nun so zurück in den Thronsaal kam, in dem die Diener inzwischen alles gerichtet hatten für das Freudenmahl, da wurde es auf einmal ganz still, vor allem in der Ecke, in der Käptn Klaas und seine Seeräuber sich drängten und gerade anfangen wollten, dem König Seeräuberlieder beizubringen. Denn die konnten gar nicht glauben, was sie da sahen.

»Dies Bildnis ist bezaubernd schön, wie das Sprichwort so sagt!«, flüsterte Käptn Klaas. »Beim Klabautermann, Moses, jetzt will ich wohl glauben, dass du eine echte Prinzessin bist!«

»Unsere Moses, oh Glück, Glück!«, sagte Nadel-Mattes und musste sich schon wieder eine Träne abwischen.

»Ja, danket dem Herrn, denn er ist freundlich!«, rief Marten Smutje mit seiner Donnerstimme. »So ist doch gewisslich noch alles zu einem guten Ende gekommen, halleluja!«

»Ja, halleluja, Ende gekommen!«, sagte Haken-Fiete, der hatte schon wieder einen Humpen in der Hand.

Nur Moses war die ganze Bewunderei vielleicht ein kleines bisschen peinlich. »Ach, Dunnerlittchen, das bin ja eigentlich nur ich!«, sagte sie, und übrigens fand sie das Prinzessinnenkleid bei aller Schönheit doch auch ein bisschen unbequem. Zu feierlichen Festmählern konnte sie das ja gerne immer mal kurz tragen, aber hinterher wollte sie dann doch ganz unbedingt wieder ihre Schiffsjungensachen anziehen, das beschloss sie schon mal gleich ein für alle Mal.

Nur einer war nicht gekommen, um Moses wie alle anderen zu bewundern, und du kannst dir sicher auch schon denken, wer das war.

»Na, Hannes, guck doch mal, Hannes!«, sagte Moses darum und ging zu ihm hin, denn verkracht wollte sie nicht so gerne länger sein. Vorsichtshalber hielt sie Schnackfass auf Hannes´ Schulter den

Schnabel zu, damit die nicht gleich wieder »Rrrübe ab!« schnarrte. »Wie findest du das?«

Aber Hannes guckte sie nur ganz böse an. »Du hast mich die ganze Zeit beschummelt!«, sagte er. »Du hast gesagt, dass du ein Bengel bist, und nun bist du ein Weib!«

»Na und?«, sagte Moses da auch böse. »Wo du immer gesagt hast, dass Weiber zu nichts nütze sind und schwach und feige, und wenn es gefährlich wird, nehmen sie gleich schreiend Reißaus! Was sollte ich denn da wohl sagen!«

»Und eine Prinzessin bist du jetzt auch noch!«, sagte Hannes und tatsächlich schwang so etwas wie Verachtung in seiner Stimme mit. »Na, da ist es wohl für immer aus mit der Seefahrerei!«

»Ist es gar nicht!«, sagte Moses. »Ich kann ja wohl eine Prinzessin sein und ein Schiffsjunge dazu, und später bin ich eine Königin und ein Kapitän! Davon verstehst du nichts, Dohlenhannes! Wenn ich das will, dann kann ich das auch!«

Da legte jemand Moses von hinten seine Hand auf die Schulter. »Ja, wenn du das willst, dann kannst du das auch!«, sagte ihr Vater, der König. »Meine Tochter Isadora Felicia Beata Bianca kann alles sein, was sie will. Solange sie nur auch eine gute Prinzessin ist, die immer an das Wohl ihres Landes denkt, heißt das«, und er strubbelte ihr durch die Haare, dass die Krone verrutschte.

»Aber übrigens will ich nicht Isadora Felicia Beata Bianca heißen!«, sagte Moses. Sie dachte, dass es jetzt eine ganz gute Gelegenheit war, das gleich mal zu klären. »Ich will Moses heißen, denn das ist mein Name und so bin ich von Marten Smutje mit der Schöpfkelle getauft.«

»Hm«, sagte der König nachdenklich, und man konnte sehen, dass ihm das nicht ganz so gut gefiel. Ein richtiger Prinzessinnenname war Moses ja nicht.

Aber inzwischen war auch die Königin zu den dreien getreten, und die nickte Moses einfach ganz freundlich zu, wie eine Mutter das soll. »Ich kann dich verstehen, Moses!«, sagte sie. »Denn das war ja dein Name dein Leben lang, und du hast ihm Ehre gemacht. Darum

sollst du von jetzt an Prinzessin Moses Isadora Felicia Beata Bianca heißen. Prinzessinnen dürfen ja lange Namen haben.«

Dann schlug der Oberhofzeremonienmeister auf seinen Gong, denn inzwischen war das Essen bereitet, und der König und die Königin und Käptn Klaas und seine Seeräuber und Hinnerk mit dem Hut und Hannes und natürlich auch Moses selbst rückten ihre Stühle an der Tafel zurecht. Und als Hannes sich möglichst weit weg von Moses hinsetzen wollte, weil er immer noch böse auf sie war, da schüttelte der König den Kopf.

»Ich glaube, du solltest lieber da drüben sitzen, Dohlenhannes«, sagte er freundlich und zeigte auf einen Stuhl direkt neben Moses, und wenn ein König etwas befiehlt, kann man ja schlecht widersprechen.

Aber ein mauliges Gesicht machte Hannes immer noch und zuerst guckte er Moses auch gar nicht an, das kann man vielleicht ja verstehen. Wenn man einen allerbesten Freund hat, mit dem man durch dick und dünn gegangen ist und durch alle Gefahren, und dann merkt man, dass der einen die ganze Zeit beschwindelt hat, dann darf man schon mal böse sein, finde ich. Und ein bisschen sah Moses das auch ein.

»Ja, Dunnerlittchen, Hannes!«, sagte sie darum, als Hannes nach der Suppe und dem Fisch und dem allerfeinsten Hirschbraten mit Preiselbeeren auch bei der Nachspeise noch immer wegguckte, wenn sie ihn ansah. Die Nachspeise waren übrigens die süßesten Erdbeeren mit der cremigsten Sahne. »Nun sei doch wieder vertragen, verdammich! Dass ich eine Prinzessin bin, wusste ich ja selber nicht, und dass ich ein Mädchen bin, ist doch eigentlich nicht schlimm.«

»Nee, dass du ein Mädchen bist, nicht!«, sagte Hannes. »Aber dass du mich beschwindelt und beschummelt hast, das ist schlimm.«

»Das will ich von jetzt an niemals wieder tun!«, sagte Moses und hielt drei Schwurfinger in die Luft. »Heilig geschworen ohne Ableitung.«

Da zuckte Hannes mit den Schultern. »Na gut!«, sagte er. Aber ein bisschen maulig klang er immer noch.

Und Moses beugte sich ein winziges bisschen zu ihm hinüber und dann – nein, da war sie wohl selbst erstaunt, dass sie das tat! – drückte sie ihm blitzschnell einen winzigen verrutschten Kuss auf die Wange.

»Beim Klabautermann!«, sagte Nadel-Mattes, der alles mit angeguckt hatte. »Moses, Moses!«

Und Hannes wurde so rot wie die Abendsonne über dem Meer, wenn sie gerade hinter dem Horizont versinkt, und was das nun bedeuten sollte, weiß ich auch nicht.

54. Kapitel,

in dem Käptn Klaas ein Geständnis macht

Aber bevor Moses noch darüber nachdenken konnte, trat schon wieder der Oberhofzeremonienmeister vor und klopfte mit seinem Stab auf den Boden.

»Ruhe jetzt allesamt! Der Herr König will etwas sagen!«, rief er, und weil ja nun auch alle schon ziemlich satt und zufrieden waren, wandten sie ihre Blicke von den Tellern weg und dem König zu, der jetzt in die Mitte des Saales getreten war.

»Dies heute ist ein Freudentag!«, rief der König, und wenn er nicht der König gewesen wäre, hätte ich gesagt, dass ihm vielleicht ein kleines bisschen Schlagsahne in seinem Bart klebte, aber bei einem König kann das ja wohl nicht sein. »Denn unsere geliebte Tochter Moses Isadora Felicia Beata Bianca ist uns wiedergeschenkt worden, und mit uns feiert das ganze Land! Aber über all der Freude wollen wir doch auch nicht vergessen, demjenigen zu danken, der ihr das Leben gerettet hat!«

»Und das ist Gott der Herr im Himmel, halleluja!«, flüsterte Marten Smutje, aber der König schüttelte streng den Kopf.

»Den meinte ich jetzt gerade mal nicht!«, sagte er. »Ich meinte Hinnerk mit dem Hut, denn wenn der unsere kleine Moses damals nicht in die Waschbalje gelegt hätte, wäre sie feucht und fürchterlich in den Fluten ertrunken und wir säßen heute nicht alle so glücklich zusammen!«

»Das stimmt!«, sagte Nadel-Mattes.

»Und darum tritt vor, Hinnerk mit dem Hut, denn jetzt will ich dich zum Ritter schlagen!«, sagte der König.

War das nicht eine Überraschung? Damit hatte Hinnerk mit dem Hut nun ganz bestimmt nicht gerechnet, und ich weiß auch nicht, ob er so große Lust hatte, in Zukunft seinen Hut gegen einen Ritterhelm einzutauschen, aber murren tat er jedenfalls nicht.

»Und nun tritt auch du noch vor, Käptn Klaas!«, sagte der König. »Denn auch dich will ich zum Ritter schlagen! Wenn ihr Männer von der ›Wüsten Walli‹ euch nicht all die Jahre so gut um unsere kleine Moses gekümmert hättet, dann säßen wir heute nicht alle so glücklich zusammen!«

»Und das stimmt nun auch wieder«, sagte Nadel-Mattes.

Aber Moses war trotzdem noch nicht zufrieden. »Und was ist mit meinem Freund Hannes, Herr König?«, fragte sie. (Daran, den König Papa zu nennen, hatte sie sich nämlich noch nicht gewöhnt.) »Wenn der mir nicht geholfen hätte, von der ›Süßen Suse‹ zu fliehen, und überhaupt immer wieder, dann säßen wir heute auch nicht alle so glücklich zusammen!«

»Ja, das ist natürlich wahr, meine geliebte Tochter!«, sagte der König. »Und ich bin froh, dass du einen guten Freund nicht vergisst! Dann will ich auch Dohlenhannes zum Ritter schlagen, auch wenn der ja natürlich noch ziemlich jung dafür ist.«

Da musste auch Hannes vortreten und der König schlug ihm mit der flachen Seite der Schwertklinge auf den Nacken, und Hannes wurde schon wieder rot wie die Abendsonne über dem Meer. Aber diesmal wusste ja jeder, warum, man wird schließlich nicht jeden Tag zum Ritter geschlagen. Und übrigens war Hannes Moses danach endlich nicht mehr böse. Zum Glück.

»Und wo wir doch jetzt alle gerade so fröhlich sind …«, sagte plötzlich Hinnerk mit dem Hut, und tatsächlich, er wirkte ein kleines bisschen verlegen dabei. »Da könnten wir doch eigentlich auch meinem Käptn Olle schnell noch verzeihen und ihn aus seiner Höhle im Roten Felsen befreien, was meint Ihr, Herr König? Seine Strafe hat er doch da jetzt lange genug abgesessen!«

Der König sah Hinnerk ein bisschen erstaunt an, aber noch erstaunter war er, als sich jetzt auch Käptn Klaas noch räusperte.

»Jawohl, Majestät, das finde ich auch!«, sagte er. »Denn nun ist doch alles gut ausgegangen, und seine Strafe hat Olle Holzbein schließlich gehabt da in der Höhle.«

»Ja, Dunnerlittchen, verdammich!«, sagte Moses, und das war doch vielleicht nicht ganz so prinzessinnenhaft gesprochen. »Warum nimmst du denn auf einmal Olle Holzbein in Schutz, Käptn Klaas? So kenn ich dich ja gar nicht!«

Da sah Käptn Klaas Hinnerk an und Hinnerk sah Käptn Klaas an, und dann sagte Käptn Klaas: »Hinnerk, erzähl du!«

Und weil doch alle satt und zufrieden waren, war es natürlich sowieso gerade Zeit für eine gute Geschichte.

»Nun, ihr alle habt vom Blutroten Blutrubin gehört«, sagte Hinnerk.

»Ja, phhht, der Blutrote Blutrubin!«, rief Moses erschrocken, und jetzt unterbrach sie mal genauso unhöflich, wie das sonst Hannes immer tat, und Nadel-Mattes sah sie auch ganz strafend an. »Was soll aus dem denn jetzt werden? Wo wir doch die Prinzessin dieses Landes, seine wahre Besitzerin, für die er bestimmt ist, nicht gefunden haben? Was machen wir denn jetzt bloß mit dem?«

Da wurde es auf einmal ganz still im Saal und dann tippte Hannes sich an die Stirn. »Ein guter Schiffsjunge magst du ja sein, Seeräubermoses!«, sagte er. »Und vielleicht auch eine gute Prinzessin! Aber ein Dösbaddel bist du trotzdem, so wahr ich Dohlenhannes heiße!«

»Sag das noch mal!«, sagte Moses und ballte die Fäuste, und Donnerwetter, obwohl sie ja ihr feines Prinzessinnenkleid anhatte und ihre Krone auf dem Kopf, hätte ich mich jetzt um alles in der Welt nicht gern mit ihr geprügelt, so wütend sah sie aus. »Wieso bin ich denn ein Dösbaddel?«

»Weil du doch selbst die Prinzessin dieses Landes bist, die wahre Besitzerin, für die der Rubin bestimmt ist!«, rief Hannes und vor Moses´ Fäusten hatte er überhaupt keine Angst. »Und bei dir kann er nun auch endlich der Blutrote Blutrubin des Glücks werden, Seeräubermoses!«

»Ja, phhht!, verdammich!«, flüsterte Moses und guckte vor sich auf den Boden, wo eingeschlagen in Hannes´ Hemd noch immer der Blutrubin funkelte. »Der Blutrote Blutrubin gehört ja jetzt mir! Na, dann will ich aber mal aufpassen, dass der von nun an keinen Ärger mehr macht!«

»Jawohl, denn das ist auch nötig!«, rief Hinnerk mit dem Hut. »Denn eben davon sollte ja meine Geschichte handeln, wenn ihr euch noch erinnert! Nur leider hast du mich unterbrochen, Moses.«

»Entschuldigung!«, sagte Moses, und dabei kippelte sie mit ihrem Stuhl vorwärts und rückwärts hin und her, so aufgeregt war sie jetzt. Man stelle sich vor, dass der Blutrote Blutrubin, der größte und wunderbarste Edelstein der Welt, jetzt ihr gehören sollte! Das war ja nun noch mal eine ziemliche Überraschung.

Aber benehmen musste sie sich deshalb trotzdem. »Wer wippt, der kippt, wie das Sprichwort so sagt!«, sagte Käptn Klaas streng. »Darum sitz endlich mal still, Moses, und hör zu, was Hinnerk zu erzählen hat.«

»Ja, wie ich also schon sagte, ihr alle kennt die Geschichte des Blutroten Blutrubins des Verderbens!«, fuhr Hinnerk mit dem Hut also fort. »Der Rubin ist ja, wie jedermann weiß, der Glücksbringer unter allen Edelsteinen. Er schützt gegen Teufel und Pest, und wer ihn besitzt, dem verheißt er Würde, Macht und Tapferkeit. So gilt der Rubin von alters her als Stein des Lebens und der Liebe, und von allen Rubinen auf der Welt ist dieser hier in Hannes´ Hemd der schönste und größte: glitzernd wie der Abendhimmel voller Sterne und groß wie ein Hühnerei! Aber seit er vor

Jahrhunderten und Aberjahrhunderten zum ersten Mal entdeckt wurde in seiner Höhle tief im Berg, begleitet ihn eine finstere Verheißung.«

»Genau!«, sagte Moses und leider kippelte sie immer noch ein bisschen. »Aber die Verheißung ist ja nun vorbei. Denn nun habe ich ihn ja gefunden, Hinnerk mit dem Hut, und für mich ist er bestimmt.«

»Nun unterbrich doch nicht schon wieder, Seeräubermoses!«, sagte Hinnerk mit dem Hut. »Und hör auf zu kippeln. Ich bin ja noch lange nicht am Ende. Denn vor gar nicht langer Zeit, so heißt es, erwarb den Rubin ein wohlhabender Kaufmann – von wem, ist nicht bekannt. Und dieser Kaufmann hatte zwei Söhne, die der Stolz und das Glück seiner alten Tage waren.«

»Genau, und kaum hatte er den Blutroten Blutrubin in sein Haus schaffen und an der allergeheimsten Stelle verschließen lassen, von der nur sein allertreuester Diener wusste, da wurde er krank auf den Tod«, sagte Hannes. »Und auch die Söhne des Kaufmanns riss der Rubin noch ins Verderben. Denn nach dem Tode des Vaters hatten sie nichts Besseres zu tun, als darüber zu streiten, welcher von ihnen den Blutroten Blutrubin nun bekommen sollte.«

»So war es, fürwahr!«, sagte Hinnerk mit dem Hut.

»Und danach irrten die Brüder beide in der Welt umher auf der Suche nach dem Blutroten Blutrubin des Verderbens«, sagte jetzt Moses, »und ihr Vaterhaus verfiel und ihr Besitz wurde in alle Winde zerstreut und sie waren zerstritten bis aufs Blut, und so erfüllte sich auch an ihnen der Fluch des Rubins. Und so sind sie vielleicht noch heute auf der Suche, die beiden dummen Kerle, und nur, weil sie nicht genug kriegen konnten und sich immerzu streiten mussten.«

»Und das wissen wir alles längst, das hat uns auch Kalle Guckaus schon erzählt!«, sagte Hannes. »Was hat das denn mit Olle Holzbein zu tun?«

»Ja, was hat das denn mit Olle Holzbein zu tun?«, fragte Moses.

»Nun sag du, Klein-Klaas!«, sagte Hinnerk mit dem Hut aufmunternd. »Den Rest musst du alleine machen!« Ja, wieso das denn nun?

Aber jedenfalls trat Käptn Klaas jetzt tatsächlich ganz verlegen vor. »Nun, Kalle Guckaus hat diese Geschichte erzählt, das ist wohl wahr«, sagte er und räusperte sich schon wieder. »Aber nicht erzählt hat er, wer diese beiden Brüder waren.«

»Und wer der allertreueste Diener!«, sagte Hinnerk mit dem Hut.

»Und ihr beiden wisst das?«, fragte Moses verblüfft. »Wieso wisst ihr das denn? Hat euch das auch dieses Weiblein erzählt?«

Aber jetzt mischte sich Marten Smutje ein. »Pfui Teufel, bist du dösig, Moses!«, sagte er. »Und du übrigens auch, Dohlenhannes! Nun denkt doch mal nach!«

»Ja, Staunen, Staunen!«, sagte Nadel-Mattes. »Verstehst du denn immer noch nicht, Prinzessin Moses?«

Und genau in diesem Moment hörte Moses' Gehirn auf, vor lauter Nachdenken zu knirschen.

»Dunnerlittchen, Käptn Klaas!«, sagte sie andächtig.

Und »Dunnerlittchen, Hinnerk mit dem Hut!«, sagte Hannes.

Und du hast es jetzt ja bestimmt auch schon begriffen.

55. Kapitel,
in dem alles sein glückliches Ende findet

»So seid Ihr also einer der Söhne dieses Kaufmanns, Ritter Käptn Klaas? Und Olle Holzbein ist Euer Bruder?«, fragte der König. »Welch eine Überraschung!«

»Tja, haargenau so ist es!«, sagte Käptn Klaas. »Und als wir Kinder waren, hab ich den alten Schurken in der Dunkelheit immer mit meinen Gespenstergeschichten erschreckt, wenn er wieder seinen wütigen Charakter gezeigt hat, und jahrzehntelang haben Olle und ich uns bekämpft bis aufs Blut! Aber wo wir jetzt den Rubin doch gefunden haben, könnte ich mich ja eigentlich mit meinem Bruder Olle endlich wieder vertragen! Bei Moses ist der Rubin ja sicher und trocken aufgehoben.«

»Und du, Hinnerk mit dem Hut, warst der allertreueste Diener des Kaufmanns!«, rief Moses. »Ja, phhht!, dann weiß ich jetzt auch, warum du immer Klein-Olle und Klein-Klaas gesagt hast!«

»Weil ich die beiden doch schon kannte, als sie noch in den Windeln lagen!«, sagte Hinnerk. »Und was meint ihr, wie groß mein Kummer war, dass sie sich so zerstritten haben! So habe ich also bei Olle angeheuert, denn er hat ja immer leicht einen wütigen Charakter gezeigt, wie ihr wisst, da wollte ich das Schlimmste verhüten.«

»Dunnerlittchen, Dunnerlittchen!«, flüsterte Moses. »Und darum kannst du auch lesen und schreiben, was, Käptn Klaas? Und Olle Holzbein auch? Weil ihr ja beide Kaufmänner wart!«

Und du solltest dir übrigens mal deine Liste mit den Merkwürdigkeiten vornehmen, denn die müssten jetzt eigentlich alle aufgeklärt sein. So ist das ja am Schluss bei einer guten Geschichte.

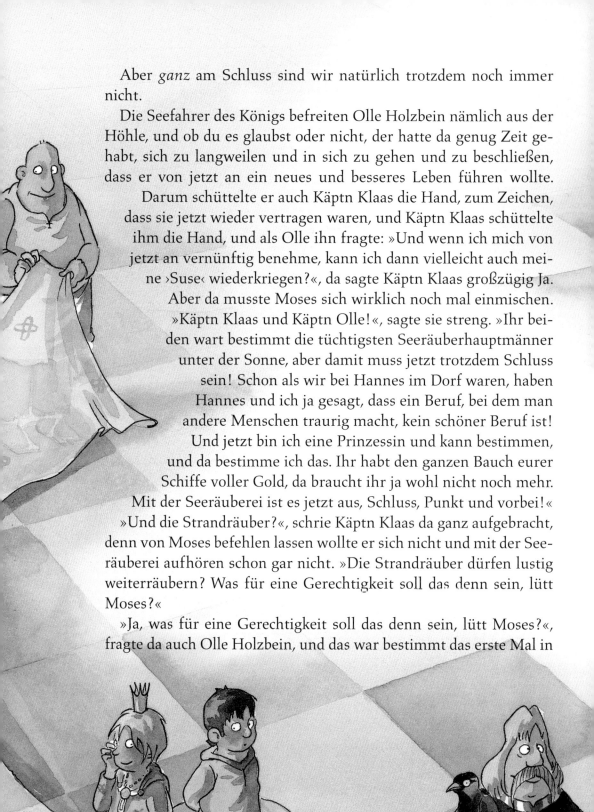

Aber *ganz* am Schluss sind wir natürlich trotzdem noch immer nicht.

Die Seefahrer des Königs befreiten Olle Holzbein nämlich aus der Höhle, und ob du es glaubst oder nicht, der hatte da genug Zeit gehabt, sich zu langweilen und in sich zu gehen und zu beschließen, dass er von jetzt an ein neues und besseres Leben führen wollte.

Darum schüttelte er auch Käptn Klaas die Hand, zum Zeichen, dass sie jetzt wieder vertragen waren, und Käptn Klaas schüttelte ihm die Hand, und als Olle ihn fragte: »Und wenn ich mich von jetzt an vernünftig benehme, kann ich dann vielleicht auch meine ›Suse‹ wiederkriegen?«, da sagte Käptn Klaas großzügig Ja. Aber da musste Moses sich wirklich noch mal einmischen.

»Käptn Klaas und Käptn Olle!«, sagte sie streng. »Ihr beiden wart bestimmt die tüchtigsten Seeräuberhauptmänner unter der Sonne, aber damit muss jetzt trotzdem Schluss sein! Schon als wir bei Hannes im Dorf waren, haben Hannes und ich ja gesagt, dass ein Beruf, bei dem man andere Menschen traurig macht, kein schöner Beruf ist! Und jetzt bin ich eine Prinzessin und kann bestimmen, und da bestimme ich das. Ihr habt den ganzen Bauch eurer Schiffe voller Gold, da braucht ihr ja wohl nicht noch mehr. Mit der Seeräuberei ist es jetzt aus, Schluss, Punkt und vorbei!«

»Und die Strandräuber?«, schrie Käptn Klaas da ganz aufgebracht, denn von Moses befehlen lassen wollte er sich nicht und mit der Seeräuberei aufhören schon gar nicht. »Die Strandräuber dürfen lustig weiterräubern? Was für eine Gerechtigkeit soll das denn sein, lütt Moses?«

»Ja, was für eine Gerechtigkeit soll das denn sein, lütt Moses?«, fragte da auch Olle Holzbein, und das war bestimmt das erste Mal in

ihrem Leben, dass die beiden Brüder einer Meinung waren. »Wenn die Strandräuber lustig weiterräubern dürfen?«

»Die Strandräuber dürfen auch nicht weiterräubern!«, sagte Moses energisch. »Darum schenke ich ihnen den Blutroten Blutrubin, denn ich brauche ihn nicht! Und damit sind auch die Menschen in Hannes' Dorf so reich, dass sie niemals mehr mit ihren falschen Feuern Schiffe auf Sandbänke locken und überfallen und Menschen traurig machen müssen.« Sie sah ihren Käptn energisch an. »Und du kannst jetzt zurückgehen zu deiner Frau und deinen fünf Kindern, Käptn Klaas. Und Käptn Olle kann mit dir gehen, denn ein Onkel ist ja ganz praktisch für fünf Kinder, und ihr könnt alle gemeinsam auf der kleinen Insel vor der Küste meines Landes nicht weit vom Schloss leben, denn dann seid ihr auch mitten auf dem Meer und habt Wasser um euch rum, und eure Mannschaften nehmt ihr gleich mit.«

»Was für eine kluge Tochter ich doch habe!«, sagte der König und strubbelte Moses wieder durch die Haare. »Kaum ist sie eine Prinzessin geworden, schon sorgt sie für das Glück ihrer Untertanen.«

Und Hannes und seine Leute freuten sich auch wirklich sehr über den Blutrubin und lockten von nun an kein Schiff mehr auf die Sandbank; Käptn Klaas und Käptn Olle allerdings sahen zu Anfang nicht so aus, als ob sie ganz fürchterlich glücklich wären.

Schließlich taten sie aber doch, was Moses vorgeschlagen hatte. Da wurde es ruhiger auf den Meeren, und auf den Kaufmannsschiffen mussten die Menschen nicht mehr immerzu Angst haben, dass sie überfallen würden; und die Seeräuber alle und Käptn Klaas′ Seeräuberkinder lebten sich auf der Insel ganz gut ein und Olle Holzbein wurde ein richtig netter Onkel, der seine Neffen und Nichten auf seinen Schultern reiten ließ.

Und wenn die Kerle doch einmal die Sehnsucht nach dem Meer packte und sie es an Land nicht mehr so gut aushalten konnten, dann machten sie die »Suse« und die »Walli« flott und schleuderten ihre Enterhaken hin und her, und vor allem Käptn Klaas′ Kinder hatten dabei ziemlich viel Spaß. Und wenn sie Zeit hatte und gerade mal nicht regieren musste, spielte Moses mit, und ganz oft übrigens auch Hannes. Denn sein Dorf lag ja, wie du weißt, gar nicht so weit entfernt, darum kam er Moses ziemlich oft besuchen. Er hatte ja nun Zeit, weil er nicht mehr strandräubern musste.

Er kam sogar öfter, als es nötig gewesen wäre, muss ich dazu sagen. Und rot wurde er auch jedes Mal, wenn er Moses sah, darum glaube ich ganz bestimmt, dass die beiden später mal geheiratet haben: Und Moses war dann Königin und Hannes war Prinzgemahl. Und ihre Kinder erzogen sie zu tüchtigen Prinzen und Prinzessinnen, aber auch zu tüchtigen Seefahrern natürlich. Und dabei halfen ihnen Nadel-Mattes und die anderen Kerle von der »Walli« alle gerne, denn die hatten ja Erfahrung damit, wie man einen guten Schiffsjungen erzieht; und wenn sie nicht gestorben sind, dann leben sie noch heute.

Vielleicht.

Seeräuberwörter und Seeräubersachen
(und ein paar andere Wörter und Sachen noch dazu)

<u>abbeldwatsch</u>: ungeschickt, tüffelig (nein, das ist ja schon wieder ein anderes Seeräuberwort!)

<u>Achterkastell</u>: Ganz hinten am Schiff wurde früher eine Plattform angebracht, die so ähnlich aussah wie ein Balkon an einem Haus, nur mit einem viel kräftigeren Geländer. Von dort oben aus konnte man sich ganz gut gegen Angreifer verteidigen. Man kann das Achterkastell auch mit den Türmen einer Burg vergleichen: *Kastell* heißt ja auch *Burg*. Und übrigens kann das Achterkastell auch *Heckkastell* heißen. Weil es ja hinten am Schiff ist, am <u>Heck</u>.

<u>Achterleine</u>: Auch heute noch haben Schiffe ja Befestigungsleinen, mit denen man sie im Hafen an Pfählen und Pollern festmachen kann. Eine Leine hinten (<u>achtern</u>) am Schiff heißt also Achterleine, und weil sie am <u>Heck</u> ist, kann sie natürlich auch *Heckleine* heißen.

<u>achtern</u>: hinten

ahoi

<u>ahoi!</u>: Seemannsgruß

<u>anheuern</u>: sich auf einem Schiff anstellen lassen oder jemanden auf einem Schiff anstellen. Das Geld, das man auf einem Schiff verdient, heißt nämlich *Heuer*.

<u>Anker lichten</u>: den Anker hochziehen, um loszufahren

<u>atschüs!</u>: Abschiedsgruß, eigentlich das Gleiche wie *tschüs, auf Wiedersehen, servus, Man sieht sich* – oder was Landratten sonst noch so dazu sagen

auflandig: Wenn der Wind vom Meer auf das Land zu weht, heißt er *auflandiger* Wind; wenn er vom Land zur See hin bläst, heißt er *ablandiger* Wind.

aufschießen

aufschießen: An Bord gibt es ja viele Leinen und Taue. Damit die nicht überall unordentlich rumliegen und man stolpern kann, werden sie zu großen Schlaufen aufgewickelt. Dann hat man sie immer schnell griffbereit, wenn man sie braucht.

Ausguck: Früher hatten die Schiffe ja noch kein Radar, und zur Zeit von Seeräubermoses und anderen berühmten Seeräubern auf der Ost- und Nordsee (wie z. B. Klaus Störtebeker) war noch nicht mal das Fernrohr erfunden. Wenn man also irgendetwas sehen wollte, das weit entfernt war – z. B. ein anderes Schiff oder die Küste –, dann ging das von hoch oben besser als von unten. Darum wurde an der höchsten Mastspitze ein Mastkorb angebracht, in dem immer jemand saß und sich umsah. Je höher der Ausguck war, desto weiter konnte man sehen, das weißt du ja von Türmen oder Hochhäusern. Der Ausguck hieß übrigens auch <u>Krähennest</u>.

Backbord: Wenn man auf einem Schiff steht und nach vorne guckt, ist Backbord die linke Seite. Die rechte heißt <u>Steuerbord</u>.

Balg: unfreundliches Wort für *Kind*

Balje: Waschwanne

bannig: ziemlich

Blide

Blide: Als es noch keine Kanonen und kein Schießpulver gab (und Gewehre und Pistolen und Bomben und Granaten und solche Sachen sowieso noch

Ausguck

nicht), war die Blide eine Art riesengroße Steinschleuder. Eine acht-
zehn Meter hohe Blide konnte z.B. einen fünfzehn Kilogramm
schweren Stein dreihundert Meter weit schleudern. Das war in Zeiten, in denen die Menschen sonst eigentlich nur im Nahkampf Mann
gegen Mann mit dem Schwert kämpften (und manchmal mit Pfeil
und Bogen), also schon ziemlich gefährlich!

brassen: An jedem Ende einer Rah sind Seile befestigt, um ihre Richtung zu ändern: Das nennt man dann *die Rahen brassen.*

Brokat: Seidenstoff, der mit Gold und Silber durchstickt ist – Brokat
ist also sehr, sehr teuer und wertvoll.

Bug: Vorderteil eines Schiffs – Gegensatz von Heck

Büx: Hose (darum bedeutet Schiss in der Büx bei den Seeräubern und
den Menschen an den Küsten bis heute auch immer noch *Angst*)

Bugkastell: Gegenteil von Achter- oder Heckkastell

Bugspriet: sozusagen ein waagerechter Mast, der vom Bug aus nach
vorne ragt

Dauben: Holzbretter, aus denen Fässer (oder Zuber und Baljen) her-
gestellt werden

Diadem: zierliche Krone (meistens für Damen), die nicht oben
   auf dem Kopf, sondern um die Stirn getragen wird

Diadem

Büx

Brokat

Balg   Balje

Dörrobst: Trockenobst. Damit man das Obst mit auf die Reise nehmen konnte, wurde es durch Trocknen haltbar gemacht.

Dösbaddel: Dummkopf

dösig: dumm

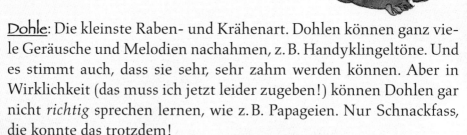

Dohle

Dohle: Die kleinste Raben- und Krähenart. Dohlen können ganz viele Geräusche und Melodien nachahmen, z. B. Handyklingeltöne. Und es stimmt auch, dass sie sehr, sehr zahm werden können. Aber in Wirklichkeit (das muss ich jetzt leider zugeben!) können Dohlen gar nicht *richtig* sprechen lernen, wie z. B. Papageien. Nur Schnackfass, die konnte das trotzdem!

Dollbord: eine Art schmales Brett, das als Oberkante um ein Ruderboot herum verläuft

Doppelter Palstek: zusammen mit dem Palstek der Seemannsknoten, den man in der Seefahrt am häufigsten verwendet

Drehleier: tausend Jahre altes Musikinstrument mit Saiten

Dudelsack: Im Mittelalter sehr beliebtes Musikinstrument. Heute kennen wir den Dudelsack hauptsächlich aus Schottland.

entern

Erzrivale

Enterhaken

Dukaten: Goldmünzen, die wirklich fast ganz und gar aus Gold bestanden. Damit konnte man überall auf der ganzen Welt bezahlen.

duster: dunkel

Eiland: Insel

Dukaten

Enterhaken: Wenn man ein fremdes Schiff entern wollte, warf man ein Seil mit einem großen Haken oder Dreizack am Ende, der sich in den Tauen oder an der Reling des Schiffes festhakte. Daran konnte man es zu sich heranziehen und an Bord klettern.

entern: an Bord gehen, um ein Schiff zu erobern

Erzrivale: größter Gegner

Fegefeuer: Das fürchterliche Feuer, das in der Hölle brennt. Früher hat man geglaubt, dass schlechte Menschen nach ihrem Tod dahin kommen, und die Guten kommen zur Belohnung in den Himmel.

Flaute: Windstille. Dann kann man natürlich nicht segeln.

Geisterschiff: Ein Schiff, das heil und ganz irgendwo mitten auf dem Meer treibt – ohne einen einzigen Menschen an Bord. Weil man nicht wusste, wie es dahin gekommen war, dachte man früher, dass Geister es gesegelt hätten.

Geschmeide: anderes Wort für Schmuck

Glasenuhr: Die Seefahrer hatten früher ja noch keine Uhren. Um die Zeit zu messen, stellten sie einfach Kerzen zum Schutz vor Wind und gegen die Feuergefahr in hohe Gläser. In den Rand der Kerzen hatten sie in regelmäßigen Abständen Kugeln gepresst. Wenn die Kerze herunterbrannte, fielen nacheinander die Kugeln in das

Glas, und das konnte man hören und wusste, wie viel Zeit vergangen war – es *glaste* nämlich immer nach einer halben Stunde. Jede Kerze brannte vier Stunden. Fiel die achte Kugel ins Glas, war die Kerze heruntergebrannt und es war Zeit für den Wachwechsel. (Da der Tag 24 Stunden hat, gab es also sechs Wachen am Tag.) Die nächste Wache zündete dann eine neue Kerze an, und alles ging von vorne los:

1. Tagwache (4.00 bis 8.00 Uhr)	Morgenwache
2. Tagwache (8.00 bis 12.00 Uhr)	Vormittagswache
3. Tagwache (12.00 bis 16.00 Uhr)	Nachmittagswache
4. Tagwache (16.00 bis 20.00 Uhr)	Plattfuß
1. Nachtwache (20.00 bis 24.00 Uhr)	Abendwache
2. Nachtwache (0.00 bis 4.00 Uhr)	Hunde- oder Hundswache

gnägelig: nörgelig, schlechter Laune

gnatterig: maulig, schlechter Laune

Heck: Hinterteil des Schiffes

Holk: Schiff, das so ähnlich
gebaut ist wie eine <u>Kogge</u>

Holk

Jüngstes Gericht: Juden, Christen und Muslime
stellen sich alle vor, dass es am Ende der Welt und
am Ende aller Zeiten ein göttliches Gericht geben wird.

kalfatern: Wenn ein Schiff aus Holz gebaut ist (wie früher alle Schiffe), kann ja zwischen seinen Planken leicht Wasser eindringen, dann wird die Ladung nass oder das Schiff sinkt sogar. Darum wurden

gnägelig   gnatterig

die Lücken oder Nähte zwischen den Planken mit <u>Werg</u> und <u>Pech</u> abgedichtet. Das musste man zwischendurch immer mal wieder neu machen.

<u>Kaperbrief</u>: Einen Kaperbrief stellte ein König (oder eine Regierung) einem Kapitän aus, und dann durfte dieser Kapitän mit seinem Schiff die Schiffe anderer Länder oder Städte überfallen und das wurde nicht bestraft. Für Seeräuber war das sehr praktisch, denn so konnten sie Schiffe »für ihren König« ausrauben (ein bisschen von der Beute wollte der natürlich schon abhaben!) und konnten in seinen Häfen an Land gehen, ohne Angst haben zu müssen, gefangen genommen zu werden. Die Seeräuberei galt nämlich mit einem Kaperbrief nicht mehr als Verbrechen, wenn man nur die richtigen Schiffe überfiel.

<u>kapern</u>: ein Schiff überfallen, entern, ausrauben und vielleicht auch versenken

Karfunkel

<u>Karfunkel</u>: altmodisches Wort für alle roten Edelsteine (wie z.B. den Rubin und den Granat)

<u>Kaventsmann</u>: Kaventsmänner sind riesenhohe Monsterwellen (ungefähr 25 Meter hoch oder sogar noch höher!), die plötzlich mitten auf dem Meer auftreten, man weiß nicht, warum, und die sogar große Schiffe in die Tiefe reißen können. Seeleute haben schon immer von ihnen erzählt, aber bis vor gar nicht langer Zeit galten diese Geschichten als <u>Seemannsgarn</u>, denn es gab ja noch keine Kameras, mit denen man die Kaventsmänner fotografieren konnte. Inzwischen weiß man aber, dass es sie wirklich gibt, und versucht sie zu erforschen.

kalfatern

kielholen: Ab und zu müssen vor allem die Schiffe mit einem Holzrumpf auch an den Stellen untersucht, von Muscheln gesäubert oder kalfatert werden, die normalerweise unter Wasser liegen. Dafür werden sie vorsichtig an Land aufs Trockene geschafft.

Klampe

Klabautermann: Eine Art ziemlich polteriger unsichtbarer Kobold, den es früher (sagt man) auf jedem Schiff gab und der dem Kapitän beim Führen des Schiffes half. Er sah aus wie ein Matrosenzwerg – aber woher man das weiß, kann ich nicht sagen, denn eigentlich zeigte er sich nie. Und wenn doch, brachte das Unglück und das Schiff ging unter.

Klampe: Eine Klampe ist dazu da, Taue daran festzumachen. Sie werden dabei um die beiden Hörner der Klampe gewickelt, das nennt man auch *belegen*.

klönen: sich gemütlich unterhalten; zusammen schnacken

klöterig: unsicher, schwach, torkelig

Klüsen: Öffnungen in der Bordwand, durch die Leinen, Taue oder Ketten (z.B. die Ankerkette) geführt werden. Wenn hohe Wellen über das Deck schwappen, kann das Wasser durch die Klüsen wieder ablaufen.

Kogge: Die Kogge war das beliebteste Segelschiff zu der Zeit, als die Seeräuber auf der Ostsee ihr Unwesen trieben (also im späten

Krake

,, Malheur

Mittelalter). Eigentlich war die Kogge ein Handelsschiff, das viel Ladung transportieren konnte. Sie war ein Einmaster und hatte ein Rahsegel. Knapp unterhalb der Mastspitze war das Krähennest angebracht. Achtern besaßen Koggen das Achterkastell und im Verlauf des 14. Jahrhunderts kam am Bug häufig ein Bugkastell hinzu.

Kombüse: Schiffsküche

Krähennest: siehe Ausguck

Krake: Kraken sind achtarmige Tintenfische. Bei den allergrößten Arten können die Tentakel (Arme) bis zu fünfzehn Meter lang werden! Weil sie in großer Tiefe leben (so ungefähr einen Kilometer unter dem Wasser), bekommt man sie nur selten zu sehen, und die Geschichten über Riesenkraken galten jahrhundertelang als Seemannsgarn. Vor allem in der Gegend von Australien findet man aber immer wieder an den Strand gespülte Riesenkraken. Es gibt sie also doch!

Landratte: unfreundliches Wort der Seeleute für alle, die keine Seeleute sind

Likedeeler: Ein plattdeutsches Wort, das *Gleichteiler* bedeutet. Die Seeräuber teilten ihre Beute nämlich ganz gerecht untereinander auf, darum trugen sie diesen Namen.

lütt: plattdeutsches Wort für *klein*

Lüttschiet: Kleinkram. (Eigentlich heißt *Schiet* gar nicht *Kram*. Aber sonst wäre es wirklich zu peinlich.)

Malheur: Pech, Unglück

Likedeeler

lütt

Rah

retten

Mannschaftslogis: auf einem Schiff der Schlafraum für die Mannschaft

Morsealphabet: Im Morsealphabet sind alle Buchstaben aus kurzen und langen Signalen zusammengesetzt. *A* z.B. sieht dann so aus: ·– und *S* so: ··· und *O* so: –––. Das Notsignal SOS geht darum ganz einfach, nämlich: ···–––···. Man kann die Morsezeichen klopfen, pfeifen oder mit einer Lampe leuchten. (Sie sind auch eine ziemlich gute Geheimschrift.) Als es noch kein Telefon und kein Internet gab, war das Morsen eine gute Möglichkeit, Nachrichten über weite Strecken zu übermitteln.

morsen: siehe *Morsealphabet*

neunschwänzige Katze: Peitsche mit neun Enden, mit der früher Seeleute bestraft wurden

Nixe

Nixe: anderes Wort für *Seejungfrau*

Palstek: Der allerwichtigste *Seemannsknoten*. Er hält sehr fest, geht nicht aus Versehen auf und lässt sich trotzdem ganz leicht und schnell lösen.

314

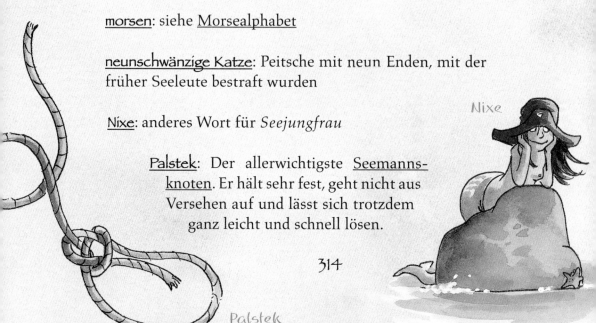

Palstek

Pech: Eine Art von Teer, die bei der Herstellung von Holzkohle entsteht. Früher kippte man übrigens heißes Pech von den Burgzinnen auf Feinde, die die Burg belagerten. Da war Pech eine sehr gefährliche Waffe.

Pergament: Als das Papier noch nicht erfunden war, benutzte man Pergament, um darauf zu schreiben. Es wurde aus Tierhaut gewonnen und war eigentlich nichts anderes als ganz, ganz hauchdünnes Leder.

Pökelfleisch: *Pökeln* heißt nichts anderes als *einsalzen*. Damit machte man Fleisch (und auch Fisch) in den Zeiten, bevor es Kühlschränke gab, haltbar. Sonst hätte man es ja immer nur direkt nach dem Schlachten essen können, auf monatelangen Schiffsreisen hätte das nicht viel genützt.

querab: an der Seite

Rah: Rahen sind die langen Hölzer, die waagerecht am Mast angebracht und an denen die Segel befestigt sind. Man kann sie um den Mast drehen (**brassen**), um die Segel in die richtige Richtung zum Wind zu bringen.

rammdösig: blöde, dumm

reffen: Bei starkem Wind muss auf einem Segelschiff die Segelfläche möglichst klein sein, sonst würde der Wind das Schiff ziemlich durch die Gegend scheuchen! Es könnte sogar untergehen. Darum wurde bei einem Rahsegel (wie auf der Kogge) das Segel vor einem Sturm zur Rah hochgeholt und dadurch kleiner gemacht. Dazu mussten die Seeleute in die **Wanten** hochklettern, was ziemlich gefährlich war.

Reling: das Gitter, das um das Deck herum verläuft

Pech

315

Riemen: anderes Wort für *Ruder*

Rübenmiete: ein ordentlich aufgeschichteter Berg aus Rüben

Schaluppe: eigentlich ein kleiner Einmaster; aber auch ein unfreundliches Wort für *Schiff*

schanghaien

schanghaien: jemanden mit Gewalt und gegen seinen Willen auf ein Schiff schleppen und zum Matrosen machen

Schiet: Hm. Wenn ich das jetzt schreibe, kriege ich vielleicht Ärger. Also, das hochdeutsche Wort fängt mit den gleichen Buchstaben an, aber wenn man höflich ist, sagt man es nicht. Man kann ja »Mist« sagen oder ganz vielleicht auch »Kacke«. Jetzt weißt du schon Bescheid, oder?

schippern: mit einem Schiff fahren

Schiss in der Büx: Angst (siehe auch: Büx)

Schisshase: Angsthase

schmuddelig: ein bisschen schmutzig

schnacken: reden

schwer von Kapee: hochdeutsch: schwer von Begriff. Wenn jemand alles immer nur furchtbar langsam begreift.

Seemannsgarn: Die Seeleute haben den Landratten früher immer ziemlich viele Märchen erzählt über das, was sie auf hoher See erlebt hatten. Richtige Angeber waren das! Dafür waren sie berühmt,

schmuddelig

Riemen

und solche Lügengeschichten hat man dann Seemannsgarn genannt.

<u>Seemannsknoten</u>: Überall auf Schiffen – vor allem früher auf den Segelschiffen – gibt es ja sehr, sehr viele Leinen und Taue und <u>Trossen</u>, mit denen alles Mögliche fest- und wieder losgemacht oder auch bewegt wird. Darum müssen die Knoten auch supergut halten, nicht zufällig aufgehen, sich aber auch blitzschnell lösen lassen, sonst kann es sehr gefährlich werden! Seemannsknoten sind daher eine ganz besondere Art von Knoten, die besten, die es gibt, und man kann sie auch an Land prima gebrauchen.

<u>Seemeile</u>: 1852 Meter, also fast zwei Kilometer

<u>Seidenbrokat</u>: siehe <u>Brokat</u>

<u>Skull</u>: Eine Art Ruder. Beim <u>Skullen</u> hat der Ruderer in jeder Hand ein Skull – also jeder Ruderer hat zwei Skulls. Sonst hat beim Rudern jeder Ruderer nur einen <u>Riemen</u>, man braucht also immer zwei Ruderer für ein Boot.

<u>skullen</u>: mit <u>Skulls</u> rudern

<u>Slipstek</u>: ziemlich einfacher <u>Seemannsknoten</u>, den man benutzt, wenn etwas nur mal eben kurz festgemacht werden soll. Er lässt sich nämlich ganz fix wieder lösen – aber er hält auch nicht so gut, wie mancher andere, kompliziertere <u>Seemannsknoten</u>.

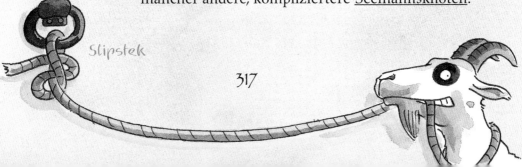

Slipstek

Smutje: Schiffskoch

spaddeln: im Wasser rumzappeln, versuchen zu schwimmen

Speigatten: Öffnungen (oft sind die mit einer Klappe verschlossen) in der Schiffswand, durch die Wasser wieder ins Meer zurückfließen kann

Spelunke: Kneipe, Wirtshaus – aber ganz bestimmt kein schönes!

Sphinx: Eine sehr berühmte Figur aus der griechischen und ägyptischen Sagenwelt. Die Sphinx hat einen Löwenkörper und einen Menschenkopf. Sie stellte den Menschen ein schwieriges Rätsel, und wenn sie es nicht lösen konnten, wurden sie erwürgt. Es gibt viele Sphinxstatuen, die berühmteste von ihnen steht bei Kairo in Ägypten in der Nähe der Pyramiden von Giseh am Westufer des Flusses Nil und ist 20 Meter hoch und 73,5 Meter lang.

Spiddel: magerer Mensch

Steuerbord: wenn man in Richtung Bug (also nach vorne) guckt, die rechte Seite eines Schiffes, das Gegenteil von Backbord

Stockfisch: Getrockneter Fisch. Trocknen war genauso wie Einsalzen (Pökeln) eine Methode, um in der Zeit vor der Erfindung des Kühlschranks Lebensmittel haltbar zu machen.

Tüffel

Tampen

Spiddel

Trumscheit

spaddeln

Schiffskoch

Stockfisch

Treibgut

Strandräuber: Menschen, die an der Küste lebten und nach einem Schiffsunglück die Ladung eines gesunkenen oder gestrandeten Schiffes einfach für sich behielten. Manchmal organisierten sie deshalb die Schiffsunglücke auch selbst, indem sie Schiffe in die Irre führten und mit falschen Leuchtfeuern auf Klippen oder Sandbänke lenkten.

Strich in der Landschaft: viel zu dünner Mensch, Spiddel

Tampen: kurzes Seil (oder auch das Ende eines Seils)

Treibgut: Wenn ein Schiff untergeht, schwimmen seine Ladung oder auch Schiffsteile oft auf dem Wasser oder werden am Strand angetrieben. Das nennt man dann Treibgut, und Strandräuber freuen sich darüber.

Trossen: sehr kräftige Taue

Trumscheit: Sehr altes Musikinstrument – es ist ein Streichinstrument, das nur eine Saite hat.

Tüffel: Dummkopf

tünen: ein bisschen schwindeln

Tünkram: dummes Zeug, Unsinn

über die Planke gehen: Die schlimmste Strafe bei den Seeräubern. Ein langes Brett – eine Planke – wurde so über die Reling gelegt, dass ein Ende über dem Wasser schwebte. Dann wurde der Verurteilte gefesselt und mit verbundenen Augen mit einer Lanze die Planke entlanggetrieben, bis er ins Wasser fiel und ertrank. In Wirklichkeit machten die Seeräuber das aber nur selten. Meistens schmissen sie die Menschen einfach so ins Meer, was aber ja auch nicht viel besser war!

unterdükern: untertauchen

Vorspring: Eine Leine, mit der man ein Schiff an Land festmacht. Sie führt vom Bug des Schiffes nach achtern an Land.

Wanten: Seile, die den Mast an beiden Schiffsseiten festmachen, damit er auch bei einem starken Sturm nicht umkippt

Waschbalje: Waschwanne

Webeleinstek: Seemannsknoten, den man in der Mitte einer Leine machen kann, wenn die Enden der Leine nicht frei sind. Man kann die Leine damit an Gegenständen festmachen.

Werg: Eine Art Watte aus Leinenfasern. Heute gibt es kaum noch Werg, weil wir praktischere Sachen haben.

Westsee: So hieß im Mittelalter die Nordsee.

Wrack: ein gesunkenes (oder jedenfalls kaputtes) Schiff

Zuber: Wanne

atschüs

Zuber